L'ÉTAT DU QUÉBEC 2016

ÉDITION 20e ANNIVERSAIRE

INSTITUT DU **NOUVEAU MONDE**　　　DEL **BUSSO**

Merci à nos partenaires

Fonds de recherche – Nature et technologies
Fonds de recherche – Santé
Fonds de recherche – Société et culture

LE DEVOIR

L'actualité

CHATELAINE

Distribution au Canada : Socadis
Diffusion en France : Tothèmes Diffusion

© Institut du Nouveau Monde / Del Busso éditeur, 2015
www.inm.qc.ca / www.delbussoediteur.ca

Dépôt légal : 4ᵉ trimestre 2015
Bibliothèque et Archives nationales du Québec

ISBN papier 978-2-923792-76-7
ISBN PDF 978-2-923792-83-5
ISBN ePub 978-2-923792-82-8

IMPRIMÉ AU CANADA

L'état du Québec 2016

Direction
Annick Poitras, journaliste
indépendante, avec la
collaboration de Michel
Venne, directeur général de
l'Institut du Nouveau Monde
(INM)

Production
Sophie Seguin-Lamarche,
directrice des
communications, INM

Édition
Annick Poitras,
avec la collaboration
de Martine Roux, journaliste
indépendante

Révision
Christophe Horguelin
Edith Sans Cartier

Rédaction
Benoit Allaire
Pierre Barrette
Lisa Birch
Frédéric Bolly
Gilles L. Bourque
Jean-Patrick Brady
Dinu Bumbaru
Frédéric Castel
Youri Chassin
Hélène Côté
Jean-Guy Côté
Dominic Duval
Dre Lesley Fellows
Olivier Germain
Élisabeth Gibeau
Elisabeth Gidengil
Luc Godbout
Michel Grenier
Jean-Herman Guay
Ghayda Hassan
Mia Homsy

Louis M. Imbeau
Bruno Jean
Simon Langlois
Robert Laplante
Carole Lévesque
Travis Logan
Julie Martel
Brian Myles
Jacques Nantel
Octave Niamie
Beatriz Osorio
Stéphane Paquin
Félix Parent
Lise Payette
François Pétry
Pierre-Olivier Pineau
Jean-Pierre Proulx
Marie-Hélène Proulx
Cécile Rousseau
Sonny Scarfone
Jean-François Simard
Robert Siron
Dietlind Stolle
Jonathan Trudel
Michel Venne
Jean-Philippe Warren
Anthony Weber
Chenjie Xia
Nicolas Zorn

**Autres réflexions
et contributions**
Jean-Martin Aussant
Lucien Bouchard
Yves-Thomas Dorval
Dre Marie-Claude Goulet
Steven Guilbeault
Dr Gilles Julien
Dany Laferrière
Monique Leroux
Jacques Létourneau
Pauline Marois
Dr Stanley Vollant

Conception de maquette
Jean-François Proulx,
balistique.ca, assisté
de Laurent Francoeur-Larouche

Site Web
Francis Huot, INM

Infographie
Josée Lalancette,
Folio Infographie

Caricatures
Gracieuseté du journal *Le Devoir*
Garnotte
Manon Derome (recherche)

Illustration et photos
Maude Chauvin
Maxime Desbiens
Anderson Lima
Alain Lefort
Aaron McConomy, colagene.com
Innu Meshkenu

Institut du Nouveau Monde
5605, avenue de Gaspé, bur. 404
Montréal (Québec) H2T 2A4
514 934 5999
Sans frais: 1-877-934-5999
inm@inm.qc.ca // inm.qc.ca

SOMMAIRE

AVANT-PROPOS

L'ère des mises à jour

Vous savez quand votre ordi, votre tablette ou votre téléphone se met à tourner au ralenti ou carrément dans le beurre. Probable alors qu'au cœur de l'appareil une importante mise à jour du système se déploie, raboutant de vieux circuits, rafraîchissant les applications et les façons de faire. Et qu'une fois cette mise à niveau chaotique complétée, la machine performera mieux. Du moins l'espère-t-on.

Pardonnez cette analogie simpliste, mais c'est un peu ce qui se passe au Québec. Un Québec qui a vieilli et qui, au fil des ans, s'est enrichi d'immigrants de partout qui prennent racine ici, avec leurs espoirs et leurs façons de penser. Ainsi, la société évolue constamment et le «modèle québécois», sur lequel s'est bâtie notre société depuis la Révolution tranquille, doit s'adapter aux réalités d'aujourd'hui. C'est-à-dire celles des générations X, Y et du Millénaire qui rêvent de justice, d'imputabilité et d'économie verte, et qui sont branchées sur un monde en plein bouleversement technologique et idéologique. Et trop souvent, aussi, sur un monde en guerre.

C'est pourquoi nous devons demeurer alertes, garder l'œil sur ce qui se profile à l'horizon. Et devant, il y a la montée des nouveaux entrepreneurs, des fondateurs de petites-entreprises-locales-vertes-et-résilientes. Il y a la volonté de combattre les inégalités sociales, de nous libérer des dettes, de faire briller notre patrimoine, de créer non seulement de la valeur pour nous enrichir, mais aussi de nouvelles valeurs sociales comme on bâtit de nouveaux ponts. Des ponts solides, qui ne menacent pas de s'effondrer, et qui nous porteront vers cette autre rive : l'avenir.

Car il faut trouver de nouveaux chemins pour avancer. D'abord, il faut nous adapter aux changements climatiques, qui menacent nos ressources en eau et notre économie, laquelle doit vite recycler ses vieux bouliers et introduire l'air pur dans ses calculs. Ensuite, il faut nous adapter au changement : à la jeunesse d'un Trudeau junior à Ottawa, à une éventuelle révision majeure de notre fiscalité et à la crise silencieuse des médias qui, pendant qu'on gave l'ogre Internet, crèvent de faim et risquent de ne plus pouvoir jouer leur rôle d'outils démocratiques.

Les Québécois vivent aussi au milieu de nombreux chantiers : les cônes orange pullulent non seulement sur nos routes, mais aussi dans le réseau de la santé, dans les commissions scolaires et dans nos régions. Fait-on fausse route avec les réformes du gouvernement libéral de Philippe Couillard, qui chambardent plusieurs formes de gouvernance? L'avenir le dira, peut-être, s'il est généreux.

culture. Rappelons-nous. Il y a 20 ans, en 1995, c'était le second référendum sur la souveraineté du Québec, qui a laissé la population divisée et un rêve d'indépendance réduit en miettes. Lucien Bouchard, devenu premier ministre peu après, a recollé les morceaux avec un Sommet sur l'économie et l'emploi, qui a alors donné

> **Les Québécois vivent aussi au milieu de nombreux chantiers : les cônes orange pullulent sur nos routes, mais aussi dans le réseau de la santé, dans les commissions scolaires et dans nos régions.**

Généreux comme ce Dany Laferrière qui partage avec nous sa vision de la culture et rappelle que «la culture, c'est ce qui fait de nous un être humain, ce qui nous permet de prendre une distance avec l'événement».

En effet, que dira-t-on, dans quelques années, de la montée de la radicalisation – tant chez certains musulmans que chez certains Québécois à l'égard des immigrés –, de l'austérité qui mènera peut-être à une dette moins lourde à porter pour nos enfants? De nos relations avec les Premières Nations, avec qui un nouveau dialogue semble vouloir s'ouvrir? Et des femmes, qui se battent encore pour l'égalité dans plusieurs sphères de leur vie?

Prendre une distance avec l'événement est en effet ce qui forge notre

un nouvel élan au Québec. «L'État québécois, c'est tout ce qu'on a, et si on n'y fait pas attention, il peut nous arriver des malheurs», nous rappelle-t-il, dans un entretien exclusif. De tout ce passé, il y a des leçons à tirer. Pour l'avenir qui cogne à nos portes.

Il y a 20 ans, c'était aussi la première édition de *L'état du Québec*. Cet ouvrage unique, qui offre des clés pour comprendre le Québec au moyen de textes d'analyse inédits, a traversé le temps et poursuit sa mission : donner un sens au chaos. Suivez-nous à inm.qc.ca.

Bonne lecture,

Annick Poitras
Journaliste indépendante
et directrice de *L'état du Québec 2016*

Spécial 20ᵉ anniversaire
de *L'état du Québec*

CE QUI A CHANGÉ AU QUÉBEC EN 20 ANS

À l'occasion du 20ᵉ anniversaire de *L'état du Québec,* nous avons demandé à une dizaine de personnalités de s'exprimer librement sur ce qui, selon elles, a évolué dans leur secteur depuis 20 ans et qui contribue à définir le Québec d'aujourd'hui. Voici les messages qu'elles ont souhaité livrer dans le cadre de cette réflexion collective spontanée.

Dans la société québécoise

PAULINE MAROIS

Politicienne et première femme première ministre du Québec

Il y a 20 ans, le 30 octobre 1995, la trajectoire qui menait le Québec vers sa pleine souveraineté politique a été brutalement interrompue par une défaite au fil d'arrivée. Ce soir-là, un ressort a été brisé.

Le changement n'a pas été brutal. Nous avons même réussi à faire quelques avancées dans les domaines de la famille et de la condition féminine. Nos entreprises comme nos artistes sont présents sur les plus grandes scènes et notre culture rayonne bien au-delà de nos frontières.

En fait, dans tous les domaines, nous avons récolté le fruit des décisions prises par des dirigeants visionnaires qui avaient misé sur l'éducation, le savoir, la justice et l'ouverture au monde. Malgré les bouleversements économiques, grâce à des institutions solides, nous avons pu préserver l'essentiel de la société moderne que nous avions construite, une société plus juste dont bien des peuples seraient fiers.

Mais aujourd'hui, non seulement nous avons cessé de progresser, mais nous sommes en marche arrière. Nous assistons à l'affaiblissement des grands réseaux publics dans les domaines de la santé et de l'éducation, à la provincialisation de nos institutions et à une tentative délibérée de rendre impraticable l'exercice du droit du Québec à l'autodétermination.

> Quand je regarde les 20 ans qui se sont écoulés, je suis à la fois optimiste et inquiète. Notre plus grand défi est de combattre le fatalisme qui s'est installé.

Quand je regarde les 20 ans qui se sont écoulés, je suis à la fois optimiste et inquiète. Notre plus grand défi est de combattre le fatalisme qui s'est installé. Heureusement, des leaders d'une nouvelle génération avec des idéaux élevés ont investi la place publique. Si nous savons les soutenir pour qu'ils soient en mesure d'affirmer nos valeurs et de dessiner leur destin, les portes de l'avenir pourront de nouveau s'ouvrir. ◊

En environnement

STEVEN GUILBEAULT
Cofondateur et directeur principal d'Équiterre

C'est en 1995 que le Québec présentait sa première stratégie de lutte contre les changements climatiques. À l'époque, cette stratégie ne prévoyait aucune mesure ni aucun objectif de réduction des émissions de gaz à effet de serre ; elle allait même jusqu'à affirmer que, bien qu'étant négatifs pour le ski, les changements climatiques seraient bénéfiques pour le golf !

Les choses ont bien changé depuis. Le Québec a été le premier État à mettre en place une taxe sur le carbone pour lutter contre les changements climatiques, et le premier à créer un fonds visant à financer des mesures de réduction des émissions de GES ; le premier État à l'extérieur des États-Unis à se joindre à la Californie afin d'imposer des standards d'efficacité énergétique plus sévères aux constructeurs automobiles, etc.

> Le Québec a été le premier État à mettre en place une taxe sur le carbone pour lutter contre les changements climatiques.

Entre 2000 et 2010, l'utilisation du vélo utilitaire a doublé à Montréal et l'achalandage des transports en commun a battu des records vieux de plus de 50 ans. Le Québec a réussi à atteindre et à dépasser les cibles de réduction des émissions de GES qu'il s'était fixées dans le cadre du protocole de Kyoto et a mis sur pied la bourse du carbone avec la Californie et l'Ontario ; d'autres États envisagent de s'y joindre également.

Le ministre de l'Environnement, David Heurtel, parle aujourd'hui de « changements cataclysmiques » et le premier ministre Couillard de l'« urgence d'agir » !

Il reste encore pourtant beaucoup de chemin à parcourir. Il faudra notamment réaliser que les projets de pipelines et le chant des sirènes du pétrole québécois ne feront que ralentir la transition vers une société sobre en carbone, voire nous en éloigneront. Une transition pourtant nécessaire si nous voulons éviter de frapper un mur. ◊

Dans le milieu de la santé

D^{re} MARIE-CLAUDE GOULET

Médecin, féministe, militante pour la justice sociale et ex-présidente
du regroupement Médecins québécois pour le régime public

Au cours des 20 dernières années, l'évolution du système de soins de santé, au même titre que celle de l'ensemble des services publics, a malheureusement été marquée par une diminution des services offerts, une détérioration des conditions de travail du personnel, une privatisation grandissante, et une gestion de plus en plus calquée sur celle de l'entreprise privée. L'introduction de méthodes productivistes déshumanisantes, telle la méthode LEAN (production optimisée), en est un exemple éloquent.

Les fondements mêmes de notre système de santé – universalité, accessibilité, gratuité, équité, gestion publique – sont attaqués de toutes parts depuis 20 ans. Déficit zéro sous Lucien Bouchard, réingénierie de l'État sous Jean Charest, austérité sous Philippe Couillard ne sont que différentes appellations du même phénomène. Aux principes de solidarité et de bien commun ont été substitués ceux d'utilisateur-payeur et de concurrence.

> Aux principes de solidarité et de bien commun ont été substitués ceux d'utilisateur-payeur et de concurrence.

Rappelons que les personnes les plus vulnérables et les femmes – qui sont majoritaires à travailler dans le domaine de la santé, de l'éducation et des services communautaires – sont encore une fois les grandes perdantes de cette dégradation de nos services publics.

Ainsi, le Québec d'aujourd'hui se définit de plus en plus en Québec inc. ◊

Pour nos enfants

Dr GILLES JULIEN
Président-fondateur de la Fondation du Dr Julien

Depuis 20 ans, les enfants n'ont pas changé, cependant tout a changé autour d'eux, et cela les affecte énormément sur les plans de la santé, du développement et du bien-être. On a donc les mêmes enfants qu'avant, vivants, explorateurs, bruyants pour la plupart, joyeux pour une grande part. Mais il leur faut parfois être «nés du bon bord» pour obtenir des chances égales de réussir dans ce monde en transformation. Malgré les cadres, les conventions et les engagements, ils ne sont pas encore égaux et ne possèdent pas tous les outils nécessaires à leur épanouissement. Ils ont pourtant tous des talents!

L'État s'en est préoccupé, les filets de sécurité se sont multipliés, des outils ont été mis en place à travers des centres de la petite enfance, des protections de base et des programmes préventifs. Les gouvernements ont joué un rôle de plus en plus grand pour appuyer la santé des enfants et leur développement. Devant tant de zèle pour mieux s'occuper des enfants, les milieux de vie se sont un peu effacés.

Pourtant, l'équité sociale n'est pas encore achevée. La mobilisation des communautés peine à se renforcer, les familles ne sont pas mieux équipées et les stress sociaux continuent de se multiplier. Les enfants, eux, ont encore les mêmes besoins, encadrés par les mêmes droits entérinés depuis plus de 40 ans par la Convention relative aux droits de l'enfant.

Même si l'économie prédomine sur les priorités sociales, en particulier celles de l'enfance, et que les décisions ne semblent plus se prendre en fonction des valeurs profondes de notre société, l'espoir persiste et on sent bien, dans les quartiers et les villages, un revirement en faveur des enfants. Des bénévoles et des communautés s'engagent en grand nombre, s'engagent dans leur quotidien; des entreprises se donnent une conscience sociale; des villes se veulent «en santé» ou «amies des enfants».

> Devant tant de zèle pour mieux s'occuper des enfants, les milieux de vie se sont un peu effacés.

Nous croyons nous-mêmes à l'avènement d'une nouvelle médecine sociale pour appuyer les enfants et les familles localement. Une révolution sociale est peut-être en train de se déployer pour mieux accompagner les enfants du Québec et, qui sait, peut-être aussi tous les enfants du monde! ◊

Chez les Autochtones

Dr STANLEY VOLLANT

Innu de Pessamit et premier chirurgien autochtone au Québec, il fait la promotion de saines habitudes de vie et de la réussite scolaire auprès des Premières Nations.

La bonne nouvelle, c'est que grâce à un taux de natalité élevé, la population autochtone augmente et rajeunit : la moitié des membres des Premières Nations a aujourd'hui moins de 20 ans ! Mais il y a de mauvaises nouvelles.

D'une part, leur scolarisation décline. Dans les années 1980 et 1990, il y avait une augmentation des taux de diplomation au secondaire, au collégial et à l'université. Aujourd'hui, 75 % des jeunes Autochtones décrochent avant la troisième secondaire, et moins de 5 % vont à l'université. D'autre part, l'état de santé des Autochtones se détériore depuis 20 ans. Dans la plupart des communautés éloignées, de 30 à 40 % des adultes de plus de 40 ans souffrent de diabète à cause de la sédentarisation et de l'obésité. Autrefois, ils mangeaient surtout de la viande, du gras naturel et pas beaucoup de sucre. Aujourd'hui, ils mangent des spaghettis en boîte et des plats forts en glucides et faibles en protéines. Ce pourrait être catastrophique chez les Autochtones, car ils sont de deux à trois fois plus nombreux que les Canadiens non autochtones à avoir des complications cardiaques, des amputations et des maladies vasculaires ou à devenir aveugles à cause du diabète.

Aussi, le taux de suicide est chez eux beaucoup plus élevé que la moyenne canadienne. Déjà que les Canadiens comptent parmi les champions du monde en cette matière ; ça fait des Autochtones les champions des champions... C'est tragique. Ça témoigne d'une grande détresse, qui mène à adopter des comportements malsains comme l'alcoolisme et la toxicomanie.

Je demeure malgré tout optimiste, car cette population est jeune, dynamique et pleine de potentiel pour travailler et participer au développement du pays si on l'aide de la bonne façon. Il y a 20 ans, la Commission royale sur les peuples autochtones, qui a coûté des millions, a produit un excellent rapport qui dort sur une tablette à Ottawa depuis. Si on avait appliqué l'ensemble de ses recommandations, on n'en serait pas là. Ce n'est même pas 1 à 2 % d'entre elles qui ont été suivies... Je pense qu'on est encore à la croisée des chemins. Et que, cette fois, il ne faut pas manquer le bateau. ◊

> Aujourd'hui, 75 % des jeunes autochtones décrochent avant le troisième secondaire, et moins de 5 % vont à l'université.

Photo: Innu Meshkenu

Dans les milieux de travail

YVES-THOMAS DORVAL

Président-directeur général, Conseil du patronat du Québec

Contrairement à la perception populaire, souvent véhiculée à tort par certains médias, les relations patronales-syndicales dans le Québec d'aujourd'hui sont loin d'être fondées sur une culture du conflit ; elles sont plutôt fondées sur la valeur d'un partenariat gagnant-gagnant. Les pratiques ont évolué, les mentalités aussi, et « les deux parties » ont désormais le souci constant de maintenir leur réputation et leur image auprès des parties prenantes de leur organisation. C'est ainsi que le Québec des 20 dernières années a connu une amélioration notable des relations de travail, comparativement à plusieurs pays et entités dans le monde.

Le climat des relations du travail s'est donc apaisé par rapport aux décennies précédentes, comme en témoigne la diminution du nombre de conflits ; parallèlement, le taux de présence syndicale s'est maintenu. Alors que le nombre annuel de conflits se situait généralement au-delà de 200 dans les années 1980, il est passé sous la barre des 100 au cours des années 1990. Depuis, cette tendance se confirme, et pendant ce temps, le Québec est devenu l'une des sociétés les plus égalitaires au monde.

Plusieurs choses peuvent expliquer cette tendance. Par exemple, la concurrence internationale entraînée par la mondialisation a sans doute modifié les rapports de force, ou elle a forcé l'émergence d'une forme de solidarité entre employeurs et employés face aux défis de leur secteur d'activité. Cette hypothèse est d'autant plus plausible que le secteur industriel ayant connu le plus de conflits de travail dans les années 1980 était le secteur manufacturier, qui est soumis à une forte concurrence étrangère. Il y a aussi eu une évolution des mentalités quant aux relations du travail.

S'il est vrai que la durée moyenne des conflits de travail a augmenté, passant de 65 jours pour la période 1993-2002 à 71 jours pour la décennie subséquente, les conflits qui demeurent existent probablement en raison de points de litige plus significatifs, ou d'une culture des relations de travail difficile dans les organisations concernées.

Cela dit, il faut retenir que la qualité du dialogue social progresse au Québec, et ce, au bénéfice de la société dans son ensemble. ◊

> La concurrence internationale entraînée par la mondialisation a forcé l'émergence d'une forme de solidarité entre employeurs et employés.

Dans le milieu syndical

JACQUES LÉTOURNEAU
Président, Confédération des syndicats nationaux (CSN)

Depuis 20 ans, la mondialisation a frappé fort au Québec comme partout ailleurs, causant notamment la délocalisation d'entreprises et une sous-traitance accrue, qui ont précarisé davantage les travailleurs. Ce contexte, marqué par une diminution généralisée du pouvoir d'achat pour la très grande majorité de la population active et une importante crise de l'emploi dans le secteur manufacturier depuis 2003, a contribué à un déséquilibre du rapport entre le capital et le travail qui a nettement favorisé le patronat en provoquant la montée des inégalités et l'effritement de la classe moyenne, qui est la plus largement syndiquée.

Les deux dernières décennies ont aussi été marquées par la montée des valeurs néolibérales prônant un désengagement de l'État, qu'on ressent encore aujourd'hui par les politiques d'austérité, lesquelles ont entraîné d'importantes réformes dans les services publics québécois, en particulier dans la santé et les services sociaux et dans l'éducation, qui ont connu leur lot de fusions et de réorganisations. Les syndicats se sont ainsi impliqués davantage dans l'organisation du travail pour tenter de maintenir les conditions de travail et les emplois dans ces grands réseaux.

> L'action syndicale a dû aussi se renouveler pour tenir compte de l'essor du travail atypique.

Le secteur privé n'a pas été en reste, avec l'introduction, dès 1994, des conventions collectives de longue durée, qui ont également amené les syndicats à s'impliquer dans l'organisation du travail. Ces conventions représentent aujourd'hui près de 70 % des ententes signées et touchent aussi le secteur public. À n'en pas douter, les tenants du néolibéralisme ont été à l'offensive ! Il y a eu moins de conflits de travail, mais ils ont été plus longs.

L'action syndicale a dû aussi se renouveler pour tenir compte de l'essor du travail atypique – sur appel, à temps partiel, localisé sur plusieurs sites. En outre, les médias sociaux et le Web constituent de nouveaux moyens de communication et de mobilisation qui permettent au syndicalisme de renouer avec la participation massive des membres. Il est à noter qu'au cours des 20 dernières années, le taux de syndicalisation s'est maintenu à près de 40 % au Québec, alors qu'il a chuté partout ailleurs, ce qui confirme nettement la pertinence du syndicalisme ! ◊

En entrepreneuriat et en économie sociale

JEAN-MARTIN AUSSANT
Directeur général, Chantier de l'économie sociale

Décrire l'évolution de l'économie sociale au cours des 20 dernières années, c'est faire un grand pan de son historique puisque le Chantier de l'économie sociale est né dans la foulée du Sommet sur l'économie et l'emploi de 1996. Convoqué par le premier ministre Bouchard, ce sommet s'est tenu dans un contexte de crise des finances publiques, tout en faisant appel à l'audace.

Si le concept d'économie sociale était peu connu à l'époque, on a pu constater que plusieurs collectivités à travers le Québec regorgeaient déjà d'initiatives porteuses. Avec le soutien et la collaboration d'acteurs de tous les milieux, plusieurs projets ont vu le jour et sont devenus des fleurons de l'entrepreneuriat collectif au Québec. Un écosystème s'est depuis mis en place : outils de financement, formation de la main-d'œuvre, commercialisation, études internationales, liaison et transfert, etc. Quelques grands événements jalonnent aussi ce parcours, notamment un sommet en 2006 qui a confirmé la force du mouvement et, en 2011, un forum international réunissant 1 600 personnes provenant de 60 pays.

> **Les 20 dernières années démontrent que l'économie sociale a su traverser les tempêtes et poursuivre sa contribution inestimable au développement économique, social et culturel du Québec.**

Dès le sommet de 1996, la reconnaissance de cette forme d'économie plus démocratique a été au cœur des préoccupations. L'adoption à l'unanimité par l'Assemblée nationale de la Loi sur l'économie sociale en 2013 fut donc un moment charnière. En 2015, en dépit de la reconnaissance acquise au fil des ans, l'économie sociale fait face à des défis importants dans un contexte où la volonté gouvernementale d'atteindre l'équilibre budgétaire met à mal l'écosystème collectif. En cette autre « crise des finances publiques », et bien que la situation soit préoccupante, les 20 dernières années démontrent que l'économie sociale a su traverser les tempêtes et poursuivre sa contribution inestimable au développement économique, social et culturel du Québec. Les 20 prochaines années s'annoncent d'autant plus fécondes. ◊

Dans le milieu financier

MONIQUE LEROUX
Présidente et chef de la direction, Mouvement Desjardins

Il y a près de 20 ans, peu de temps après l'arrivée d'Internet, Desjardins lançait son site transactionnel AccèsD, qui n'a cessé de gagner en popularité. Mais nous assistons depuis quelques années à une nouvelle révolution technologique, avec l'avènement de ce qu'il est convenu d'appeler l'« Internet des objets » ; les services bancaires n'y échappent pas. C'est sans compter l'arrivée de nouveaux joueurs comme la technologie des finances (les *Fin Tech*), qui viennent bouleverser la donne, cette dernière s'immisçant dans tous les secteurs des services financiers, forte de ses imposantes ressources financières et misant sur des banques de données colossales.

Voilà pourquoi, afin de toujours mieux accompagner ses membres et répondre à leurs besoins, le Mouvement Desjardins s'emploie à adapter son offre de service et à innover. C'est ainsi qu'il a lancé, en 2014, ses services mobiles dont l'usage croît de façon exponentielle, qu'il a développé des applications comme Hop-Ép@rgne ou Ajusto, qu'il a mis sur pied un laboratoire d'innovation. Il s'est associé au Crédit mutuel, en France, pour créer Monetico, une entreprise de solutions de paiement d'envergure mondiale. Desjardins compte aussi profiter des nouvelles technologies pour redéfinir sa distinction coopérative et se rapprocher davantage de ses membres. Desjardins évolue, comme il a toujours su le faire, notamment pour continuer d'accompagner les entrepreneurs d'ici, qui s'ouvrent toujours davantage sur le monde, pour soutenir une jeunesse dynamique, instruite et de plus en plus aguerrie aux affaires, aux sciences ou au génie, pour demeurer pertinent dans un Québec moderne, riche culturellement et résolument ouvert sur le monde. ◊

> Desjardins compte aussi profiter des nouvelles technologies pour redéfinir sa distinction coopérative et se rapprocher davantage de ses membres.

Les fruits d'un sommet, 20 ans après

À 20 ans d'intervalle, deux gouvernements, celui des péquistes de Lucien
Bouchard et celui des libéraux de Philippe Couillard, ont proposé de renouer
avec l'équilibre budgétaire et de mettre l'accent sur la création d'emplois. Un
même objectif, deux époques, deux approches... En 1996, Lucien Bouchard
avait convoqué la société québécoise à un Sommet sur l'économie et l'emploi
qui mènerait notamment à son célèbre « déficit zéro ». Dans cet entretien
exclusif, l'ex-premier ministre fait le bilan de cette démarche de consultation
exceptionnelle et en tire des leçons utiles pour le Québec d'aujourd'hui.

PROPOS RECUEILLIS PAR MICHEL VENNE,
directeur général, Institut du Nouveau Monde

Illustration: Aaron McConomy, colagene.com

l y a 20 ans, le Québec se remettait d'un référendum déchirant sur la souveraineté. Le second en 15 ans. Pour la deuxième fois, le 30 octobre 1995, le Non l'avait emporté, mais cette fois de justesse, avec 50,6 % des voix. La famille québécoise était divisée.

Après que le premier ministre Jacques Parizeau eut annoncé, le lendemain du vote, qu'il abandonnait ses fonctions, Lucien Bouchard quitta son poste de chef du Bloc québécois et de chef de l'opposition officielle à Ottawa, pour prendre la tête du Parti québécois. Il devint premier ministre du Québec le 27 janvier 1996.

L'une de ses premières initiatives fut de convoquer les principaux acteurs de la société québécoise à une démarche pour « redéfinir un nouveau pacte social pour le Québec ». Objectifs : rééquilibrer les finances publiques, adapter les services publics à la réalité de l'an 2000 et favoriser la création d'emplois.

Croissance économique, taux de chômage, dette publique, déficit budgétaire, contrôle des dépenses... Vingt ans après, les enjeux et les inquiétudes sont restés les mêmes. Mais l'approche de Lucien Bouchard en 1996 est originale : il opte pour la concertation, une formule employée avec succès par René Lévesque dans les années 1970. Il invite une cinquantaine de représentants de la société civile, soit des chefs d'entreprise, des leaders syndicaux et des représentants d'organisations communautaires, religieuses, féministes, rurales et culturelles, à participer à un Sommet sur l'économie et l'emploi, en deux temps.

Au printemps 1996, une première Conférence sur le devenir social et économique du Québec se tient dans la capitale nationale. Il en ressort surtout un compromis autour de l'objectif d'atteindre le « déficit zéro » en quatre ans, qui deviendra un des héritages du gouvernement Bouchard. Les mêmes participants se réunissent de nouveau à l'automne, pour convenir des actions à mettre en place pour rééquilibrer les finances publiques, entre autres. Cette rencontre engendre aussi des propositions visant notamment à créer de l'emploi, à réduire la semaine de travail de 44 à 40 heures et à soutenir l'économie sociale. La volonté de créer des centres de la petite enfance (CPE) et un congé parental prolongé y fut aussi dévoilée, de même que l'idée de créer un fonds pour soutenir la lutte contre la pauvreté.

M. BOUCHARD, CE SOMMET FUT UN GRAND ÉVÉNEMENT POUR LE QUÉBEC...

Vous me le faites revivre. Surtout que je ne l'avais pas prévu. Je pensais que la défaite au deuxième référendum marquerait la fin de ma vie politique. Je ne me voyais pas justifier ma présence au Parlement canadien au sein du Bloc québécois. Et j'étais très déçu. Puis, on m'a poussé au poste de premier ministre du Québec. Le soir même de la démission de M. Parizeau, des gens m'appelaient, y compris des candidats pressentis à sa succession qui m'annonçaient qu'ils n'iraient pas si j'y allais. J'y suis allé.

> # L'argent des taxes à Québec, pour beaucoup de hauts fonctionnaires et de politiciens, ce n'était pas du vrai argent.

ÉTIEZ-VOUS ALORS INQUIET DE LA SITUATION FINANCIÈRE DU QUÉBEC ?

Le chômage était élevé, 10 ou 12 %. Il y avait aussi le poids de la dette, l'augmentation des dépenses... On ne contrôlait plus rien. Je me disais : c'est un programme gouvernemental que d'assainir les finances publiques. De plus, la mauvaise situation financière de l'État québécois était un obstacle important à la cause souverainiste, mais les fédéralistes ne peuvent pas nous reprocher de vouloir mettre de l'ordre. L'État québécois, c'est tout ce qu'on a, et si on ne fait pas attention de le garder en santé, il peut nous arriver des malheurs.

D'OÙ VOUS VENAIT CE SOUCI ?

Il y avait quelque chose de personnel. Ça fait partie de mon éducation par rapport à l'argent. Je viens d'une famille très modeste. De l'argent, on n'en avait pas. On n'a pas manqué de l'essentiel, mais on était pauvres. J'ai vu comment mon père a gagné son argent. Il s'est tué à le faire en travaillant jour et nuit. J'ai eu de la misère à faire mes études. Je travaillais, comme tout le monde. Ça m'a marqué.

Je me disais donc que le gouvernement du Québec devait donner l'exemple. L'argent des taxes à Québec, pour beaucoup de hauts fonctionnaires et de politiciens, ce n'était pas du vrai argent. On me disait : « Ça, ça coûte 50 millions. » Je me demandais : ça prend combien de travailleurs qui paient des impôts pour générer 50 millions ? Pour moi, c'était de l'argent sacré qu'il ne faut pas dépenser. J'étais pingre, même dans mon quotidien. On a voulu changer les téléphones dans mon bureau. J'ai demandé : ça va coûter combien ? C'était cher. J'ai refusé. Ils fonctionnaient, les téléphones.

MÊME QUE VOUS DORMIEZ DANS VOTRE BUREAU ?

J'ai voulu montrer l'exemple. Il fallait que je crée les conditions pour réussir mon programme d'assainissement des finances publiques. Puis, l'archevêque Couture, de Québec, a dénoncé le fait que je prévoyais me prévaloir de ma pension de député fédéral tout en recevant mon salaire de premier ministre. Je me suis senti coupable. Je l'avais gagnée, la maudite pension. Mais là, il était en train de me faire *la job*. Alors j'ai renoncé à la pension.

J'ai aussi renoncé au remboursement de mes frais de séjour dans la capitale. Il y avait une petite pièce au bureau du premier ministre. L'ancien premier ministre Robert Bourassa avait aménagé là une chambre. Il y avait un lit, une douche. À l'occasion, il dormait là. Je m'y suis installé, j'étais chez moi. À six heures le matin, les gardes du corps m'emmenaient à la piscine des employés civils, tout près. Je revenais. Je déjeunais. Je recevais les gens dans cette chambre. Quand les chefs syndicaux, Henri Massé ou Gérald Larose, venaient me demander de l'argent, je les y assoyais dans un coin et je leur disais : c'est non, je n'ai pas d'argent. Regardez, je dors même dans mon bureau !

> # La santé, c'est comme une maladie qu'on va toujours devoir soigner en payant des factures toujours plus élevées.

PHILIPPE COUILLARD MET DE L'AVANT LES MÊMES ENJEUX QUE VOUS AUJOURD'HUI...

Bien sûr. Allez voir le manifeste des Lucides (NDLR : publié en 2005). Les finances publiques, ce sera toujours un souci. L'État embrasse trop. À moins que l'on crée beaucoup de richesse. Ce ne serait pas un problème si on développait nos richesses naturelles. Ça susciterait des ambitions. On pourrait se doter de sources de revenus pour le gouvernement et remettre de l'argent dans l'éducation. S'il y a un grand projet, c'est l'éducation. La santé, c'est comme une maladie qu'on va toujours devoir soigner en payant des factures toujours plus élevées.

POURQUOI FALLAIT-IL CONVOQUER UN SOMMET POUR DISCUTER DE CES ENJEUX ?

Le sommet, c'était pour rallier les gens après les divisions du référendum de 1995. Je savais bien que ce serait difficile. Il nous fallait un consensus pour réussir à équilibrer les finances publiques. Je me rappelais les sommets que René Lévesque avait faits. Si on pouvait réunir tout le monde en même temps, réunir les adversaires du référendum dans la même pièce...

Le Québec n'allait pas bien. Les fédéralistes avaient eu peur. Le Québec était divisé. Le chef de parti aurait pu dire : on va continuer le combat, mais le premier ministre, lui, pensait que son rôle était de réunir les Québécois autour de quelque chose de porteur. On venait de vivre un grand traumatisme. Il y avait des plaies à refermer.

LES CHEFS D'ENTREPRISE ONT-ILS HÉSITÉ À PARTICIPER ?

Le président de la Banque Laurentienne, Henri-Paul Rousseau, ne voulait pas venir. Il avait peur. « J'ai des actionnaires en Ontario, partout », disait-il. Le tzar de Québec inc. était à l'époque Laurent Beaudoin, de Bombardier. Je l'ai rencontré une fois discrètement dans un hôtel. Ce qui l'a convaincu de venir, c'était l'intérêt économique. Finalement, ils sont tous venus.

De leur côté, les chefs syndicaux n'ont pas été difficiles à convaincre. J'étais très ami avec eux. Ils m'avaient appuyé au Bloc québécois, à Ottawa. On avait fait la campagne référendaire ensemble. Mais les syndicats ont eu du mérite de venir, car ils savaient qu'il n'y avait pas grand-chose d'immédiat pour eux. D'après moi, ils étaient inquiets des finances publiques, parce que négocier constamment avec un gouvernement à bout de souffle...

Le Québec n'allait pas bien. Les fédéralistes avaient eu peur. Le Québec était divisé.

VOUS AVEZ INNOVÉ EN INVITANT LES GROUPES COMMUNAUTAIRES...

Je les ai invités pour élargir le consensus et pour ne pas être prisonnier du fameux triangle constitué du gouvernement, des syndicats et du patronat. Les groupes communautaires ont fait réfléchir des gens. Nancy Neamtan (du Chantier de l'économie sociale) et Françoise David (alors présidente de la Fédération des femmes du Québec, future fondatrice et co-porte-parole de Québec solidaire), venaient expliquer à des gens comme André Bérard, le président de la Banque Nationale, les difficultés sociales et économiques auxquelles font face les personnes avec qui elles travaillaient.

Il y avait des réunions à huis clos et ça se parlait. André Bérard, qui avait commencé caissier dans une banque, un soir, pendant le sommet, il ne s'est pas couché. Il se promenait d'une suite à l'autre, il allait voir les financiers et les a convaincus d'accepter une taxe spéciale pour mettre les jeunes au travail. Il les réveillait la nuit et leur arrachait ça.

CE SOMMET A AUSSI PORTÉ SUR L'ÉCONOMIE SOCIALE ET LA FAMILLE ?

Oui, ce furent des fruits du sommet. Nancy Neamtan a convaincu tout le monde que l'économie sociale créait de l'emploi pour des gens qui autrement ne travailleraient pas et toucheraient des prestations.

J'avais aussi annoncé une politique familiale sur les CPE et le congé parental. Je savais que les enfants, ça rallierait les Québécois. J'ai eu beaucoup d'opposition au sein même du gouvernement à cause des coûts récurrents. Mais j'en ai fait mon dossier. Ce qui me touchait beaucoup, c'était de voir que la moitié des enfants naissaient dans des familles monoparentales.

Après le sommet, l'économie nous a aidés. On a réussi plus vite qu'on pensait à atteindre le déficit zéro. On a aussi déposé le projet d'équité salariale. Ensuite, il y a eu l'assurance médicaments.

> ## Ce sommet, on ne pourrait pas le refaire. Il y a plus de cynisme qu'à l'époque.

QUEL EST LE LEGS LE PLUS IMPORTANT DE CE SOMMET ?

Avoir réuni les Québécois autour de quelque chose d'important au-delà du temps d'une émotion fugace, d'un discours, d'une médaille d'or aux Jeux olympiques ou d'un décès. Le sommet nous a donné l'occasion d'apprendre à travailler ensemble sur quelque chose d'important, de difficile. Pas de bonbon pour personne. Je souhaitais que cette volonté de travailler ensemble se prolonge dans le temps.

Y A-T-IL EU DES EFFETS PERVERS ?

Une opération comme celle-là, c'est comme un coup de bistouri : il ne faut pas en donner trop souvent. C'est un grand moyen... Il ne faudrait pas gouverner comme ça tout le temps. D'une part, ça banaliserait l'exercice. Tu peux motiver quelqu'un à se dépasser, mais pas trois fois par semaine. Aussi, ça court-circuitait le processus habituel, les institutions, car rappelons que les députés étaient écartés du sommet...

POURRIONS-NOUS REFAIRE UN TEL SOMMET AUJOURD'HUI ?

On ne pourrait pas le refaire. Il y a plus de cynisme qu'à l'époque. Les syndicats ne voudraient pas être embarqués dans une patente comme celle-là. Ils sont désabusés. Mme David se méfierait. Pensez-vous que le chef de la Coalition Avenir Québec, François Legault, marcherait avec le gouvernement ? Que le PQ serait assis à un sommet ? Ils auraient essayé de faire échouer l'affaire. Jusqu'à récemment, à Québec, ils s'insultaient, se traitaient de menteurs. Et puis le gouvernement actuel a déjà commencé son opération.

> # L'éducation, d'abord. Ça m'inquiète. Et puis nos richesses naturelles. Il faut les développer.

LA CONCERTATION EST-ELLE ENCORE POSSIBLE AU QUÉBEC ?

Je souhaiterais que oui, mais je m'interroge. J'aimerais bien que ce soit : tout le peuple debout. Mais ce n'est pas comme ça que ça va se passer. Ça va être comme d'habitude. Il y aura des élites qui vont rebattre la pâte. Je crois beaucoup au politique. Ce que nous, les Québécois, n'avons pas réussi à faire dans d'autres domaines, on l'a fait en politique. Des gens talentueux, on en a eu en politique. Présentement, dans la jeune génération, je n'en vois pas. Personne n'apprend à s'adresser à la population. Même les prêtres ne savent plus parler au peuple. On a des gens qui font des émissions de variétés. Les Québécois talentueux rebattent la pâte en dehors de la politique... S'ils ne vont pas en politique, qu'ils bâtissent quelque chose.

SI VOUS CONVOQUIEZ UN SOMMET EN 2015, IL PORTERAIT SUR QUEL SUJET ?

L'éducation, d'abord. Ça m'inquiète. Grâce à l'accès à l'éducation supérieure, on a pu construire le Québec. Et puis nos richesses naturelles. Il faut les développer. Je ne ferais pas un sommet misérabiliste. Je dirais : comment fait-on pour aller plus loin et pour motiver nos jeunes ? ◊

Richesse

LES QUÉBÉCOIS ET L'ARGENT : REFAIRE LES COMPTES

Séraphin Poudrier peut aller se recoucher. Bien qu'ils aient envie de créer
et d'accumuler de la richesse, les Québécois ont aussi envie de la partager,
ce qui semble être dans notre ADN collectif depuis la Révolution tranquille.
Mais pas à n'importe quel prix. L'État-providence, les syndicats, la fiscalité
et le fameux « modèle québécois » ont besoin d'une mise à jour, révèle un sondage
exclusif Léger/*L'état du Québec*/*L'actualité* sur les Québécois et l'argent. Et quelles
seront les nouvelles variables de l'équation ? Les entrepreneurs !

MICHEL VENNE

Directeur général, Institut du Nouveau Monde

ANNICK POITRAS

Journaliste indépendante et directrice de *L'état du Québec 2016*

Alors, sommes-nous riches ou sommes-nous pauvres? Voilà l'une des nombreuses «questions à 100 piastres» que nous avons posées aux Québécois dans le cadre d'un sondage exclusif portant sur les rapports qu'ils entretiennent avec la richesse, tant collective que personnelle[1].

Alors que les Québécois, «nés pour un petit pain», sont depuis longtemps reconnus pour avoir une relation tortueuse avec l'argent, bien des surprises émanent de ce sondage exhaustif, qui creuse autant les perceptions du fameux «modèle québécois» de développement économique que notre capacité à rembourser le solde de nos cartes de crédit à la fin du mois. Et par le spectre de réponses obtenues, il révèle aussi que pour chaque personne, voire pour l'État, l'argent, la richesse et la prospérité n'ont pas la même couleur, ni la même odeur.

QUI CRÉE LA RICHESSE?

D'emblée, les Québécois sont plus nombreux à juger que le Québec est collectivement pauvre (41%) plutôt que riche (36%). Les personnes âgées de 35 à 44 ans – la génération X, qui, à l'ombre des baby-boomers, a traversé plusieurs crises économiques minant leur intégration au marché du travail – sont les plus nombreuses à juger le Québec pauvre (54%), suivies des non-francophones (49%).

De ce sondage, il ressort une inquiétude palpable pour l'avenir économique de la province et une ambivalence quant à savoir qui, de nos jours, devrait être responsable de créer de la richesse: l'État, qui a longtemps été qualifié ici d'«État-providence», les grandes entreprises ou les individus?

Il semble que, en 2015, le nouveau nerf de la guerre soit les entrepreneurs, qui bénéficient d'une visibilité et d'une notoriété croissantes sur la scène publique – pensons à une émission de télévision populaire comme *Dans l'œil du dragon*, par exemple, ou aux réussites fort médiatisées des jeunes milliardaires de Silicon Valley, comme le fondateur de Facebook, Mark Zuckerberg.

OPINION ENVERS LA VALORISATION SUFFISANTE DE L'ENTREPRENEURIAT AU QUÉBEC

Selon vous, est-ce que les Québécois encouragent et valorisent suffisamment l'entrepreneuriat au Québec?

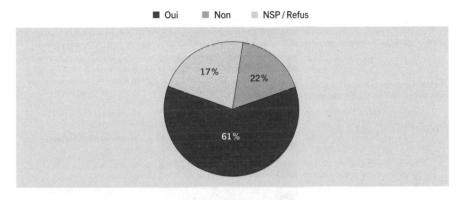

Le sondage Web a été réalisé par Léger **du 31 août au 2 septembre 2015**, auprès d'un échantillon représentatif de **1023 Québécois âgés de 18 ans et plus** et pouvant s'exprimer en français ou en anglais.

Ainsi, 61% des Québécois jugent que c'est aux individus et aux entrepreneurs de créer de la richesse. Parmi les personnalités québécoises qui, selon les répondants, représentent le mieux la prospérité au Québec se trouvent des figures emblématiques : le fondateur du Cirque du Soleil, Guy Laliberté, l'ex-PDG de Québecor Pierre Karl Péladeau, le pharmacien Jean Coutu et notre ambassadrice internationale, Céline Dion. Mais on souligne aussi l'influence des frères Molson et de la famille Desmarais, de Danièle Henkel, d'Alexandre Taillefer, de Jacques Ménard, de Julie Snyder, entre autres.

Étrangement, alors qu'une majorité de répondants comptent sur les entrepreneurs pour assurer la croissance économique, la même proportion (61%) juge aussi que les Québécois n'encouragent et ne valorisent pas suffisamment l'entrepreneuriat. Ainsi, augmenter l'aide au démarrage d'entreprises serait un partenariat gagnant-gagnant pour l'avenir du Québec, selon les répondants.

La population semble faire une nette distinction entre les entrepreneurs, les travailleurs autonomes et les PME d'une part, et les grandes compagnies d'autre part. D'ailleurs, 88% croient que les grandes compagnies ont trop de pouvoir et 78% que le système économique favorise principalement les riches et les puissants. Les banques et les syndicats n'ont pas davantage la cote : 42% des répondants croient que l'action des banques est nuisible à l'économie ; 52% pensent la même chose des syndicats.

OPINION À L'ÉGARD DE DIVERS ENJEUX DE SOCIÉTÉ

Veuillez indiquer lequel des énoncés suivants se rapproche le plus de votre opinion personnelle, même si aucun n'est parfaitement exact à votre opinion.

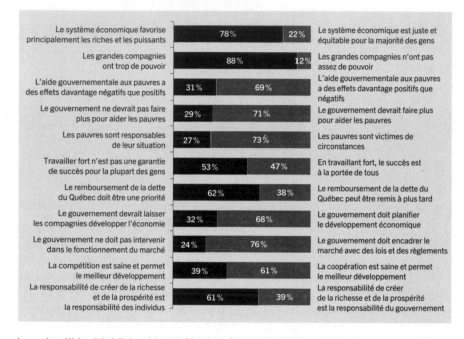

Le système économique favorise principalement les riches et les puissants	78% / 22%	Le système économique est juste et équitable pour la majorité des gens
Les grandes compagnies ont trop de pouvoir	88% / 12%	Les grandes compagnies n'ont pas assez de pouvoir
L'aide gouvernementale aux pauvres a des effets davantage négatifs que positifs	31% / 69%	L'aide gouvernementale aux pauvres a des effets davantage positifs que négatifs
Le gouvernement ne devrait pas faire plus pour aider les pauvres	29% / 71%	Le gouvernement devrait faire plus pour aider les pauvres
Les pauvres sont responsables de leur situation	27% / 73%	Les pauvres sont victimes de circonstances
Travailler fort n'est pas une garantie de succès pour la plupart des gens	53% / 47%	En travaillant fort, le succès est à la portée de tous
Le remboursement de la dette du Québec doit être une priorité	62% / 38%	Le remboursement de la dette du Québec peut être remis à plus tard
Le gouvernement devrait laisser les compagnies développer l'économie	32% / 68%	Le gouvernement doit planifier le développement économique
Le gouvernement ne doit pas intervenir dans le fonctionnement du marché	24% / 76%	Le gouvernement doit encadrer le marché avec des lois et des règlements
La compétition est saine et permet le meilleur développement	39% / 61%	La coopération est saine et permet le meilleur développement
La responsabilité de créer de la richesse et de la prospérité est la responsabilité des individus	61% / 39%	La responsabilité de créer de la richesse et de la prospérité est la responsabilité du gouvernement

Le sondage Web a été réalisé par Léger **du 31 août au 2 septembre 2015**, auprès d'un échantillon représentatif de **1023 Québécois âgés de 18 ans et plus** et pouvant s'exprimer en français ou en anglais.

COMMENT CONTRIBUER À LA PROSPÉRITÉ ?

La catégorie des entrepreneurs sociaux et des coopératives est perçue comme le facteur qui contribuerait le plus au développement économique du Québec, recueillant 69 % des appuis. Il est toutefois difficile d'établir si les répondants incluaient dans cette catégorie seulement les entreprises à propriété collective ou qui poursuivent des fins sociales, ou s'ils y mettaient tous les entrepreneurs. Quoi qu'il en soit, 46 % croient aussi que les associations patronales et les chambres de commerce, qui constituent les principaux regroupements d'entrepreneurs, sont des forces pour l'économie. Reste que 21 % sont d'avis que ces organismes nuisent à notre prospérité !

Par ailleurs, selon les répondants, les gestes individuels les plus importants que peuvent poser les citoyens pour contribuer à la prospérité du Québec seraient d'ache-

PERCEPTION D'UNE PERSONNE QUI PARVIENT À FAIRE FORTUNE AU QUÉBEC

Selon vous, une personne qui fait fortune au Québec est...

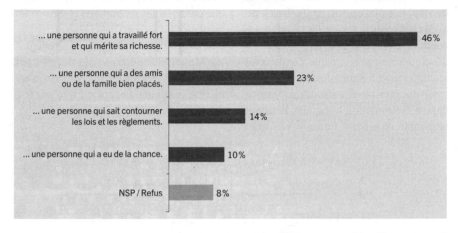

... une personne qui a travaillé fort et qui mérite sa richesse.	46%
... une personne qui a des amis ou de la famille bien placés.	23%
... une personne qui sait contourner les lois et les règlements.	14%
... une personne qui a eu de la chance.	10%
NSP / Refus	8%

Le sondage Web a été réalisé par Léger **du 31 août au 2 septembre 2015**, auprès d'un échantillon représentatif de **1023 Québécois âgés de 18 ans et plus** et pouvant s'exprimer en français ou en anglais.

ter des produits québécois plutôt que des produits étrangers (60 %), de terminer des études postsecondaires (32 %), d'investir ses épargnes dans des entreprises québécoises (22 %) ou de consommer des produits culturels québécois (19 %). Fonder une entreprise récolte seulement 16 % des appuis.

Au contraire, militer dans un syndicat (1 %), s'impliquer dans un groupe communautaire (4 %) ou faire affaire avec une caisse populaire plutôt qu'avec une banque (5 %) ne recueillent guère la faveur des répondants à cet égard. Pourtant, les Québécois préfèrent la coopération (61 %) à la compétition (39 %) pour assurer le développement économique.

Ils croient aussi en la bonne foi de ceux qui réussissent. Pour 46 % des Québécois,

une personne qui a réussi est une personne qui a travaillé fort et qui mérite sa richesse, contre à peine 23 % qui croient que cette personne a des amis ou de la famille bien placés – ou qu'elle sait contourner les lois et les règlements (14 %). Et la chance, dans tout ça ? Un répondant sur dix lui attribue un rôle clé dans l'atteinte du succès !

UN « MODÈLE QUÉBÉCOIS » À DÉPOUSSIÉRER ?

Néanmoins, la population réserve encore un rôle important à l'État dans le développement de notre prospérité collective. Mais le gouvernement, au lieu d'intervenir en affaires, devrait se contenter de planifier le développement économique et d'encadrer le marché avec des lois et des règlements (70 %).

Par exemple, 60 % des répondants placent les normes du travail et la Caisse de dépôt et placement du Québec – des outils collectifs – devant les chambres de commerce comme facteurs favorisant le développement économique. Ces deux éléments sont des fleurons du « modèle québécois » qui caractérise notre développement depuis la Révolution tranquille. Pourtant, ce modèle, en général, ne trouve plus grâce l'économie. Le rôle accordé aux coopératives et à l'économie sociale n'est perçu que par 10 % des répondants comme l'élément moteur qu'il est bel et bien en réalité. La concertation, l'une des caractéristiques fondamentales de notre développement économique depuis les années 1970, n'est reconnue comme facteur clé que par 6 % des répondants.

Plus de la moitié des répondants (53 %) pensent que le « modèle québécois » n'est plus adapté aux réalités d'aujourd'hui !

aux yeux d'une majorité : plus de la moitié des répondants (53 %) pensent qu'il n'est plus adapté aux réalités d'aujourd'hui ! Peut-être cela a-t-il à voir avec le fait qu'un répondant sur quatre (24 %) ne sait pas ce qui caractérise ce fameux modèle ou refuse de se prononcer sur sa définition.

Ceux qui ont une opinion sur ce sujet affirment que le « modèle » se caractérise surtout par des services sociaux universels, payés par l'impôt de tous les citoyens (37 %), et par l'existence de grandes sociétés d'État comme Hydro-Québec, Loto-Québec et la Société des alcools (36 %), de même que par un système de redistribution de la richesse par l'entremise de programmes sociaux (27 %).

Seulement 17 % associent le modèle québécois au rôle direct de l'État dans

LE CASSE-TÊTE
DES FINANCES PUBLIQUES

Sept Québécois sur dix se disent « préoccupés » par l'état des finances publiques au Québec – 79 % chez les plus âgés –, contre 26 % qui se disent peu ou pas du tout préoccupés par cette question, laquelle fait pourtant les manchettes en ces temps de restrictions budgétaires et d'« austérité ».

D'ailleurs, presque une personne sur deux (42 %) croit que le Québec fait fausse route pour réussir sur le plan économique. Comment changer de cap ? Introduire une tarification sur le principe de l'utilisateur-payeur serait un virage favorisé par un Québécois sur trois (36 %), et une proportion semblable de répondants approuveraient aussi une réduction des services publics (32 %).

GESTES LES PLUS IMPORTANTS QUE PEUVENT POSER LES CITOYENS POUR CONTRIBUER À LA PROSPÉRITÉ DU QUÉBEC

Parmi les réponses suivantes, quels sont les deux gestes les plus importants que les citoyens posent ou peuvent poser pour contribuer à la prospérité du Québec?

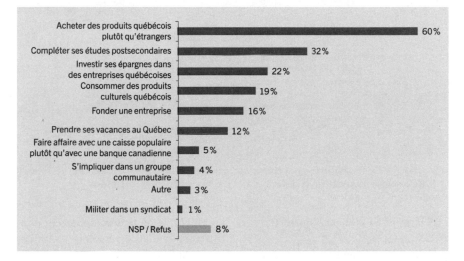

Le sondage Web a été réalisé par Léger **du 31 août au 2 septembre 2015**, auprès d'un échantillon représentatif de **1023 Québécois âgés de 18 ans et plus** et pouvant s'exprimer en français ou en anglais.

Et que dire de la dette? Voilà une préoccupation grandissante au sein de la population québécoise, qui vieillit rapidement et dont la province de résidence est déjà la plus imposée au pays. Sept Québécois sur dix jugent que leur État est trop endetté. Au point que, pour 62 % des répondants, nous ne serions pas à l'abri d'une crise financière comme celle qu'a connue la Grèce!

Pas étonnant qu'une proportion identique (62 %) considère que le remboursement de la dette publique doit être une priorité pour le gouvernement. Cependant, seulement 8 % de la population suggère que le gouvernement augmente les impôts pour résoudre ses problèmes financiers.

D'ailleurs, alors qu'une importante réforme fiscale se prépare au Québec, notons que 43 % des Québécois sont favorables à une hausse des taxes à la consommation et à une baisse d'impôts plutôt que l'inverse (26 %). Selon les prévisions, le gouvernement de Philippe Couillard irait dans cette direction, qui suit les recommandations de la Commission d'examen sur la fiscalité québécoise (voir le texte en page 157).

OPINION À L'ÉGARD DE LA DIRECTION QUE DEVRAIT PRENDRE LE GOUVERNEMENT EN MATIÈRE DE FINANCES PUBLIQUES

Laquelle des options suivantes correspond le mieux à votre opinion ?

Le sondage Web a été réalisé par Léger **du 31 août au 2 septembre 2015**, auprès d'un échantillon représentatif de **1023 Québécois âgés de 18 ans et plus** et pouvant s'exprimer en français ou en anglais.

LE PÉTROLE ET LA SOUVERAINETÉ : DEUX ENJEUX ÉPINEUX

À l'heure des grands sommets sur les changements climatiques, les lois environnementales sont perçues comme favorables au développement économique par 46 % des répondants, contre 29 % qui les jugent nuisibles.

Paradoxalement, 58 % des Québécois sont favorables à l'exploitation de nos ressources naturelles (mines, pétrole, gaz, etc.), contre 30 % qui pensent que l'on devrait les laisser dans le sol afin de préserver l'environnement pour les générations futures. Un net clivage générationnel se dessine ici : alors que les trois quarts des aînés de 65 ans et plus approuvent l'exploitation des ressources, la moitié des jeunes de moins de 35 ans la désapprouvent. Soulignons aussi que, parmi les personnes favorables, 65 % habitent en région, là où le développement d'infrastructures (et les emplois !) serait le plus visible.

Un autre enjeu qui divise la population : la souveraineté. Quel impact aurait-elle sur l'économie du Québec ? La moitié de la population, dont une forte proportion de non-francophones et de personnes âgées, pense qu'elle aurait un effet négatif, comparativement à 24 % qui pensent qu'elle serait positive, dont 30 % sont des francophones.

ET COMMENT VONT VOS FINANCES PERSO ?

Malgré une économie tournant au ralenti depuis plusieurs années, les finances personnelles des Québécois semblent être en bonne santé. En tous cas, près de 90 % des répondants affirment être en mesure de payer la totalité de leurs factures cou-

OPINION À L'ÉGARD DE L'EXPLOITATION DE NOS RESSOURCES NATURELLES

Selon vous, doit-on collectivement...

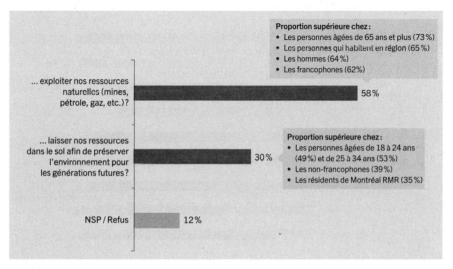

... exploiter nos ressources naturelles (mines, pétrole, gaz, etc.)? — 58%

Proportion supérieure chez:
- Les personnes âgées de 65 ans et plus (73%)
- Les personnes qui habitent en région (65%)
- Les hommes (64%)
- Les francophones (62%)

... laisser nos ressources dans le sol afin de préserver l'environnement pour les générations futures? — 30%

Proportion supérieure chez:
- Les personnes âgées de 18 à 24 ans (49%) et de 25 à 34 ans (53%)
- Les non-francophones (39%)
- Les résidents de Montréal RMR (35%)

NSP / Refus — 12%

Le sondage Web a été réalisé par Léger **du 31 août au 2 septembre 2015**, auprès d'un échantillon représentatif de **1023 Québécois âgés de 18 ans et plus** et pouvant s'exprimer en français ou en anglais.

rantes tous les mois, ce qui est somme toute un des signes vitaux à surveiller.

Reste qu'une fois les factures et l'hypothèque payées, il en reste peu pour épargner. Seulement un Québécois sur trois (31%) arrive à épargner 10% ou plus de son revenu annuel brut pour avoir un coussin en cas d'imprévu – perte d'emploi, maladie, etc. – et pour la retraite. C'est pour-tant le niveau d'épargne recommandé par tous les spécialistes en finances personnelles.

Plus de la moitié des répondants fonceraient dans un mur en moins de trois mois s'ils se retrouvaient tout à coup sans revenus. Près de 20% seraient même incapables de faire face à leurs obligations après une semaine sans paie.

D'ailleurs, le taux d'endettement au Québec bat des records, entre autres à cause de la hausse du prix des maisons et de la valeur des prêts hypothécaires. Malgré tout, seulement 30% des répondants se jugent trop endettés, notam-ment parmi la génération X, les familles et les gens gagnant moins de 40 000 $ par an.

Tout compte fait, les Québécois se considèrent-ils comme riches ou comme pauvres? Tout est question de perception! En effet, lorsqu'on leur demande s'ils se considèrent personnellement comme étant riches, seulement 8% répondent oui;

IMPACT PERÇU DE DIVERS ACTEURS SUR LE DÉVELOPPEMENT ÉCONOMIQUE DU QUÉBEC

Selon vous, est-ce que les éléments suivants favorisent ou nuisent au développement économique du Québec?

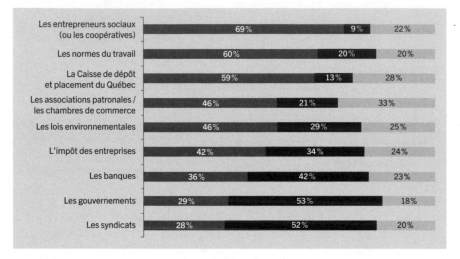

	Favorisent		Nuisent		Ne sait pas
Les entrepreneurs sociaux (ou les coopératives)	69%		9%		22%
Les normes du travail	60%		20%		20%
La Caisse de dépôt et placement du Québec	59%		13%		28%
Les associations patronales / les chambres de commerce	46%		21%		33%
Les lois environnementales	46%		29%		25%
L'impôt des entreprises	42%		34%		24%
Les banques	36%		42%		23%
Les gouvernements	29%		53%		18%
Les syndicats	28%		52%		20%

Le sondage Web a été réalisé par Léger **du 31 août au 2 septembre 2015**, auprès d'un échantillon représentatif de **1023 Québécois âgés de 18 ans et plus** et pouvant s'exprimer en français ou en anglais.

parmi eux, 27% font partie d'un ménage ayant un revenu annuel de 100 000$ et plus. Cependant, 90% répondent non à cette même question, ce qui signifie que la plupart des Québécois ne se trouvent pas riches...

Mais entre n'être pas riche et être pauvre, il semble y avoir un pas.

Car lorsqu'on demande aux Québécois s'ils se considèrent personnellement comme pauvres, seulement 26% répondent oui. Et dans ce cas, ce sont surtout des gens dont le ménage gagne moins de 40 000$ par an (51%), des jeunes (35%), des non-francophones (34%) et des habitants des régions (32%).

Autrement dit, 70% des Québécois ne se classent pas parmi les pauvres.

Bonne nouvelle, non?

Chose certaine, tant pour l'État que pour le travailleur qui cherche à boucler son budget, à chaque cent suffit sa peine. ◊

Notes et sources, p. 284

La fortune des Québécois est au cœur des actions collectives

JACQUES NANTEL
Professeur titulaire, Département de marketing, HEC Montréal

On entend souvent dire qu'au Québec il est mal vu de faire de l'argent. Et si le fameux modèle québécois et le Québec inc. n'étaient que deux volets d'une même réalité?

Déjà, dans les premières éditions de sa fresque *Histoire du Canada depuis sa découverte jusqu'à nos jours*, François-Xavier Garneau (1809-1866) suggérait l'existence d'un rapport difficile à l'argent chez ceux que nous appelons aujourd'hui les Québécois. Pour Garneau, comme pour d'autres par la suite, s'opposaient richesse et dignité. Au sujet du peuple canadien-français, Garneau disait: «Peu riche et peu favorisé, il a montré qu'il conserve quelque chose de la noble nation dont il tire son origine.» C'est ainsi que les Québécois, issus d'une culture teintée par des racines judéo-chrétiennes, auraient longtemps entretenu des liens ambigus avec le commerce, l'argent et le monde des affaires.

Dans son *Histoire de l'École des hautes études commerciales de Montréal*[1], Pierre Harvey relate à quel point la méfiance d'une partie de la communauté intellectuelle a rendu laborieuse la création de cette institution au début du XXe siècle. Encore aujourd'hui, une personne ou une entreprise qui réussit et s'enrichit peut devenir suspecte aux yeux de la collectivité. La récente polémique médiatisée entourant la fortune de Guy Laliberté est à cet égard révélatrice[2].

Au Québec, il y a un étrange rapport entre, d'un côté, la collectivité et, de l'autre, l'individu, l'entrepreneur et l'organisation. Le succès, lorsqu'il se manifeste, s'explique soit par le fait que cet individu, cet entrepreneur ou cette organisation ont été aidés par la collectivité, soit, à l'inverse, par le fait que son succès s'est produit au dépend de celle-ci. Si vous avez réussi, vous le devez forcément à la force du nombre.

Cette étrange relation entre le succès individuel et la collectivité fait partie de ce que l'on aime qualifier, sans trop le définir, de «modèle québécois», lequel, dans le monde des affaires, a longtemps porté le nom de Québec inc. Si l'on a pensé que ce modèle et le Québec inc. constituaient deux réalités antagoniques, force est de constater que ce ne sont que deux côtés d'une même médaille.

Dans le sondage exclusif Léger/*L'état du Québec*/*L'actualité* portant sur les Québécois et l'argent, une majorité de répondants définissent le modèle québécois comme étant avant tout basé sur la volonté d'offrir à la population des services communs, notamment en matière de santé. Soulignons toutefois que le principe même de l'assurance santé est né dans le reste du Canada (précisément en Saskatchewan) bien avant de voir le jour au Québec...

de la richesse et de la prospérité appartient aux individus. Un nombre égal de répondants pensent que la coopération permet un meilleur développement, contre 39 % qui jugent que la concurrence est un modèle plus efficace. Finalement, 68 % sont d'avis que le gouvernement doit planifier le développement économique. Ces trois attitudes réunies expliquent en partie la différence qui existe entre les Québécois et le reste des Nord-Américains[3]. Alors qu'une vaste majorité considère que la création de richesse est avant tout individuelle, les Québécois, eux,

Si vous avez réussi, vous le devez forcément à la force du nombre.

Si plus du quart des répondants lient le modèle québécois à la santé, 65 % d'entre eux parlent du rapport entre les individus et la collectivité, sous l'angle de la création et de la redistribution de la richesse. Ce qui nous rapproche du Québec inc. Par exemple, ils définissent ce modèle par : l'existence des grandes sociétés d'État ; le système de redistribution de la richesse, grâce à des programmes sociaux ; des impôts élevés pour les entreprises et les particuliers ayant réussi ; une vision du développement où l'intérêt collectif est plus important que l'intérêt individuel.

On y apprend aussi que 61 % des Québécois pensent que la responsabilité de créer

souhaitent la voir émerger de manière coopérative et encadrée par l'État.

Ce qui semblerait un paradoxe dans bien des sociétés est néanmoins un phénomène qui caractérise correctement le rapport des Québécois à l'argent. Nous sommes persuadés que la création de richesse, bien que catalysée par des individus, ne peut se produire qu'avec le concours de la collectivité et sous le contrôle de l'État. Du coup, toute richesse créée doit être partagée avec cette même collectivité, sans quoi elle risque d'être suspecte. Voilà l'une des racines les plus solides et les plus pérennes du modèle québécois.

Dans les secteurs manufacturier et des services, même si de grandes entreprises ont vu le jour sur une base entièrement privée et qu'elles ont su créer prospérité et richesse, plusieurs autres, dont certaines sont devenues des icônes de notre économie, ont bénéficié de l'appui des gouvernements, fédéral ou provincial, ou d'organismes tels que la Caisse de dépôt et placement du Québec ou Investissement Québec. C'est le cas entre autres de Bombardier, du Cirque du Soleil et de Québecor/Vidéotron. Dans d'autres cas, par exemple Hydro-Québec, la Société des alcools du Québec (SAQ) ou Loto-Québec, l'intervention de l'État fut et demeure entière.

Dans le commerce de détail, là où l'État, compte tenu des faibles effets multiplicateurs que ce secteur génère, a toujours été réticent à intervenir — la SAQ, la réglementation sur les heures d'ouverture, le prix de la bière et du lait étant les principales exceptions —, la collectivité s'est manifestée autrement, généralement par le biais de regroupements à caractère affiliatif tels que des groupes d'achat ou des coopératives.

C'est ainsi que le modèle des pharmacies Jean Coutu, des épiceries Metro et des quincailliers Rona diffère de celui de Shoppers Drug Mart/Pharmaprix, Loblaws et Home Depot. Alors que chez les premiers, la majorité des points de vente sont détenus en mode affiliatif par des individus, chez les seconds, ils sont la propriété de l'entreprise. Pourtant, bien que nés de l'association de commerçants individuels (Metro, Rona) ou « bannérés » en tant qu'entités individuelles par l'entreprise mère (Jean Coutu), ces trois géants québécois du commerce de détail n'auraient pu voir le jour sans la mise en commun des ressources de centaines de petits propriétaires opérants. C'est également le cas des pharmacies Brunet, Familiprix, Uniprix et Proxim, des magasins Sports Experts et de plusieurs restaurants St-Hubert.

Bref, dans la grande distribution, la force du nombre a, historiquement et à plusieurs reprises, pallié le manque de capital d'investissement dont a longtemps souffert le Québec.

Or, en matière d'investissement, les choses ont aussi évolué de manière collective. La création du Mouvement Desjardins (1900), une coopérative d'épargne et de crédit, en demeure encore la meilleure preuve. La création de la Caisse de dépôt (1965) ou du Régime d'épargne-actions (1979) illustrent aussi que les Québécois ont eu voix au chapitre dans le développement économique. Plus récemment, la création du Fonds de solidarité FTQ (1983) et du Fondation de la CSN (1995) en témoignent encore.

Le passé est-il garant de l'avenir? Le rapport des Québécois à l'argent et à la création de richesse changera-t-il?

Compte tenu de l'intérêt croissant pour les études en administration des affaires depuis 30 ans et des incitatifs mis en place pour favoriser l'entrepreneuriat, on pourrait le croire. Pourtant, la réponse à la dernière question du sondage Léger/*L'état du Québec/ L'actualité* sème le doute.

À la question: «Parmi les suivants, quels sont les deux gestes les plus importants que les citoyens posent ou peuvent poser pour contribuer à la prospérité du Québec?» 60% ont répondu «acheter des produits québécois plutôt qu'étrangers», contre 22% pour «investir ses épargnes dans des entreprises québécoises» et 16% pour «fonder une entreprise».

Au total, seuls 40% des répondants suggèrent une implication directe dans les mécanismes de production plutôt qu'un soutien indirect tel que l'achat local, qui, lui, regroupe 60% des réponses. Or, dans une économie mondialisée, l'achat local risque de donner trop peu de résultats pour créer de la richesse, car le chiffre d'affaires de bien des entreprises québécoises dépend largement de leurs exportations de produits et de services.

Pourquoi l'achat local demeure-t-il la première mesure préconisée pour générer de la richesse? Une première explication pourrait être que les Québécois se perçoivent davantage comme des consommateurs que comme des épargnants ou des investisseurs. Une autre explication complémentaire serait que, pour la majorité, limiter sa contribution à la création de richesse en favorisant l'achat local revient non seulement à prendre peu de risques, mais surtout à présumer que la responsabilité sera ainsi partagée entre le plus grand nombre. Ce faisant, ce type d'actions demeure peu compromettant mais aussi, trop souvent, aussi inefficace que marginale. ¶

Notes et sources, p. 284

Diversité culturelle

RADICALISATIONS : LE « VIVRE ENSEMBLE » FRAGILISÉ

La radicalisation associée à l'islam chez certains jeunes Québécois fait couler beaucoup d'encre. Mais une forme plus insidieuse de radicalisation mine aussi le fragile équilibre social : celle de membres de la majorité québécoise à l'égard des immigrés.

CÉCILE ROUSSEAU
Professeure titulaire, Département de psychiatrie,
Université McGill

GHAYDA HASSAN
Professeure, Département de psychologie,
Université du Québec à Montréal

En octobre 2014, Martin Couture-Rouleau tuait un militaire canadien et en blessait un autre à Saint-Jean-sur-Richelieu. Deux jours plus tard, Michael Zehaf-Bibeau exécutait un soldat à quelques pas du parlement canadien, à Ottawa. Ces jeunes Québécois, tous deux abattus lors des attentats qu'ils ont commis, se réclamaient de l'islam.

Puis, durant l'hiver 2015, c'est le départ de jeunes cégépiens pour rejoindre l'organisation État islamique (EI) en Syrie qui a monopolisé l'attention des médias.

Ensemble, ces événements ont alimenté peurs et ressentiment face à la radicalisation religieuse associée à l'islam. Mais jusqu'ici le débat public s'est concentré sur certaines formes de discours et de pratiques religieuses et a principalement ciblé les communautés arabo-musulmanes. Pour bien comprendre le phénomène au Québec, il importe de resituer la question de la radicalisation et son lien avec la violence dans des dynamiques locales et mondiales.

LES SOURCES DE LA RADICALISATION

Associée à des flux migratoires croissants et à une remise en question des frontières nationales, la mondialisation se caractérise notamment par l'accentuation des inégalités économiques et des tensions politiques. En plus d'ébranler les équilibres géopolitiques, celles-ci ont des répercussions particulièrement importantes pour les jeunes. En 2015, une étude menée dans 34 pays et publiée dans la revue médicale britannique *The Lancet*[1] a montré que ces inégalités croissantes affectaient directement leur santé physique et mentale.

Les transformations liées à la mondialisation influencent aussi les rapports entre majorité et minorités dans de nombreuses sociétés, selon l'histoire et les particularités de chacune. En accentuant les polarisations entre « eux » et « nous », la guerre au terrorisme a aggravé les tensions sociales et a nourri l'ostracisme et la discrimination. Provoquées par la rencontre entre des dynamiques locales d'exclusion et les conflits internationaux relayés en temps réel par les médias, ces tensions s'accompagnent de diverses formes de radicalisation menant à la violence, que celles-ci se justifient au moyen d'une rhétorique religieuse, ethnique, nationaliste ou xénophobe.

Qu'est-ce que la radicalisation ? Avant d'aller plus loin, définissons ce terme galvaudé. Il s'agit d'un processus individuel ou collectif, habituellement associé à une radicalisation de positions qui cristallise les conflits dans l'espace public et sous-tend les transformations. La radicalisation n'est pas toujours associée à des formes de violence et, lorsque violence il y a, la légitimité de celle-ci est souvent source de débat. Par exemple, les exécutions ciblées au moyen de drones menées par certains pays occidentaux sont considérées comme des actes de guerre légitimes par leurs auteurs, mais présentées

Si les propos haineux et racistes qui caractérisent les situations de polarisation où « l'Autre » est déshumanisé ont toujours existé, ils n'ont jamais été diffusés avec autant d'efficacité qu'aujourd'hui.

situation de polarisation politique, dans lequel les pratiques de dialogue, de compromis et de tolérance entre les différents acteurs sont abandonnées par au moins une des parties en présence au profit d'une escalade conflictuelle. Rappelons que ce qui est considéré comme « radical » est toujours relatif à un ensemble de normes sociales donné, et varie conséquemment d'une société à l'autre.

Ainsi, tout changement social important – l'accession des femmes à plus d'égalité, la fin de l'esclavage, la décolonisation ou la Révolution tranquille – s'appuie sur par d'autres pays comme des actes de terrorisme. Au Québec, l'histoire et les cultures spécifiques définissent les formes de polarisation qui émergent en réponse au contexte macrosocial d'inégalités et de tensions identitaires.

Même si l'histoire du Canada et du Québec a été marquée par la violence entre colons et communautés autochtones de même que par diverses formes de racisme, les modèles de société mis de l'avant ces dernières décennies – multiculturalisme au fédéral, pluriethnicité et interculturalisme au provincial – proposent une ouverture aux différences ethniques, religieuses et culturelles. Le Canada a d'ailleurs été longtemps reconnu pour son accueil des réfugiés et son respect du droit d'asile. Mais à la suite des événements de septembre 2001, à l'instar de plusieurs pays européens et des États-Unis, le Canada a procédé à un durcissement de ses politiques migratoires : limitation du statut de réfugié, détention des demandeurs d'asile, restriction de l'accès aux soins de santé pour les réfugiés et les immigrants. Ces derniers sont progressivement passés du statut de personnes vulnérables à celui de menace pour la sécurité du pays, voire à celui de criminels potentiels.

L'APRÈS-BOUCHARD-TAYLOR

Traditionnellement, au Québec, les tensions dans la relation à « l'Autre » se sont cristallisées autour des questions linguistiques. Mais depuis le débat sur les accommodements raisonnables – dans la foulée des travaux de la Commission de consultation sur les pratiques d'accommodement reliées aux différences culturelles, ou commission Bouchard-Taylor, à la fin des années 2000 –, ces tensions se sont partiellement déplacées vers les enjeux de la laïcité et des manifestations du religieux dans l'espace public.

En parallèle, les communautés immigrantes ont le sentiment de subir davantage de ségrégation qu'avant le début de ce siècle. De fait, au Québec, le nombre d'immigrants s'estimant victimes de discrimination a pratiquement doublé entre 1998 et 2007[2]. Ces différences de perceptions touchent non seulement les communautés arabo-musulmanes, principalement ciblées par le débat, mais aussi d'autres communautés vivant traditionnellement le racisme, comme la communauté haïtienne. Elles ont pour conséquence une affirmation identitaire plus grande des minorités dans l'espace public québécois.

Par exemple, le port du voile est devenu un symbole davantage politique que religieux : plusieurs jeunes femmes ont commencé à le porter en réponse à l'ostracisme vécu par leur communauté. En 2013 et en 2014, le vif débat autour d'une éventuelle « Charte des valeurs québécoises » a permis l'expression publique de sentiments xénophobes (principalement islamophobes), générant de la colère et accroissant la méfiance et la polarisation sociale entre la majorité et les minorités.

LA HAINE DE « L'AUTRE »

Le succès du recrutement des organisations extrémistes islamistes – État islamique en particulier – se nourrit de ce contexte social tendu. Il est d'autant plus aisé qu'il s'appuie sur le puissant écho que trouvent les messages de ces organisations sur les réseaux sociaux de même que sur la force de leurs filières transnationales, dont les mouvements migratoires sont facilités par des moyens financiers importants.

Si les propos haineux et racistes qui caractérisent les situations de polarisation où « l'Autre » est déshumanisé ont toujours existé, ils n'ont jamais été diffusés avec autant d'efficacité qu'aujourd'hui.

La propagande islamiste extrémiste et xénophobe rejoint les jeunes dans leur intimité, jusque dans leur chambre, en déployant un large éventail de stratégies persuasives. Celles-ci visent principalement le désir d'appartenir à un groupe exceptionnel, de donner un sens à sa vie et d'avoir l'impression d'acquérir un certain pouvoir.

Fait à noter, la grande majorité des jeunes qui sont séduits par ces rhétoriques peu connue au Québec. Dans son rapport public sur la menace terroriste pour 2014, le ministère fédéral de la Sécurité publique estime à environ 130 le nombre de jeunes Canadiens partis rejoindre les forces d'EI en Syrie dans les dernières années. Une vingtaine d'entre eux proviendraient du Québec.

En outre, la présence d'organisations néonazies, forme extrême de la radicalisation xénophobe (islamophobe et anti-

> # À la suite des événements de septembre 2001, les réfugiés et les immigrants sont progressivement passés du statut de personnes vulnérables à celui de menace pour la sécurité du pays, voire à celui de criminels potentiels.

n'ont pas de problèmes de santé mentale. Ils peuvent même être altruistes et idéalistes, sensibles aux injustices et désireux de créer un monde meilleur, comme le souligne une étude publiée en 2013 par le Centre international de lutte contre le terrorisme[3]. Dans quelques situations, cependant, les jeunes tentés par ces affiliations sont fragilisés émotivement et/ou socialement, comme dans le cas des auteurs des attentats de Saint Jean sur Richelieu et d'Ottawa.

L'ampleur du phénomène de radicalisation violente est encore relativement sémite), commence à être officiellement reconnue au Québec. Étonnamment, les médias ne parlent habituellement pas de ces organisations comme d'une forme de radicalisation menant à la violence. On ignore d'ailleurs le nombre de leurs adhérents et le degré de soutien dont elles disposent.

Enfin, la banalisation de propos islamophobes véhiculés par les médias traditionnels et par les réseaux sociaux suggère que des formes nouvelles de racisme ordinaire sont en train de s'installer.

LE QUÉBEC SE MOBILISE

Face à cette polarisation de l'espace social et à l'accroissement des phénomènes de radicalisation, plusieurs acteurs gouvernementaux, institutionnels et communautaires se sont mobilisés. Dans le cadre du plan d'action *La radicalisation au Québec : agir, prévenir, détecter et vivre ensemble*, élaboré en 2015 par le ministère de l'Immigration, de la Diversité et de l'Inclusion, le gouvernement québécois a proposé un ensemble de mesures interpellant en particulier les milieux de l'éducation, de la santé et de la sécurité publique.

Bien qu'opportune, cette mobilisation des acteurs sociaux autour des enjeux de la radicalisation et du vivre ensemble représente un défi, dans la mesure où le bilan de la lutte contre le terrorisme est loin d'être positif. Trop souvent, les mesures mises en place au nom de la sécurité des populations ont augmenté la discrimination et justifié diverses formes d'ostracisme et d'exclusion des minorités.

On sait déjà que les mesures coercitives sont peu ou pas efficaces[4]. En contribuant au renforcement du profilage et de la stigmatisation, elles peuvent même aggraver la situation. Comment alors, plutôt que d'accentuer l'escalade des mesures sécuritaires, préserver ou favoriser une société plus inclusive ?

Au Québec, diverses initiatives citoyennes et institutionnelles se mettent en place afin de répondre à cette question. Elles s'attaquent aux inégalités et aux injustices en misant sur l'éducation, l'expression artistique et l'engagement social. À terme, espérons-le, ces initiatives favoriseront l'expression des exclus dans une perspective où tous doivent questionner leurs préjugés et prendre conscience, au-delà des différences et des désaccords, de l'humanité de «l'Autre». ◊

Notes et sources, p. 284

DE LA VISIBILITÉ DES LIEUX DE CULTE À L'INVISIBILITÉ DES JEUNES ISSUS DE LA DIVERSITÉ RELIGIEUSE

Alors que le Québec ouvre ses portes aux immigrants
pour contrer le vieillissement de la population, malaises
et stéréotypes persistent à l'égard des minorités religieuses.
Focalisé sur la visibilité des lieux de culte, le débat public fait fi des jeunes
Québécois issus de l'immigration qui sont nés ou ont grandi ici.

FRÉDÉRIC CASTEL
Religiologue, géographe et historien,
Université du Québec à Montréal

Au Québec, 2015 fut peut-être une année de transition, positive à certains égards. C'est étrange à dire tant elle fut aussi douloureuse en matière de religion, de politique ou de radicalisme, avec comme écho lointain la géopolitique du Proche-Orient transpercée par le trou noir du groupe État islamique.

Depuis la crise des accommodements raisonnables, survenue en 2007, on a beaucoup parlé de diversité religieuse et d'immigration. Alors que certains craignent le « retour du religieux » et de ses périls, quelques-uns éprouvent un sentiment confus d'envahissement. Faute d'études ou même de maîtrise des différents concepts (accommodement raisonnable, laïcité, intégrisme), les discussions publiques n'aboutissent pas. Conséquemment, on observe un épuisement palpable même dans les médias.

À l'heure où l'on s'interroge sur l'intégrisme et les lieux de culte, poussons un peu plus loin l'analyse de la diversité religieuse au Québec afin de mieux saisir ses expressions et de découvrir sa réalité. Mais auparavant, dressons le profil de l'évolution de cette diversité à partir des données de l'*Enquête nationale auprès des ménages* (ENM) de 2011, réalisée par Statistique Canada.

TENDANCES RÉCENTES ET PLACE DE L'IMMIGRATION

Pour la première fois dans l'histoire du Québec, l'ENM de 2011 révélait une diminution du nombre des Québécois s'identifiant comme catholiques, qui constituent tout de même les trois quarts de la population[1].

Par ailleurs, bien que l'actuelle classification de Statistique Canada empêche de totaliser les effectifs des Églises protestantes et dérivées, cela n'empêche pas de constater – pour la première fois depuis la fin des années 1960 – une remontée substantielle dans cette catégorie. Celle-ci a profité aux Églises évangéliques, dont les fidèles pourraient constituer près du quart des 400 000 protestants[2].

Les cinq principales religions non chrétiennes (judaïsme, islam, bouddhisme, hindouisme, sikhisme) réunissent maintenant 423 735 fidèles, soit 5,5 % des Québécois. Leur poids est plus bas que dans les pays occidentaux marqués par l'immigration non chrétienne (France, Belgique, Pays-Bas, Suisse, Allemagne, etc.) ou qu'en Ontario (11,8 %).

Globalement, l'immigration a d'abord nourri les Églises chrétiennes : près

sans affiliation religieuse, alors qu'ils étaient tout juste 7000 en 1961. Il ne s'agit toutefois que de 12,1 % de la population totale. Le Québec n'est donc pas exactement un havre de l'athéisme, d'autant qu'une partie des « non-affiliés » ne font que refuser de s'identifier à une autorité religieuse ou de ranger leur quête spirituelle dans une case confessionnelle.

Pas de retour du religieux à l'horizon : l'éloignement confessionnel s'accentue

Près d'un million de Québécois se déclarent sans affiliation religieuse, alors qu'ils étaient tout juste 7000 en 1961.

de 6 immigrants sur 10 sont chrétiens. Dans la décennie 2001-2011, le Québec a reçu 186 375 immigrants chrétiens et 129 670 immigrants d'une autre religion. À l'encontre des stéréotypes, 17 % des immigrants de cette cohorte ne se réclament d'aucune religion, une proportion supérieure à celle des natifs du Canada (11,6 %).

On associe naturellement les populations non chrétiennes aux immigrants. Les choses sont cependant plus nuancées : entre le quart et le tiers des musulmans, des bouddhistes, des hindous et des sikhs sont nés ici, et plus des deux tiers (68,4 %) des juifs sont dans la même situation.

Le changement le plus profond : près d'un million de Québécois se déclarent

avec la jeunesse en même temps que l'écart entre les femmes et les hommes se réduit.

UNE PLUS GRANDE VISIBILITÉ DES LIEUX DE CULTE

Le questionnement sur la diversité religieuse remonte aux années 1990, lorsque des problèmes de lieux de culte en milieu résidentiel ont surgi dans la ville d'Outremont (devenue arrondissement montréalais), provoquant des tensions entre des institutions juives hassidiques et d'autres résidents du quartier. Entre 2009 et 2011, les médias ont posé les enjeux de la réglementation entourant l'installation d'églises et de temples à Montréal avant de s'interroger sur la « multiplication » des lieux de culte.

Comme les règlements de zonage des arrondissements ou des municipalités peuvent ne pas prévoir suffisamment d'espaces accessibles et zonés cultuels pour répondre aux besoins de nouveaux groupes, il est plus facile d'obtenir un permis d'occupation pour des « activités communautaires » que pour des « activités religieuses ». Devant cette situation, certaines institutions cultuelles ont contourné les réglementations en vigueur alors que, de leur côté, des représentants de diverses munautaires ». En plus du culte, ces lieux offrent des services pour leur communauté (cours de langue et d'informatique, loisirs, gardiennage, etc.) ou comprennent une cuisine (conformément aux traditions hindoue, bouddhiste et sikhe)[3]. Ainsi les points de vue des usagers et des autorités divergent-ils sur le sens du mot *communautaire*.

Depuis quelques années, des arrondissements montréalais ont entamé une refonte de l'encadrement des lieux de

> S'il y a nécessairement des concentrations multiethniques dans certains quartiers de la métropole, celle-ci se caractérise par l'absence de ghettos.

instances municipales ont traité ces dossiers en oscillant entre libéralisme et intransigeance, et pas nécessairement avec cohérence. Si on peut comprendre l'agacement des voisins qui voient un dossier traîner, il faudrait entendre aussi les témoignages de responsables de centres religieux dont les requêtes n'ont pas été traitées avec célérité ou avec équité.

Certaines municipalités n'ont pas toujours compris que la diversification des lieux de culte peut impliquer un aménagement et des usages qui diffèrent du modèle catholique, de sorte que plusieurs temples se présentent comme des « centres com-

culte. Plusieurs sont dans une démarche favorisant des solutions et des idées nouvelles. Dans d'autres cas, quelques décisions consternantes ont été prises, comme exiger que l'on quitte des installations, parfois anciennes, en quelques semaines.

Début 2015, dans un contexte tendu où l'on s'interrogeait sur l'intégrisme, la controverse entourant l'ouverture d'un « centre communautaire » où voulait prêcher l'imam Hamza Chaoui, empêchée par l'arrondissement de Mercier–Hochelaga-Maisonneuve, a ravivé les inquiétudes au sujet des lieux de culte. Les esprits s'échauffant, des citoyens de Shawinigan ont aussi manifesté une vive opposition à l'ouverture prochaine d'une mosquée dans leur ville.

Dans un contexte sécularisé, la visibilité croissante de temples non catholiques peut créer de l'inconfort, surtout lorsque bon nombre de paroisses catholiques doivent fermer faute de pratiquants. Pourtant, plusieurs autres paroisses survivent grâce à l'apport immigrant.

L'opinion commune veut que la croissance des lieux de culte s'explique par la plus grande religiosité des immigrants. Or, les principales causes qui la sous-tendent sont bien matérielles, comme la croissance démographique et la dispersion géographique des fidèles. D'ailleurs, cette dispersion dans les quartiers de la métropole et ses couronnes est une bonne nouvelle : cela montre que, contrairement à des schèmes européens, on tend à éviter l'isolement communautaire. Les emplacements se multiplient aussi sous l'effet de la variété des groupes ethnolinguistiques et de la concurrence que se livrent des sous-groupes confessionnels – chacun ayant sa propre « plateforme », en particulier dans les multiples milieux évangéliques – afin de se tailler une plus grande part du marché confessionnel.

UNE « SUPERDIVERSITÉ » MÉCONNUE ET STÉRÉOTYPÉE

On parle trop souvent de « communautés » pour désigner des populations confessionnelles perçues comme homogènes et vivant pratiquement en retrait du reste de la société dans certains quartiers de

Montréal. Dans les faits, ces populations sont non seulement dispersées, mais également divisées par les nombreuses langues maternelles et les complexes affiliations confessionnelles. Les institutions confessionnelles, rarement fédérées, jouent un rôle communautaire réduit, surtout que la majorité des juifs, des musulmans et des bouddhistes nés à l'étranger fréquentent peu ou pas les lieux de culte.

C'est le modèle montréalais : s'il y a nécessairement des concentrations multiethniques dans certains quartiers de la métropole, celle-ci se caractérise par l'absence de ghettos. La plupart des populations confessionnelles se mêlent à d'autres tout en se dispersant. Les immigrants récents vont choisir leur quartier de résidence en fonction du prix des loyers, quitte à suivre des sillages ethnolinguistiques plutôt que religieux.

Montréal connaît donc une « superdiversité » (la diversité dans la diversité[4])

Taux de chômage par religions, tous âges confondus (Québec)

Chrétiens	6,7 %
Juifs	7,3 %
Sans appartenance religieuse	7,9 %
Bouddhistes	11,1 %
Sikhs	13,6 %
Hindous	14,2 %
Musulmans	17,4 %
Population totale	7,2 %

Source : *Enquête nationale sur les ménages*, 2011.

qu'on ne «voit» pas encore. Sur le terrain, on assiste à une multiplicité des opinions sur les signes religieux. Bien que le port de la kippa, du hijab ou du kirpan soit peu répandu, leur emploi ne recoupe pas l'opposition conservateurs/modernistes. Ainsi passent pour des contradictions, didats scolarisés qui connaissent les langues officielles. Ainsi accueille-t-on au Québec bon nombre de professionnels, de commerçants et d'investisseurs[5]. À l'encontre de l'image des «immigrants du tiers-monde», ces populations sont largement urbanisées et scolarisées. Alors que

Les grands ignorés de l'histoire ? Ces jeunes Québécois issus de l'immigration, qui ont grandi au Québec et qui en ont adopté l'accent et la culture.

voire des doubles discours, de simples divergences de vues portées par les sous-groupes ou les individus.

On constate d'après le discours de certains politiciens et commentateurs que les réalités de la diversité religieuse *québécoise* sont encore assez mal connues. D'ailleurs, leur lecture se fait souvent à travers le «prisme français», au moyen duquel on projette des traits propres aux banlieues parisiennes sur les réalités montréalaises. Il faudrait consacrer tout un article aux multiples différences entre le Québec et la France au chapitre des politiques d'immigration, du profil social des populations, du système politique et du climat sociétal, sans parler du passé colonial.

Par exemple, le système canadien de sélection des immigrants favorise les can-

près du quart (23,3 %) de l'ensemble des Québécois détient un diplôme universitaire, c'est le cas de 25,7 % des hindous, de 28,3 % des bouddhistes, de 44,7 % des musulmans et de 50,7 % des juifs, nous apprend l'ENM de 2011.

En ce qui concerne la langue, la croissance du français est encore lente parmi les adultes de certaines minorités. Toutefois, on note une nette progression au sein de populations numériquement importantes : 75,2 % des bouddhistes et 84,7 % des musulmans âgés de 25 à 54 ans maîtrisent cette langue. Au terme d'une évolution générationnelle dont on n'a pas beaucoup entendu parler, 94,2 % des juifs du même groupe d'âge parlent maintenant le français. Le phénomène est encore plus marqué chez les jeunes : entre 80 % et 90 % des juifs, des musulmans, des bouddhistes et des hindous âgés de 15 à 24 ans peuvent s'exprimer dans la langue de Gaston Miron.

CEUX QU'ON NE VOIT PAS

Les grands ignorés de l'histoire? Ces jeunes Québécois issus de l'immigration, qui ont grandi au Québec et qui en ont adopté l'accent et la culture. Leur identité québécoise est souvent ébranlée. Depuis la crise des accommodements raisonnables, ils ne comprennent pas pourquoi médias et politiciens reviennent périodiquement sur les religions et l'immigration. Ils pensent à leurs parents qui ont souvent trimé dur, quand ils n'ont pas subi une déqualification professionnelle (tels cet ingénieur devenu chauffeur de taxi, cette enseignante devenue gardienne d'enfants) ou carrément le chômage.

tiens du même âge (23,7 % contre 12,2 %), selon les plus récentes données de l'ENM. Pour leurs parents, cet écart peut tripler. Dans ce contexte, on peut se demander comment se sentent les jeunes Québécois de confession musulmane.

Certes, les causes du chômage des immigrants sont nombreuses et complexes (langue, discrimination, reconnaissance difficile des diplômes étrangers, haut taux d'activité au Québec, etc.). Même si le taux de chômage des minorités religieuses a significativement baissé depuis 2001[6], la situation n'en demeure pas moins préoccupante.

À cet égard, on peut saluer les initiatives des deux dernières ministres de l'Immigration : les programmes lancés en 2011 par la libérale Kathleen Weil, qui visaient la reconnaissance des compétences des

Les jeunes musulmans âgés de 15 à 24 ans chôment deux fois plus que les chrétiens du même âge.

L'association immigration-religions conduit inévitablement à parler d'«intégration». Depuis toujours, les nouveaux arrivants doivent faire des efforts pour s'acclimater et trouver du travail. Réciproquement, on s'attend à ce que la société offre les conditions propices à cette intégration, qui passe d'abord par le travail. Mais ce n'est pas toujours le cas : ainsi, les jeunes musulmans âgés de 15 à 24 ans chôment deux fois plus que les chré-

immigrants et des minorités visibles auprès des employeurs, puis le large chantier mis sur pied par la péquiste Diane De Courcy afin d'accélérer le processus de reconnaissance des diplômes émis par les pays maghrébins.

CONCLUSION

Les accommodements tant médiatisés concernent des situations fugaces, et la question des lieux de culte donne un aspect plus tangible à l'apparition de la diversité religieuse au Québec – sans qu'on la connaisse pour autant. Or, il faut se méfier de l'équation entre immigration et religions non chrétiennes. Cela ramène notre attention à la situation des jeunes nés ici. Si on tient compte de ceux qui ont immigré dans l'enfance, on comprend l'importance du nombre de jeunes qui ont grandi et baigné dans la culture québécoise. Alors que ces derniers n'apprécient pas d'être ramenés à l'identité immigrante, l'abus dans les discours du terme *communauté* fait oublier les citoyens.

Malgré les apparences, plusieurs élus des divers partis provinciaux et montréalais ont, au moins en sourdine, pris acte de l'impact collectif des polémiques, notamment chez les jeunes Québécois issus de la diversité. C'est un des aspects positifs de l'année 2015. ◊

Notes et sources, p. 284

Culture

L'ÉNIGME DE LA CULTURE

Dany Laferrière a marqué la vie littéraire québécoise depuis la parution en 1985 de son premier roman, *Comment faire l'amour avec un Nègre sans se fatiguer*. Son talent a été salué par plusieurs prix dont, en 2009, le prix Médicis pour *L'énigme du retour*. Il a été élu à l'Académie française le 12 décembre 2013. Il est le premier Canadien et le premier Haïtien à y être admis. Il y est entré le 28 mai 2015 pour y occuper le fauteuil numéro 2, laissé vacant à la suite du décès d'Hector Bianciotti.

Le 13 octobre 2015, Dany Laferrière a inauguré la série de conférences intitulée Cultures et savoirs, animée par l'Institut du Nouveau Monde (INM) pour les 10 ans de la Grande Bibliothèque, à Montréal. Son intervention a pris la forme d'un entretien avec Michel Venne sur le thème de la culture, dont ce texte reprend de larges extraits. L'intégrale est disponible en baladodiffusion sur le site Internet de Bibliothèque et Archives nationales du Québec, banq.qc.ca.

PROPOS RECUEILLIS PAR MICHEL VENNE,
directeur général de l'Institut du Nouveau Monde

Dans votre discours de réception à l'Académie française, vous avez parlé de votre prédécesseur au fauteuil numéro 2, Hector Bianciotti, comme d'un écrivain français venu d'Argentine. Êtes-vous un écrivain québécois venu d'Haïti ?

Oui, je suis un écrivain québécois venu d'Haïti, je l'ai souvent dit d'ailleurs. Je suis né en Haïti, mais je suis né écrivain au Québec. Mais être né en Haïti n'est pas quelque chose de passif. C'est une nature tumultueuse. D'abord une nature accueillante et sensuelle, celle de mon enfance, que j'ai passée avec ma grand-mère. Et une nature tumultueuse aussi, celle de Port-au-Prince, où les grands débats politiques s'agitent. Sous la dictature, ce fut dramatique parfois. Il m'arrive de confondre mon enfance et mon pays. J'ai écrit dans *L'énigme du retour* que mon enfance me manque beaucoup plus que mon pays.

> Pour moi, c'est ça, la culture.
> Ce qui fait de nous un être humain,
> qui nous permet de prendre une
> distance avec l'événement. Quel qu'il
> soit. Quelle que soit sa puissance.
> Même un tremblement de terre.

Est-ce que l'histoire familiale est plus importante que l'histoire nationale ?

C'est vrai pour Hector Bianciotti. Ce fils de paysans piémontais qui vivait en Argentine. Ces gens-là ont toujours eu l'impression que l'État les avait laissés de côté. S'ils n'ont pas pris part aux grands débats nationaux, ils se sont quand même construit une histoire familiale très forte, très puissante, qui a permis à Bianciotti d'écrire ses livres plus tard, ou d'écrire justement sa grand-mère ou d'écrire son père, et sa sœur. Je crois que, pour lui, l'histoire familiale est la seule qui existe. Parce qu'on n'a pas donné à ces gens-là la possibilité de voir plus loin que le cercle de la famille.

Quelle est la place de la famille dans la culture ?

La famille est une grande base de la culture. Je ne suis pas un écrivain d'idéologie. J'aime bien essayer de trouver des récits qui traversent les peuples, des récits qui traversent les paysages. Et l'histoire familiale est un réseau complexe de récits. Comme je paraissais un garçon étourdi, une de mes tantes me disait que je semblais distrait par rapport à ce qui se passait autour de moi. J'avais l'air d'être ailleurs. Eh bien, pour lui prouver le contraire, j'ai réuni mes tantes sur la galerie et je leur ai raconté toutes les histoires qu'elles ne cessaient de raconter devant moi, croyant que je n'écoutais pas. J'étais déjà l'espion de la famille. C'est ça, un écrivain. C'est le premier territoire qu'il doit espionner. C'est la famille. Et la famille, c'est extraordinaire. Ces gens-là qui se mettent ensemble pour affronter le reste du monde alors qu'à l'intérieur c'est un nœud de vipères, comme l'a écrit Mauriac.

Vous avez commencé votre discours de réception à l'Académie française par une longue digression, conviant à la cérémonie un dieu du panthéon vaudou, Legba. Qui est donc ce dieu vaudou qui, dites-vous, permet à un mortel de passer du monde visible au monde invisible, puis de revenir au monde visible, ce qui vous fait dire qu'au fond, Legba, c'est le dieu des écrivains ? Est-ce qu'on peut parler de culture sans parler de religion ?

Pas en Haïti en tout cas. La religion vaudou a joué un rôle essentiel dans la fondation du pays même. Et la religion catholique était venue accompagner les esclaves dans leur souffrance, leur proposant même des béatitudes — « Heureux les pauvres d'esprit, heureux ceux qui souffrent » —, alors que la religion vaudou avait un discours plus guerrier. On avait l'impression que l'Église catholique occupait l'espace diurne et que l'espace de nuit était occupé par des chants, par des rythmes, par le tambour. Et tout ça créait une atmosphère assez inquiétante pour les Français, l'armée française, les colons. C'était une atmosphère assez inquiétante et qui disait en fait une seule chose. Cette musique qu'on entendait au loin dans les montagnes, c'était pour dire : nous sommes toujours vivants. Malgré le déplacement depuis l'Afrique, malgré la langue, malgré la présence catholique, malgré l'armée française... Nous sommes toujours vivants.

Quel est le rôle de la religion vaudou comme telle dans cette résistance ?

Son premier rôle, c'est le mystère. Le mystère fait peur à celui qui n'est pas introduit, qui n'est pas initié. Mais il protège ceux qui le sont. C'est comme dans toutes les cultures dominées, il y a quand même une forme de société secrète, un espace inviolé. On crée une différence assez forte. Et puis le rapport avec la sexualité dans cette religion était aussi très fort puisque la sexualité était débridée. Totalement. Donc, c'est une vision du monde extrêmement différente...

... qui est au fondement de la culture.

Oui. À cause de la musique, à cause des chants sacrés.

Mais ce que vous dites au sujet du vaudou ne s'applique-t-il pas aussi au christianisme, à l'islam, au judaïsme ?

Bien sûr. Mais c'est ce qu'on en fait qui compte. Il n'y a pas de religion qui soit une chose définitive. Cette même religion qui fut à un moment donné quelque chose qui permet la liberté sera aussi un instrument d'oppression, après.

Est-ce que la culture peut devenir une prison ?

Si c'est une prison, il faut l'appeler une prison. Et elle devient culture quand elle est source vive. J'étais à Port-au-Prince pendant le tremblement de terre [de 2010]. Et le lendemain, une journaliste est venue me trouver et m'a demandé ce que j'en pensais, vous savez, 300 000 morts, la ville est tombée, brisée… Et je lui ai dit, comme ça, je ne sais pas comment c'est passé dans ma tête : « Quand tout tombe, il reste la culture. » Nous sommes comme ça, les humains. Nous échafaudons des théories, nous échafaudons toutes sortes de choses, des fois plaisantes. Mais nous attendons quand même un jour pour savoir si ce que nous disons est une fabulation ou pas. Je crois que j'attendais un moment pour savoir si vraiment la culture comptait pour moi. Et devant ces centaines de milliers de morts, devant cette ville, ma ville, qui était tombée… au lieu de faire une déclaration sur la situation désastreuse, catastrophique, je me suis dit : c'est le moment de savoir si la culture vaut quelque chose pour moi. Je vais l'évoquer. Cette chose qui peut paraître frivole, qui peut paraître légère, à la surface des choses, flottant, cette chose qui ne devrait pas pouvoir faire face à des milliers de morts, ni même aux larmes d'un seul enfant, eh bien, pour moi, c'était la chose fondamentale. Alors j'ai dit qu'en tout temps il reste la culture. Et la phrase est restée LA phrase sur le tremblement de terre.

> Un roman, pour être vivant,
> doit avoir un certain quota de gens
> qui ne liront pas ce livre mais
> qui en sont les personnages.

Et vous ne l'avez pas défini, vous n'avez pas dit ce que ce mot, *culture*, recouvrait…

Non, mais on peut le sentir. Mais je peux le définir là, si vous voulez… Pour moi, d'abord, c'était une phrase qui voulait aider à se relever, qui annonçait qu'on pouvait rebâtir, que même nus sous les draps, on était encore vivants parce qu'on était habités par un trésor personnel. Qui est l'ensemble des réseaux complexes qui nous habitent, de ces conversations, de ces frottements avec d'autres, de tout ce que nous avons imaginé, rêvé, de tout ce que les gens nous ont dit, des rêves que nous avons faits, des rêves des autres. Et tout cela se retrouvait déposé dans chaque personne. C'est tout cela qui fait de nous un être humain. Pour moi, c'est ça, la culture. Ce qui fait de nous un être humain, qui nous permet de prendre une distance avec l'événement. Quel qu'il soit. Quelle que soit sa puissance. Même un tremblement de terre.

Vous avez dit « humanité » et non pas « identité ». Est-ce que la culture nous unit ? Est-ce que la culture est universelle ou est-ce qu'elle nous distingue les uns des autres ?

C'est un mouvement. C'est un constant mouvement. Je crois aussi qu'il y a une explication en chaque personne. Je ne cherche pas à définir les choses. Si on demande à 10 personnes ce qu'est la culture, on aura 10 réponses. Mais ce serait intéressant une fois de demander ça à 5000 personnes. La masse des réponses donnera quelque chose d'étonnant. Et même la répétition des réponses donnera simplement ce qu'est la culture. Lancer ce mot pour essayer, d'abord, de le démocratiser, de faire en sorte que tout le monde ait le droit de le définir. Et quand on aura 5000, 10 000 personnes qui répondent, on aura peut-être le début de ce que c'est. C'est d'abord la multitude. Et l'un des problèmes de la culture telle que nous l'entendons, c'est qu'elle s'adresse au petit nombre. C'est très rare qu'on aille dans la rue pour demander aux gens ce qu'est la culture. On leur pose d'autres questions. Et on demande souvent à des gens qui pourraient leur expliquer ce qu'est la culture: « Qu'est-ce que la culture ? » Donc les gens se disent alors: « Bon, ça doit être quelque chose qui ne nous touche pas, ou dont nous ne savons pas ce que c'est. »

Il n'y a que ça, des ghettos. Seulement, on a ajouté que si c'est pauvre ça s'appelle « ghetto », si c'est riche ça s'appelle « quartier huppé ». Donc ça dépend de celui qui nomme les choses.

Cela vaut pour la littérature...

J'ai l'habitude de dire que les gens qui ne savent pas lire sont plus souvent dans les livres, dans les romans, que les gens qui savent lire et qui les écrivent. Un roman, pour être vivant, doit avoir un certain quota de gens qui ne liront pas ce livre mais qui en sont les personnages. Ce petit symbole, le livre dans la poche, qui peut être très beau, qui peut annoncer une civilisation puisqu'un livre dans la poche, c'est comme une police d'assurance pour l'esprit. Donc ce petit truc-là peut éloigner d'autres personnes aussi. Le cinéma américain est arrivé avec cette force. C'était le premier cinéma à montrer un livreur de pizza fou amoureux d'une serveuse, et derrière ça on a l'impression de voir l'histoire de la littérature et de l'amour, c'est-à-dire Roméo et Juliette, Héloïse et Abélard. Et ils étaient capables d'effacer les traces de la vision, disons, professionnelle, de la culture, de la culture mise en boîte. Et de retrouver la fraîcheur de cela.

J'ai dit « identité » tout à l'heure parce que souvent, quand on parle de culture, on en parle au pluriel pour dire qu'il existe différentes cultures qui se côtoient, qui parfois s'affrontent, et qui correspondent à des identités. Amin Maalouf, qui a répondu à votre discours de réception à l'Académie française, a publié un livre qu'il a intitulé *Les identités meurtrières*, dans lequel il déplorait le fait que, justement, au nom de différentes cultures on s'affronte, on se bat les uns contre les autres. Et, pour ça, je vous demandais si vous craigniez que les cultures soient des prisons, des cercles desquels on refuse de sortir, et qui peuvent être des filets de protection pour un groupe, et l'empêcher de communiquer avec les autres.

Je ne sais pas. Moi, je suis fondamentalement optimiste. Si on me présente un problème comme ça, je me dirais: pourquoi les gens se cachent dans leur culture? Il y a aussi la façon dont on nomme les choses. J'étais dans un taxi à Paris, et dans le quartier où je vivais, un quartier très populaire, le chauffeur de taxi qui vient d'un pays du Moyen-Orient me disait: moi, les ghettos... J'ai dit: mais il y a plein de ghettos. Il me dit: oui, c'est ça, là c'est un ghetto indien, là c'est un ghetto africain. J'ai dit: oui, mais dans le 16e aussi il y a un ghetto. C'est la définition du ghetto, un ensemble de gens qui partagent les mêmes idées, s'habillent au même endroit, dansent sur la même musique, mangent les mêmes choses et vont au cinéma voir les mêmes films. Eh bien, c'est un ghetto. Il n'y a que ça, des ghettos. Seulement, on a ajouté que si c'est pauvre ça s'appelle «ghetto», si c'est riche ça s'appelle «quartier huppé». Donc ça dépend de celui qui nomme les choses.

> # Il ne suffit pas de dire « langue ».
> # Il faut dire dans quel contexte,
> # comment ça se passe,
> # quelle est l'histoire qui l'accompagne.

Donc, ça veut dire qu'à partir du moment où on a mal nommé les choses on en a fait un rapport de force. C'est moi qui vous nomme, mais la question est mal posée. Celui qui demande: «C'est quoi, ces gens qui s'enferment dans leur culture?» n'a pas vu qu'il s'est enfermé dans sa culture aussi. Parce qu'il a défini sa culture comme la chose rêvée — tout le monde devrait y avoir accès, mais les gens ne pourront pas parce qu'ils n'ont pas ce que j'ai: mon intelligence, mon argent, mon urbanité. L'urbanité, il me semble que c'est une chose absolument facile à avoir quand on gagne 500 000 euros par an. On doit être souvent très souriant. Quand on me dit: vous savez, dans les quartiers populaires, même à Montréal, c'est difficile, il y a du racisme… Quand on met les gens ensemble dans des situations économiques extrêmement difficiles… Je trouve que c'est très facile à Westmount, à Outremont de ne pas être raciste. Il n'y a personne qui vous embête. Tout ce qui est noir et qui va là, ce sont des médecins, des académiciens…

Quand vous habitez dans un quartier où les maisons sont espacées, quand les gens peuvent circuler dans leur propre maison comme si c'était sur une autoroute, ce n'est pas la même chose que quand il y a surpopulation, de l'autre côté où les gens n'arrivent même pas à faire l'amour sans… enfin…

> # C'est comme si on croyait que la condition humaine, c'était toujours de faire face à un mur, d'essayer de le casser ou de le contourner, mais on peut juste vivre !

Quelle est la place de la langue dans la culture ?

Vous savez, quand on définit les gens par les symboles, on peut créer des problèmes. Comme quand les gens disent que le créole, c'est notre langue, que le créole dit ce qu'on est et qu'il faut le porter, il faut porter cette langue au pinacle. Oui. Mais c'est en créole aussi qu'on torture les gens dans les geôles des dictateurs. Toute langue est ainsi. La langue créole était là pour dire l'authenticité haïtienne, et mettre à la porte littéralement le français qui était la langue du colonisateur. Je suis arrivé à Montréal, on m'a dit : « Non, la langue française, c'est la langue du dominé, du colonisé. On a des problèmes, il faut nous aider à mettre à la porte l'anglais qui est la langue du colon. » J'avais 23 ans, ça vous fait réfléchir. Dix ans plus tard, je pars à Miami, on me dit : « Écoutez, l'anglais a des problèmes avec l'espagnol qui est en train de devenir la langue de la Floride. » Il ne suffit pas de dire « langue ». Il faut dire dans quel contexte, comment ça se passe, quelle est l'histoire qui l'accompagne.

Dans votre œuvre, vous nous racontez la vie quotidienne. Alors, la culture, c'est ça ? C'est le goût des jeunes filles, c'est une odeur de café, c'est la météo, c'est le sport, c'est le travail ?

Pour Haïti, oui. Dans un livre qui s'appelle *Le cri des oiseaux fous*, j'ai tenté de définir quelle était la situation haïtienne. Et la situation haïtienne, pour un jeune homme de 23 ans comme moi, la veille de mon départ d'Haïti pour venir à Montréal, c'était l'individu. Avant, tout était collectif. La dictature était la dictature, le peuple était le peuple, les opposants étaient les opposants, et les gens pouvaient vous montrer du doigt sans dire votre nom. Et je me suis dit, finalement le grain de sable qui va faire dérailler le système, c'est l'individu. C'est quelqu'un qui arrive à penser, et à penser de manière originale dans ce système. La chose qui pourrait faire dérailler le système de la dictature, c'est quelqu'un qui parvient à être heureux malgré le dictateur.

Des fois, on nous présente un problème et on veut qu'on parvienne à le résoudre, alors que la solution, c'est de ne pas chercher à résoudre le problème. Ça vous bouffe votre énergie. On n'est pas obligé de faire face tout le temps de sa vie à des problèmes, on peut faire face à des solutions aussi. On peut trouver ce qu'on appelle la facilité. Mais ça peut être aussi la grâce de vivre. On se met beaucoup de problèmes dans la tête. C'est comme si on croyait que la condition humaine, c'était toujours de faire face à un mur, d'essayer de le casser ou de le contourner, mais on peut juste vivre! Juste là, dans les rapports, sentir les choses, et bouger dans l'espace des choses, rencontrer les gens, prendre une tasse de café. Mais en être conscient. En être conscient, d'où cette fameuse réflexion d'Henry Miller qui m'a touché, il disait: à cette époque, j'étais heureux, et je le savais. C'est en être conscient. ¶

Les séries télé : le huitième art ?

PIERRE BARRETTE
Professeur à l'École des médias, Université du Québec à Montréal

Longtemps considérée comme l'art du pauvre, la télévision s'est enrichie de séries de fiction prestigieuses qui transforment le regard qu'on porte sur le petit écran. Mais cette aspiration à la légitimité s'est accompagnée d'un renouvellement des critiques à l'égard de la télé «ordinaire», dont la téléréalité représente le plus récent avatar.

Le paysage audiovisuel québécois est en pleine mutation, et au centre des transformations qu'il subit se trouve un phénomène révélateur des enjeux à la fois économiques, culturels et symboliques qui caractérisent le nouvel écosystème médiatique en émergence. L'extraordinaire popularité des séries de fiction (téléromans, «séries de prestige», *sitcoms*, etc.), leur montée en légitimité auprès de publics traditionnellement peu friands de télévision, particulièrement les intellectuels et les jeunes adultes, semblent constituer la tendance de l'heure. Il ne se passe plus une semaine sans qu'un livre, un événement ou un colloque universitaire consacré à la série ne rappelle le statut désormais enviable de cette forme culturelle. Le phénomène, qui remonte au tournant des années 2000, contraste fort avec la manière dont on a longtemps jugé la fiction télévisée, que sa nature sérielle et l'adoption de formules génériques discréditaient auprès du public cultivé. Non seulement la série télé au Québec est à la mode, mais le contour des publics qu'elle fédère désormais contribue à transformer la manière dont on la perçoit dans l'ensemble de l'offre culturelle.

Car la télé n'a pas toujours eu bonne presse. Parce qu'elle constitue le «divertissement» le plus accessible et le plus populaire, parce qu'elle ne profite d'aucun capital symbolique fort (contrairement au cinéma ou à la musique, par exemple, il ne s'agit pas d'une activité «noble»), la télévision, dans la mesure aussi où elle s'adresse délibérément au premier venu et qu'elle fait du plus grand nombre son allié nécessaire, peut sembler ne s'adresser à personne en particulier, facilitant d'emblée les réactions de détachement qui caractérisent l'attitude d'une part importante des téléspectateurs.

En effet, l'énoncé le plus banal à faire concernant la télévision est toujours celui qui établit la distance du locuteur face à celle-ci :

« La télévision, bof! Je ne la regarde presque jamais. » Alors que peu de gens se vantent de ne pas lire, de ne pas aller au théâtre ou d'abhorrer les spectacles de danse, affirmer son dédain pour la petite boîte est presque en toutes circonstances un marqueur culturel positif.

L'hyperindividualisme qui marque notre époque, faisant de chacun une cellule autonome, un individu supposé maître de ses choix, ne favorise pas l'adhésion à l'espèce de « grégarisme » un peu élémentaire que laisse imaginer la grande popularité de la télévision.

Le nouveau statut de la série change-t-il cet état de fait? Le prestige dont profite en ce moment cette catégorie d'émissions se communique-t-il au médium dans son ensemble?

QUEL TYPE DE TÉLÉSPECTATEUR ÊTES-VOUS ?

Dans son article « Les styles de relation à la télévision », le sociologue Dominique Boullier publie les résultats d'une enquête menée auprès du public français[1]. Il y classe notamment les téléspectateurs en quatre familles distinctes, selon la nature de leur « attachement » au petit écran. Cette catégorisation peut s'appliquer, à quelques nuances près – l'étude a été réalisée à la fin des années 1980 et la société française est différente de la nôtre –, au public québécois actuel.

- Le *spectateur démiurge* est celui qui organise son écoute sans y succomber. Maître de ses choix, il apprécie l'offre télévisuelle mais sélectionne avec soin ce qu'il regarde.
- Le *spectateur-sectateur* se méfie de la télévision, qu'il tend à juger assez durement. Toutes les autres activités culturelles lui semblent « naturellement » supérieures à l'écoute de la télévision, qu'il tente de contrôler le mieux possible, tant en fait de qualité que de quantité.
- Le *spectateur addict* baigne littéralement dans le monde de la télévision. Il la regarde abondamment, avec passion, sans remords et sans discrimination.
- Le *spectateur-zombie* « succombe » à la télévision, qu'il regarde avec mauvaise conscience, comme à regret et pourtant de manière compulsive. C'est celui qui zappe furieusement, des heures durant, se plaignant qu'il n'y a « jamais rien de bon à la télé ».

1. Dominique Boullier, « Les styles de relation à la télévision », *Réseaux*, vol. 6, n° 32, 1988, p. 7-44. En ligne: www.persee.fr/web/revues/home/prescript/article/reso_0751-7971_1988_num_6_32_1293.

LES « PRODUCTIONS CULTURELLES » NE SONT PAS TOUTES ÉGALES

Inventée au début des années 1930 mais accessible au plus grand nombre durant l'après-guerre (1948 aux États-Unis, 1952 au Canada), la télévision fait partie d'entrée de jeu, avec le cinéma notamment, de ces « arts industriels » qui, s'ils attirent les foules et suscitent les passions populaires, sont aussi durement jugés par les élites en place, pour qui il ne saurait y avoir qu'un seul véritable référent culturel, celui des arts dits « classiques ». La guerre culturelle qui oppose durant une grande partie du 20e siècle les esprits cultivés au petit peuple friand de divertissements vulgaires est à ce titre éloquente. On peine à croire aujourd'hui qu'un penseur de la trempe de Theodor Adorno ait pu qualifier le jazz de « régression primitive[1] », ou que l'écrivain Georges Duhamel ait présenté le cinéma comme « un passe-temps d'illettrés, de créatures misérables, ahuries par leur besogne et leurs soucis[2] ». Ce genre de jugement à l'emporte-pièce a pourtant longtemps été la norme. Ce qui se trame derrière ces attaques contre la culture industrielle, c'est la défense d'un territoire « distinctif » en même temps que l'affirmation d'un goût qui, s'il est posé comme universel, doit paradoxalement rester l'attribut d'un petit nombre d'élus.

Pour s'en convaincre, il suffit probablement de prendre la mesure d'un renversement célèbre. Durant les années 1950, sous l'impulsion du petit groupe de critiques bientôt associés à la Nouvelle Vague française (Godard, Truffaut, Rohmer en sont les principales figures), le cinéma populaire américain (les thrillers d'Alfred Hitchcock, les westerns et les comédies signés Howard Hawks, notamment) est l'objet d'une fantastique opération de légitimation artistique. Sous la plume de ces cinéphiles avertis, qui écrivent dans les *Cahiers du cinéma* récemment fondés, ce que le commun des mortels percevait jusqu'alors comme un pur divertissement devient tout à coup digne du plus grand intérêt, et la figure du réalisateur se trouve élevée au rang d'« auteur », l'égal des peintres, des écrivains, des musiciens. En partie « contre » la télévision naissante, qui devrait se charger désormais d'incarner le « pire » de la culture de la masse, le « divertissement d'ilotes » d'hier (Duhamel) devenait du coup le septième art.

PAUVRE TÉLÉRÉALITÉ !

Le processus de légitimation et de consécration de la série télé auquel on assiste maintenant rappelle ce qui s'est passé avec le cinéma durant les années 1950 et 1960. D'ailleurs, l'une des qualités que l'on prête d'emblée aux séries n'est-elle pas leur caractère cinématographique ? On met de l'avant les noms des scénaristes, souvent issus de la littérature (Stéphane Bourguignon, François Avard), des réalisateurs transfuges ayant fait leur marque au cinéma (Francis Leclerc, Ricardo Trogi) et des « metteurs en scène » de télévision dont on vante l'esthétique (Podz/Daniel Grou). La série revendique par toutes sortes de moyens son association avec l'univers du cinéma, cherchant là un public et une légitimité culturelle que la télévision n'a jamais eus, sinon lorsqu'elle s'est parée des atours d'un art noble — on pense aux télé-théâtres, ou encore à la retransmission des concerts de musique ou des spectacles de danse classique, par exemple dans le cadre des *Beaux dimanches* (en ondes de 1966 à 2004).

Mais en toute cohérence avec la logique de la distinction qui prévaut dans l'ordre des goûts culturels, la *sériephilie* ne saurait simplement s'affirmer telle une pratique populaire et démocratique; elle doit elle aussi revendiquer son espace, dont les frontières, pour exister, ont besoin d'un horizon marqué négativement. Le célèbre slogan « *It's not TV, it's HBO* » de la chaîne américaine éponyme, reconnue comme la première responsable à l'échelle internationale du changement de statut de la série, l'illustre avec éloquence: pour pouvoir s'avancer bien armée sur le terrain de la reconnaissance, la série a d'abord eu besoin de dire ce qu'elle n'est pas — en clair, de la *TV*, cette *idiot box* pour attardés culturels, habitués à leur pitance quotidienne de jeux-questionnaires et de variétés. Dans ce lot: les nombreuses émissions de téléréalité, apparues il y a une quinzaine d'années et qui ne cessent d'évoluer de maintes façons.

La concordance dans le temps de la montée en légitimité de la série et de la descente en flammes de la téléréalité ne relève donc aucunement du hasard: les *Loft Story* et autres *Big Brother* de ce monde constituent l'ennemi dont rêvaient les prosélytes de la «qualité», qui chargent la téléréalité de tous les travers imaginables. Il est d'ailleurs aisé de les opposer point par point: la série est dispendieuse, elle est le résultat du travail de nobles créateurs (acteurs de prestige, scénaristes, réalisateurs, *showrunners*) et, plus important encore, elle se laisse apprécier, tels le livre ou le DVD de cinéma, dans le lieu et au moment choisis par l'amateur. La téléréalité, elle, parce qu'elle «ne coûte rien à faire», qu'elle mime le direct, recrute de «vulgaires inconnus» en guise de vedettes et propose des rendez-vous forcés (on ne regarde pas *Vol 920* en DVD...), reproduit la logique singulière de la bonne vieille télévision populaire.

Ainsi, la ligne de partage se maintient: l'amateur de séries peut savourer l'objet de sa passion en toute distinction, alors que les «autres», la masse, le groupe indifférencié des téléspectateurs (voir l'encadré), ont *La voix* pour assouvir leur (absence de) goût. ¶

Notes et sources, p. 284

Bibliothèques publiques :
les Québécois semblables aux Américains ?

BENOIT ALLAIRE, PH.D.
Conseiller en recherche en culture et communication, Observatoire de la culture
et des communications du Québec, Institut de la statistique du Québec

Dix ans après l'ouverture de la Grande Bibliothèque, quel usage faisons-nous de nos bibliothèques publiques ? Il se pourrait qu'il ressemble davantage à celui des Américains qu'à celui des Ontariens ou des Britanno-Colombiens.

Avec des dépenses totales de 412 millions de dollars en 2013 et plus de 3 000 emplois, les bibliothèques publiques constituent une des institutions culturelles les plus importantes du Québec. Elles rayonnent dans plus de 900 municipalités et desservent 96 % de la population québécoise. Les abonnés des bibliothèques représentent 35 % de la population desservie, soit plus de 2,7 millions de personnes. Celles-ci ont emprunté en moyenne 19 documents chacune au cours de l'année.

UN RÉSEAU BIEN IMPLANTÉ

Les bibliothèques publiques desservant plus de 5000 habitants, en incluant la Grande Bibliothèque, ont accueilli 26,4 millions de visiteurs en 2013 et leurs sites Internet ont enregistré 21,7 millions de visites. De plus, elles ont organisé 44 507 activités d'animation auxquelles ont participé plus d'un million de citoyens.

La plupart de ces indicateurs ont sensiblement progressé depuis 2007. Si la part de la population desservie par une bibliothèque a gagné près d'un point de pourcentage, la proportion d'abonnés en a perdu tout autant. Néanmoins, le nombre de prêts par abonné a crû de 11 %, le nombre de visites par habitant de 3 % et le nombre de demandes d'information par habitant de 19 %.

UNE POSITION DISTINCTE
EN AMÉRIQUE DU NORD

Par rapport aux bibliothèques publiques d'autres provinces ou des États-Unis, les bibliothèques québécoises accusent toujours un certain retard quant à l'utilisation des services, quoique celui-ci soit moindre qu'en 2007. Par exemple, le nombre de prêts par habitant au Québec a crû de 8 %, tandis qu'en Ontario ce nombre a légèrement diminué. Malgré sa croissance importante, le nombre de prêts par abonné au Québec (19,3 prêts) demeure nettement inférieur à celui de l'Ontario (26,7) ou de la Colombie-Britannique (31,2). Aux États-Unis, on compte toutefois moins de prêts par abonné qu'au Québec, soit 13,8 prêts.

Année après année, les bibliothèques québécoises continuent d'être moins fréquentées que celles de l'Ontario ou de la Colombie-Britannique. En effet, au Québec, sont de 49 $ par habitant. Pour le Québec, il s'agit d'une progression de 12 % par rapport à 2007, une augmentation plus importante qu'en Ontario (3 %) ou aux États-Unis (5 %), mais nettement inférieure à la majoration de 25 % observée en Colombie-Britannique. Des dépenses québécoises, 60 % sont consacrées aux salaires et 13 % à l'acquisition de documents. La part des dépenses en personnel est inférieure de 10 points de pourcen-

Année après année, les bibliothèques québécoises continuent d'être moins fréquentées que celles de l'Ontario ou de la Colombie-Britannique.

on compte 3,9 visites par habitant en 2013, tandis qu'en Ontario on en dénombre 5,3, et 7,0 en Colombie-Britannique. Quant à elles, les bibliothèques publiques des États-Unis dénombrent 4,7 entrées par habitant.

DES DÉPENSES MOINS ÉLEVÉES

En 2013, les dépenses de fonctionnement des bibliothèques publiques du Québec (348 millions de dollars), c'est-à-dire les dépenses totales moins les dépenses d'investissement, s'élèvent à 45 $ par habitant, un montant semblable à celui des bibliothèques des États-Unis (44 $). En Ontario et en Colombie-Britannique, ces dépenses

tage à celle de l'Ontario et de 7 points à celles de la Colombie-Britannique et des États-Unis. Ceci reflète en partie le fait qu'il y a moins de bibliothécaires professionnels dans les bibliothèques publiques québécoises. En effet, nos bibliothèques en comptent 0,6 par 10 000 habitants, tandis que l'Ontario et la Colombie-Britannique en comptent 1,0. ¶

Nos bibliothèques publiques (2013)
Population desservie : 7,8 millions
Abonnés : 2,7 millions
Prêts : 53 millions
Dépenses totales : 412 millions $

Féminisme

04

UN PAS EN AVANT, UN PAS EN ARRIÈRE ?

À l'école, au boulot, à la maison, à la banque, au Parlement, avec les gars...
Les Québécoises ont fait bien du chemin depuis 20 ans. Mais leur parcours
est aussi parsemé de reculs et de déceptions. Dans ce dossier exclusif produit
à l'occasion du 20e anniversaire de *L'état du Québec*, le magazine *Châtelaine*
fait le point sur la situation des femmes aujourd'hui.

MARIE-HÉLÈNE PROULX
Journaliste pour le magazine *Châtelaine*,
partenaire de *L'état du Québec 2016*

E n 1995, le World Wide Web était encore une affaire de *geeks* et les tours du World Trade Center défiaient toujours le ciel de New York. Les filles, elles, étaient bien moins nombreuses sur les bancs des universités. Moins nombreuses à travailler, aussi. Un père qui prenait congé pour s'occuper de son nouveau-né, c'était rare. Et les victimes d'agressions sexuelles emportaient leur secret dans la tombe plus souvent qu'aujourd'hui. C'est dire que bien des choses ont changé depuis 20 ans ! L'égalité des sexes est-elle dans la poche pour autant ? On a posé cette question à une demi-douzaine de chercheuses chevronnées et fouillé un paquet de rapports et de statistiques. Le verdict : oui, les femmes ont fait des gains... mais ils sont fragiles. Voici, par grands thèmes, des raisons de se réjouir. Et de poursuivre la lutte.

À L'ÉCOLE

Spectaculaire. Le mot n'est pas trop fort pour décrire l'explosion du nombre de filles désormais hautement éduquées. Aujourd'hui, 32 % des filles âgées de 25 à 64 ans ont un diplôme universitaire, contre environ 17 % en 1995[1]. Au tournant des années 2000, elles ont rattrapé les gars sur l'autoroute de la scolarité, et depuis, elles les ont carrément semés... sauf au doctorat, où elles les talonnent tout de même : en 2013, elles représentaient 44,4 % des inscrits[2].

Au cégep comme à l'université, elles sont maintenant majoritaires dans la plupart des départements et facultés[3]. De plus, les obstacles qui se dressaient devant celles qui souhaitaient accéder à certains programmes, comme la formation professionnelle en construction, ont théoriquement disparu grâce, entre autres, aux combats menés par l'organisme Action travail des femmes dans les années 1980, constate Hélène Lee Gosselin, psychologue organisationnelle et professeure au Département de management de l'Université Laval.

« Dans les milieux non traditionnels, elles ne se font plus dire : "on ne veut pas de femmes ici", remarque-t-elle. Par contre, elles doivent encore surmonter des formes de résistance plus insidieuses : l'absence de vestiaire ou de toilettes pour elles, la présence d'images obscènes, des collègues masculins qui les ignorent au quotidien... »

Cela dit, la plupart des filles se cantonnent encore dans des secteurs stéréotypés, se désole la chercheuse. Par exemple, au premier cycle universitaire, les femmes se concentrent en éducation (79,5 % des effectifs étudiants) et en santé (76,2 %), très peu en sciences appliquées (25,2 %)[4]. Même chose au cégep et en formation professionnelle, où elles optent en masse pour les soins esthétiques, les

ponsables des enfants. Ça rétrécit leur univers de possibles, puisqu'elles éliminent les métiers qui leur paraissent plus difficiles à concilier avec la famille. »

AU BOULOT

Là aussi, le boom est remarquable. Toutes ces cohortes de diplômées chargées d'ambition ont fait exploser le taux d'emploi des filles âgées de 25 à 64 ans : il est passé de 58,7 % en 1995 à 72,5 % en 2014[6]. En fait, les Québécoises sont maintenant les plus actives sur le marché du travail au pays. Béni soit le réseau de garderies à faible coût implanté en 1997, qui a permis à de nombreuses femmes de prendre leur

De plus en plus de jeunes femmes projettent de fonder leur propre entreprise ou d'occuper un haut poste.

soins infirmiers ou les techniques de diététique, au détriment de la métallurgie, des techniques de génie mécanique ou de construction aéronautique[5].

Une affaire de goût ? « J'ai de la misère avec cet argument, dit Hélène Lee-Gosselin. Beaucoup font leur choix sur la base de ce qu'elles connaissent. Quand tu ne vois pas de filles inscrites dans tel programme, ou exerçant telle profession, difficile de t'imaginer dans cette fonction-là. Et c'est dommage, car elles passent à côté de jobs souvent très intéressants et payants. De plus, certaines ont intégré l'idée qu'une fois mères, elles seront les principales res-

envol professionnel, estiment les expertes consultées.

Depuis le début des années 1990, elles sont aussi beaucoup moins touchées par le chômage que les hommes – 6,3 % contre 9 % en 2014[7] –, principalement parce qu'elles sont légion dans des secteurs plus épargnés par les fluctuations de l'économie (la santé et l'éducation, par exemple). Seule exception : les immigrantes, dont le taux de chômage oscille entre 11 et 14 %[8]. Cela dit, leur intégration au marché de l'emploi s'est nettement améliorée depuis 20 ans, indiquent les travaux de l'économiste Brahim Boudarbat, professeur à l'École des relations industrielles de l'Université de Montréal.

Encore une raison de sourire : faisant fi de leur fameux « jello intérieur » – une expression de la féministe Francine Pelletier pour désigner le sentiment d'imposture qui plombe tant de professionnelles –, de plus en plus de jeunes femmes projettent de fonder leur propre entreprise ou d'occuper un haut poste, observe la psychologue Hélène Lee Gosselin. D'ailleurs, elles représentent 40 % des nouveaux membres des conseils d'administration des 50 plus grandes entreprises québécoises[9]. « La bonne nouvelle, c'est qu'elles ne se sentent plus obligées de choisir entre leurs aspirations [professionnelles] et le fait d'avoir des enfants, remarque encore la chercheuse. Elles s'imaginent très bien jouer les deux rôles à la fois. »

L'envers de la médaille, c'est la figure de la *superwoman* au bord de la crise de nerfs. « Un paquet de femmes n'en peuvent plus de courir pour répondre aux besoins de tout le monde, à la maison comme au travail, déplore Nathalie St-Amour, spécialiste des politiques familiales et professeure en travail social à l'Université du Québec en Outaouais. D'ailleurs, elles sont particulièrement touchées par les maladies professionnelles. Les employeurs ont encore fort à faire pour s'adapter à la réalité des deux parents qui travaillent. » Solution possible : copier l'Australie et le Royaume-Uni, où les entreprises sont forcées de considérer les demandes des employés qui veulent des horaires plus souples, ou bosser de la maison. Et permettre d'étaler le congé parental, comme c'est le cas dans les pays scandinaves, pour qu'un parent puisse travailler quelques années à temps partiel plutôt que de partir toute l'année suivant la naissance.

À LA MAISON

Plus que jamais dans son histoire, l'homme québécois s'implique dans l'éducation de sa marmaille. Amenez-en, des couches et des purées pour bébé ! Depuis 2006, et pour la première fois en Amérique du Nord, il a droit à un congé parental de trois à cinq semaines juste pour lui, une idée empruntée (encore !) aux pays scandinaves. En 2014, 78 % des nouveaux papas en ont profité[10]. C'est toute une révolution : il y a 10 ans, seulement 30 % d'entre eux prenaient une pause pour s'occuper de leur poupon[11].

Ça a beaucoup changé la vie des femmes, si on se fie aux conclusions de l'économiste américaine Ankita Patnaik,

PLUS TARD, LES BÉBÉS
Presque la moitié des Québécoises (48,7 %) atteignent la trentaine sans avoir eu d'enfant. Il y a 20 ans, c'était 40 %. Aussi, elles sont de plus en plus nombreuses à vivre en solo (17,1 % en 2011, comparativement à 13 % en 1991).

Source : données de l'Institut de la statistique du Québec, citées dans *Portrait des Québécoises en 8 temps*, édition 2015, Conseil du statut de la femme.

qui s'est penchée sur les effets du Régime québécois d'assurance parentale[12]. En comparant les données avec des interviews menées avant la création du congé pour les pères, elle a trouvé qu'après son implantation les mères restaient au bureau jusqu'à une heure de plus par jour et étaient davantage susceptibles de travailler à temps plein.

note Geneviève Pagé, car des recherches montrent que ceux qui passent au moins trois mois seuls avec leur enfant prennent plus de responsabilités à la maison par la suite. Mais les spécialistes interviewées doutent que cela se fasse en cette ère d'austérité. D'ailleurs, le gouvernement provincial a annoncé une baisse des cotisations de 2 % au régime pour 2016...

Les filles n'ont jamais eu autant d'argent. Elles sont de plus en plus nombreuses à faire partie du club des plus fortunés du Québec.

Par contre, à peine un homme sur trois profite du congé parental de six à huit mois partageable avec sa douce[13]. Parce que, dans l'imaginaire collectif, la mère tient encore le premier rôle auprès des petits. «Même si ça s'améliore tranquillement, c'est elle qui se tape encore le plus de tâches peu gratifiantes : nettoyer, ranger, cuisiner, organiser, planifier, constate Geneviève Pagé, spécialiste des théories féministes et professeure au Département de science politique de l'Université du Québec à Montréal. Une réalité qui s'observe même dans les couples où la femme passe plus de temps au bureau que son conjoint.» Pour changer la donne, le Conseil du statut de la femme suggère d'allonger de trois semaines le congé parental réservé aux pères. Une proposition qui a un «potentiel super intéressant»,

À LA BANQUE

Bonne nouvelle : les filles n'ont jamais eu autant d'argent. Même que, depuis 1980, elles sont de plus en plus nombreuses à faire partie du club des plus fortunés du Québec – le fameux 1 %. Cela dit, les gars empochent encore le gros de la cagnotte. Malgré le fameux «à travail égal, salaire égal» promis par la Loi sur l'équité salariale entrée en vigueur en 1996, des écarts de revenu significatifs subsistent toujours entre les sexes. Par exemple, une femme n'ayant pas terminé ses études secondaires gagne en moyenne 3,94 $ de moins l'heure qu'un homme dans la même situation, tandis qu'une femme diplômée de l'université gagne 2,93 $ de moins l'heure que son homologue masculin[14].

«La loi sur l'équité a assez bien fonctionné dans la fonction publique et dans les grandes organisations, entre autres grâce aux syndicats qui y veillaient, mais comme elle contient des dispositions moins contraignantes pour les plus petites entreprises, un paquet de femmes ne profitent pas de ce rééquilibrage», soutient Hélène Lee Gosselin.

Autre constat déprimant: les travailleuses sont proportionnellement plus nombreuses à vivoter au salaire minimum. «Dans les systèmes d'évaluation des parce qu'elles sont moins habituées que les hommes à jouer à ce jeu, dit Hélène Lee Gosselin. Par exemple, la participation plus importante des gars aux sports d'équipe leur apprend dès l'enfance à se positionner dans un groupe, à se comparer et à se défendre. »

Par ailleurs, celles qui deviennent mères sont plus promptes à mettre leur carrière sur une tablette ou à travailler à temps partiel, constate Hélène Belleau, sociologue de

> « Vous voulez vivre comme un homme ? Au moins, arrangez-vous pour ne pas perdre en séduction ! C'est une manière de remettre les femmes à leur place. »

emplois mis en place par les entreprises pour établir leurs échelles de revenu, la complexité des tâches accomplies par les femmes a toujours été sous-évaluée, et cette injustice historique n'a pas encore été réparée», explique la chercheuse. Par exemple, les efforts physiques que doit déployer un manutentionnaire pour soulever des objets de plusieurs kilos sont mieux récompensés que ceux de la secrétaire qui passe des heures à ranger de la paperasse dans les classeurs.

Enfin, les filles sont plus présentes dans des milieux non syndiqués, où la négociation salariale se fait davantage sur une base individuelle. «Ça les défavorise la famille et professeure à l'Institut national de la recherche scientifique. Or, la diminution de revenu que cela engendre peut avoir des conséquences dramatiques si le couple éclate. «De plus en plus de gens vivent en union libre, donc sans le filet de protection financière qu'apporte aux époux la loi sur le patrimoine familial», s'inquiète-t-elle. Selon la sociologue, le Code civil devrait permettre aux conjoints de fait de bénéficier aussi du partage des biens et des revenus en cas de séparation.

AU PARLEMENT

Les Québécoises ont fait des percées majeures en politique depuis 20 ans, notamment en brisant l'ultime plafond de verre : il y a trois ans, la chef du Parti québécois, Pauline Marois, devenait la première femme à diriger la province. Cinq ans plus tôt, le gouvernement libéral de Jean Charest marquait aussi l'histoire en constituant le premier conseil des ministres paritaire, au sein duquel les femmes avaient hérité de hautes responsabilités : Monique Jérôme-Forget au ministère des Finances et au Conseil du Trésor, Monique Gagnon-Tremblay au ministère des Relations internationales, Nathalie Normandeau dans le fauteuil de vice-première ministre... « La population n'a pas de réticence à élire une femme, et les partis n'envoient plus leurs candidates à l'abattoir électoral dans des comtés perdus d'avance, comme ça se faisait avant », constate Manon Tremblay, professeure à l'École d'études politiques de l'Université d'Ottawa.

Mais rien n'indique qu'on pourra dire de nouveau « Madame la Première Ministre » à moyen terme. « Les femmes ont moins l'appel de la politique parce qu'elles ne se reconnaissent pas dans cet univers conçu par et pour les hommes, explique Manon Tremblay. En plus, il faut du temps et de l'argent pour devenir candidat ; or, elles manquent souvent des deux. » Ainsi, après avoir dépassé les 30 % au début des années 2000 et en 2012, le taux de députées à l'Assemblée nationale est redescendu à 26 % en septembre 2015[15].

Pour leur donner un coup de pouce, le scénario idéal serait un système de quotas qui imposerait un minimum de 40 %

d'élus d'un sexe, et donc un maximum de 60 % de l'autre, estime la politologue. Cela impliquerait cependant que le Canada et le Québec adoptent le mode de scrutin proportionnel. « À court terme, la solution la plus envisageable serait de rembourser une plus grande part des dépenses électorales des partis en fonction de leur effort de féminisation », poursuit-elle. Une idée qui est dans l'air depuis les années 1990, mais qui aurait besoin d'une bonne dose de volonté politique ! Par ailleurs, le Conseil du statut de la femme réclame depuis octobre 2015 que les partis aient l'obligation légale de présenter un minimum de 40 % de candidates.

AVEC LES GARS

Bien sûr, le Québec ne manque pas d'hommes de bonne volonté – chums, maris, pères, frères, amis, collègues –, ouverts d'esprit, aimants, désireux de voir les femmes s'épanouir. « C'est même

LE DROIT DE VOTE N'EST PAS TOUT

Le Canada est en 49ᵉ position pour ce qui est de la proportion d'élues dans les Parlements à travers le monde. À ce jour, une centaine de pays ont instauré des quotas électoraux pour les femmes.

Sources: *Femmes en politique: 2015*, carte publiée par ONU Femmes et l'Union interparlementaire, et Manon Tremblay.

devenu immoral de suggérer que les deux sexes ne sont pas égaux», dit la journaliste et féministe Francine Pelletier, en entrevue. Pas mal quand on pense qu'il y a 90 ans, la Cour suprême du Canada avait statué qu'une fille n'était pas une «personne»… «Sauf que la haine et le mépris des femmes ne sont pas morts pour autant. En matière d'agressions sexuelles et de violence conjugale, on n'a pas fait de progrès», poursuit la journaliste. Le tiers des femmes ont été victimes d'au moins une agression sexuelle depuis l'âge de 16 ans, et chez les autochtones trois sur quatre l'ont été avant même leur majorité[16]! «On n'a pas encore réussi à imposer l'idée qu'une fille qui dit non, ça veut dire non, explique la politologue Geneviève Pagé. Une bonne partie des hommes qui commettent des agressions sexuelles n'interprètent pas leurs actions comme étant de la violence. Nourris par la porno, le cinéma, la culture populaire, ils pensent que c'est normal d'insister.»

De leur côté, les filles ont du mal à reconnaître leurs propres limites sur le plan sexuel, puisqu'elles ont été socialisées de façon à adapter leurs désirs à ceux des autres. «Ton cœur te dit que ce n'est pas correct, ces gestes-là, tu as peur, mais en même temps, tu veux plaire, paraître cool, ouverte à toutes les pratiques sexuelles», analyse Francine Pelletier. «Les strings et les camisoles bedaine pour les petites filles» constituent aussi pour elle un net recul. Elle décode dans l'hypersexualisation une sorte de message subliminal:

«Vous voulez vivre comme un homme? Au moins, arrangez-vous pour ne pas perdre en séduction! C'est une manière de remettre les femmes à leur place.»

À voir les huit millions de *tweets* qu'a généré le fameux #BeenRapedNever Reported en 2014 (#AgressionNonDénoncée en français) dans la foulée des accusations d'agression portées contre l'animateur Jian Ghomeshi; à voir les 35 courageuses qui ont fait la une du *New York Magazine* en juillet 2015 pour dénoncer leur abuseur, l'acteur Bill Cosby; à voir aussi ces voix qui s'indignent publiquement du sort des 1 186 autochtones disparues ou assassinées depuis 30 ans, il y a toutefois lieu d'espérer que la violence faite aux femmes et la culture du viol ne seront désormais plus tolérées. D'ailleurs, en novembre 2014, l'Assemblée nationale adoptait à l'unanimité une motion pour lutter contre cela et améliorer les services d'aide aux victimes. Au printemps 2015, l'armée canadienne annonçait aussi un plan d'action pour que cessent les inconduites sexuelles dans ses rangs, à la suite de la publication d'un rapport coup de poing de la juge à la retraite Marie Deschamps.

«C'est relativement facile de changer des lois, mais pas les attitudes, estime Francine Pelletier. Heureusement, une nouvelle génération de féministes semble avoir compris que l'égalité des sexes au Québec n'est pas encore gagnée, et elle ose le dire haut et fort.» ◊

Notes et sources, p. 284

Le féminisme est un outil de progrès

LISE PAYETTE
Ex-ministre, chroniqueuse, militante féministe

Dans ce texte exclusif, l'auteure explique la réflexion qui l'a poussée à fonder le Collectif pour l'égalité hommes-femmes et la contribution que ce groupe pourrait apporter au féminisme québécois.

Le féminisme n'est pas une maladie contagieuse. Ce n'est pas non plus une rivière tranquille au milieu d'un paysage bucolique. Le féminisme, depuis qu'on sait le nommer, a toujours été un outil de progrès dans une société qui se partage en deux groupes fortement identifiés comme «hommes et femmes», deux groupes semblables et différents à la fois et qui devraient logiquement être des partenaires égaux. Ce n'est pourtant pas ce que nous vivons.

Il y a toujours eu des femmes féministes à travers les siècles. Certaines ont été des fondatrices de communautés religieuses, offrant ainsi aux femmes qui ne voulaient pas devenir des épouses reproductrices un autre sort que le mariage. D'autres ont régné sur des peuples et ont connu l'exercice du pouvoir absolu comme Catherine de Russie, pendant que certaines femmes devenaient maîtresses et conseillères des rois de France et d'ailleurs. La Grande Catherine aurait, dit-on, fait une grande consommation de beaux jeunes garçons de sa garde. Elle a aussi mené des guerres, conquis des territoires, et elle est devenue l'amie des plus grands philosophes européens de son époque.

Tous les rôles que les femmes ont joués ont été jugés sévèrement par les hommes qui écrivent l'histoire et qui ont souvent tendance à se donner le beau rôle. L'histoire rend-elle justice aux femmes de ces époques en laissant entendre qu'elles n'étaient pas tellement différentes des hommes et qu'elles pratiquaient, comme eux, la violence pour se maintenir au pouvoir? Non, car bien qu'elles eussent le choix d'agir autrement, elles devaient faire la preuve qu'elles pouvaient mener des guerres et se conduire comme des hommes de pouvoir.

Plusieurs femmes artistes, à travers le temps, ont été aussi dépouillées de la reconnaissance de leur talent parce qu'un homme de leur entourage signait leurs œuvres à leur place. Des féministes ont été condamnées à la prison ou enfermées dans des hôpitaux psychiatriques ou des couvents parce qu'on estimait qu'elles représentaient un trop grand danger pour la société.

Il en aura fallu, du temps, pour que des féministes obtiennent que leur égalité, celle qu'elles estiment juste dans notre nouveau siècle, se matérialise enfin et leur permette de jouer leur rôle de citoyennes à part entière, qu'elle leur donne enfin l'accès aux études et à la connaissance, qui sont des outils essentiels pour tracer la voie d'un monde meilleur. Au cours des dernières décennies, nous avons franchi des barrières qui paraissaient infranchissables jusque-là. Les filles ont pris d'assaut les universités, elles se signalent comme des gagnantes dans beaucoup de sphères naguère jugées inaccessibles. Les salaires n'ont pas toujours suivi, mais nous en sommes conscientes, et ces demandes font partie de nos revendications.

Grâce à des femmes courageuses, au fil des siècles une fenêtre a été ouverte sur la lumière. Ce serait cependant une erreur de penser que nous sommes enfin arrivées à bon port. Nous avons le droit de dire de temps en temps que nous sommes fatiguées, mais nous n'avons pas le droit de dire que la marche est terminée et que l'égalité est acquise.

MIEUX QU'AVANT ?

Beaucoup de Québécoises répètent que les choses vont tellement mieux qu'avant pour les femmes d'ici, qu'elles comprennent mal que les féministes continuent à réclamer une nette amélioration du sort de toutes les femmes. C'est vrai que certaines choses ont changé, et il suffit d'écouter les grands-mamans raconter ce qu'elles ont vécu pour réaliser que, progressivement, la vie des femmes a été moins déterminée par les autres et que des hommes ont même commencé à appuyer nos revendications.

Mais il en a fallu, du temps et de la patience. Je me souviens de la toute première émission de *Place aux femmes*, diffusée à Radio-Canada de 1967 à 1972 et considérée comme le premier magazine féministe de la radio. Pour la première fois, les femmes prenaient la parole librement pour raconter leurs vies et ce qu'elles voulaient voir changer. Quelles découvertes dans ces confessions pleines d'humour !

Le féminisme est une formidable révolution que les femmes ont voulue et qu'elles ont pu obtenir à force de patience. Pas question de tout briser ou de tout jeter dans un mouvement de colère. Nous avons, de tout temps, souhaité convaincre nos compagnons de vie de la nécessité d'en arriver à une égalité réelle entre les humains que nous sommes. Les femmes souhaitent occuper les places qui leur appartiennent dans toutes les sphères de notre société. Jamais les femmes n'ont désiré priver les hommes de leurs droits. Elles veulent cependant leur retirer certains privilèges, et c'est sans doute là la partie douloureuse qui fait frémir certains hommes.

Les femmes n'ambitionnent pas de tout contrôler. Elles veulent cependant être partie prenante dans les décisions qui les concernent et qui concernent le développement de leur société et des enfants qu'elles mettent au monde. Elles ont sous les yeux l'état de la planète qui appelle au secours, l'état des populations qu'on chasse de leur pays, l'état des femmes qui endurent des châtiments qu'elles n'ont pas mérités, l'état des enfants à qui on donne des fusils et elles se disent que ça ne peut plus continuer comme ça.

Au Québec, qui est notre petite planète à nous, le sort des femmes et des enfants a pris une mauvaise tournure avec l'élection d'un gouvernement qui a imposé ce qu'on a appelé

Depuis 1960, nous avions le sentiment de construire du durable. Nous avions tort. Il a suffi d'une élection, remportée avec un pourcentage de votes plutôt bas (41,5 %), pour que ce massacre de nos acquis puisse avoir lieu. Nous voulons participer à la reconstruction qui sera essentielle quand il y aura un changement de gouvernement.

LE TEMPS PRESSE

En avril 2015, nous avons célébré le 75e anniversaire du droit de vote des femmes au Québec. Nous avons alors réalisé à quel point nos progrès étaient minimes, combien notre

Depuis 1960, nous avions le sentiment de construire du durable. Nous avions tort.

l'«austérité». On a entrepris de détruire nos acquis les plus précieux, si chèrement payés depuis les années 1960. Les femmes avaient réussi à obtenir des garderies qui leur permettaient d'être sur le marché du travail, leur procurant un revenu stable qui aidait la famille et assurait l'instruction des enfants.

La hache gouvernementale est tombée avec la même force sur les secteurs de la santé et de l'éducation. Fini le rêve d'une instruction gratuite jusqu'à l'université. Tout a été passé à la scie mécanique. Beaucoup de femmes ont déjà perdu leur emploi, et ce n'est pas fini.

participation à l'adoption de lois nouvelles restait souvent illusoire et combien le rôle des femmes en politique en était trop souvent un de figuration, et ce, malgré le fait que nous avions porté une femme au pouvoir pour la première fois comme première ministre en 2012. «Sois belle et tais-toi, tu fais partie du décor.» J'imagine que c'est une phrase qu'on entendait à la cour de Louis XIV et qu'on pourrait entendre au salon Bleu de nos jours.

C'est après avoir fait ces constats que j'ai proposé la formation du Collectif pour l'égalité hommes-femmes. J'ai sollicité l'appui de Mme Léa Cousineau, une amie de longue date, et de Mme Martine Desjardins, une des leaders du Printemps étudiant de 2012. L'objectif était de réunir un groupe de femmes familiarisées avec la longue marche des femmes pour l'égalité et avec les résultats positifs ou négatifs de toutes les demandes qui avaient pu être colligées. Nous avons travaillé bénévolement tout un été en petits groupes, puis toutes ensemble à plusieurs reprises.

Tout a été mis sur la table, y compris le partage de notre société sur le plan de la proportion d'hommes et de femmes en date de 2014. Celles-ci forment 50,3 % de la population québécoise et les hommes, 49,7 %. Nous aurions tort de ne pas nous servir de ce grand nombre de cerveaux pour trouver des solutions aux problèmes que nous vivons.

Quelques hommes ont déjà manifesté leur intention de se joindre à nous, s'identifiant eux-mêmes comme des féministes convaincus. Nous les accueillerons de notre mieux. Nous croyons que les cerveaux masculins, libérés de leurs tabous, pourraient nous aider à franchir les étapes identifiées comme nécessaires pour que l'égalité cesse d'être une phrase dans une charte des droits et devienne une réalité productive.

Nous avons choisi de faire ce travail sans aucune partisanerie. Nous avons si bien réussi qu'aucun parti politique ne sera ni favorisé ni épargné. Les femmes seront donc absolument libres de voter pour qui aura pris les bons engagements par rapport à leurs revendications avant la prochaine élection québécoise, en 2018.

Le manifeste que nous préparons sera terminé à l'automne 2015. Au début de mars 2016, autour de la Journée internationale des femmes, nous inviterons les chefs des partis politiques québécois au Sommet des femmes pour qu'ils ou elles viennent nous dire jusqu'où ira leur engagement envers les femmes. Nos demandes seront non négociables. Nous réclamerons des droits dont nous sommes privées depuis trop longtemps. Le moment est venu de dire clairement que le statu quo est inacceptable.

Après 50 ans de féminisme assumé, je suis toujours heureuse de constater que le nombre de femmes engagées continue d'augmenter. Nous sommes conscientes de préparer un avenir que nous souhaitons plus juste, différent de ce que nous avons vécu depuis 75 ans. Nous souhaitons partager les responsabilités du pouvoir et des décisions qui amélioreront le sort des hommes et des femmes dans l'égalité. Au Sommet des femmes, nous représenterons une force inébranlable en faveur d'un sort meilleur pour nous tous.

Je sais que toute une génération attend de voir ce que nous aurons à proposer au Sommet, et que ces jeunes femmes instruites et courageuses auront envie de faire partie de la relève. Elles sont les bienvenues, et leurs collègues masculins aussi. Il sera plus que temps pour moi de passer la main. Je le ferai le cœur en fête. ¶

Santé

LA RÉFORME BARRETTE À CONTRE-COURANT

Parce qu'il mise sur la décentralisation des pouvoirs, la reddition de comptes
et une culture organisationnelle axée sur les résultats, le système de soins
de santé suédois est reconnu comme l'un des meilleurs au monde. Or, le Québec
privilégie une tout autre approche pour réformer le sien. Fait-on fausse route ?

STÉPHANE PAQUIN
Professeur titulaire, École nationale d'administration publique,
et directeur du Groupe d'études et de recherche
sur l'international et le Québec (GERIQ)

JEAN-PATRICK BRADY
Doctorant, École nationale d'administration publique

En septembre 2014, le ministre de la Santé et des Services sociaux, Gaétan Barrette, annonçait que l'ensemble du réseau de la santé québécois allait faire l'objet de différentes réformes regroupées sous les projets de loi 10, 20 et 28. Le débat public entourant ces projets de loi a été marqué par une féroce opposition venant de plusieurs groupes d'intérêt du milieu de la santé (fédérations de médecins, comités d'usagers, Fédération des infirmières, etc.). Au cours de l'hiver et du printemps 2015, les projets de loi 10 et 28 ont été adoptés sous le bâillon, tandis que le projet de loi 20 a pu faire l'objet d'une négociation entre le gouvernement et les représentants des médecins.

Ces réformes s'inscrivent dans une longue série de tentatives visant à transformer le système de soins de santé québécois, notamment pour le dynamiser, augmenter son efficacité et réduire ses coûts. Plusieurs essais depuis les années 1990 ont toutefois échoué. Pourtant, bon nombre de pays font face aux mêmes défis que le Québec – vieillissement de la population, croissance des coûts, longs délais d'attente, etc. – et certains ont réussi à transformer leur système de santé.

C'est notamment le cas de la Suède, qui a modifié le sien de façon fondamentale à partir des années 1980 et qui est aujourd'hui un modèle de réussite en la matière. Selon l'OCDE, la Suède est devenue une référence en santé sur différents plans, notamment la qualité des soins prodigués par rapport aux dépenses engagées, et la capacité à développer des indicateurs de performance et à mesurer celle-ci dans l'ensemble du système, par exemple en comparant de manière transparente et efficace les systèmes de santé locaux et régionaux entre eux afin que chacun puisse s'inspirer des meilleures pratiques existant sur le territoire suédois.

Alors que la Suède peut compter sur presque deux fois plus de médecins et d'infirmières par habitant que le Québec, tout en ayant un système très performant, les dépenses annuelles en santé par habitant y sont moindres, soit 3 758 $ US contre 4 598 $ US au Québec, 4 465 $ US au Canada et 3 340 $ US en moyenne dans les pays de l'OCDE. Si le Québec ramenait ses dépenses en santé au niveau de celles de la Suède, l'économie pour le trésor public avoisinerait les 7 milliards de dollars par an.

De plus, dans un contexte de vieillissement de la population, la Suède sait garder le cap : entre 2000-2001 et 2007-2008, le taux de croissance annuel moyen de ses

administrative du système de santé (projet de loi 10), de modifier la rémunération des médecins et la pratique médicale (projet de loi 20) et de changer la pratique des pharmaciens (projet de loi 28).

Dans le cas du projet de loi 10, le gouvernement annonce une centralisation du réseau en remplaçant les centres de santé et de services sociaux (CSSS) par les centres intégrés de santé et de services sociaux (CISSS). Il abolit les 18 agences de santé et de services sociaux de la province

La place du privé dans le système de santé suédois demeure plus faible qu'au Québec.

dépenses totales en santé a été de 3,65 %, contre 5,59 % au Québec. Et ce, même si la population suédoise est plus âgée que la nôtre en moyenne.

Bref, la réforme suédoise est un succès éclatant. Or elle est aux antipodes des mesures adoptées par le gouvernement libéral de Philippe Couillard.

LA RÉFORME BARRETTE

Pour justifier l'ensemble des mesures annoncées pour réformer le système de santé, le ministre Barrette soutient que les contribuables usagers n'en ont pas pour leur argent et que le système est trop bureaucratique, ce qui nécessite un changement de culture organisationnelle. Le ministre a choisi de revoir la structure

et rationalise le nombre de conseils d'administration des hôpitaux, qui passe de 200 à 28.

Quant au projet de loi 20, sa version originale porte sur la rémunération des médecins omnipraticiens et les quotas de patients à prendre en charge. Après une série de négociations, ces professionnels échappent finalement aux quotas, mais ils garantissent en retour l'accès à un médecin de famille pour 85 % des Québécois d'ici 2017.

Enfin, le projet de loi 28 modifie entre autres certains aspects de la rémunération des pharmaciens et élargit le nombre d'actes que ces derniers peuvent effectuer – la prescription d'un médicament quand aucun diagnostic n'est requis ou en cas de maladies mineures, par exemple –, et la liste des actes qu'ils ne peuvent plus facturer à leurs clients – le prolongement d'une ordonnance, la substitution d'un médicament équivalent, etc.

LA RÉFORME SUÉDOISE

Avec les réformes mises en place depuis les années 1980, la Suède a adopté trois grands principes : la décentralisation du système vers les instances régionales et municipales ; la mise en place de mesures accrues d'imputabilité, de transparence et de reddition de comptes pour les décideurs ; et le développement d'une culture organisationnelle axée sur les résultats.

En ce qui concerne la décentralisation du système de santé, d'abord, son organisation, sa gestion, son administration et sa mise en œuvre se font aux niveaux local (par exemple à Stockholm) et régional (par exemple dans des comtés comme Uppsala). Autrement dit, contrairement au Québec, le ministre de la Santé et l'État central ne gèrent pas le réseau ; ils ne font qu'établir les politiques en matière de santé et contrôler les résultats, comme la cible à atteindre en matière de délais d'attente.

Les réformes suédoises des années 1980 avaient aussi d'autres objectifs. Parmi ceux-ci, accroître l'efficacité du système et renforcer la responsabilité des acteurs locaux, tout en leur accordant plus d'autonomie. En Suède, les principaux gestionnaires du système de santé au niveau régional sont élus dans des élections au suffrage universel – le taux de participation à la dernière élection,

en 2014, excédait les 80 % – et doivent ensuite rendre des comptes aux citoyens lors des séances du conseil d'administration qui sont publiques. Ils sont également évalués par la Direction nationale de la Santé et des Affaires sociales, une agence indépendante. Autrement dit, c'est le contraire de la réforme Barrette, qui privilégie une centralisation de la prise de décisions entre les mains du ministre.

Finalement, la Suède a développé une culture organisationnelle axée sur les résultats qui se traduit ainsi :

1) Un très bon contrôle des coûts. La majeure partie du financement du réseau de la santé provient des impôts locaux plutôt que nationaux, car le gouvernement estime que les élus locaux font plus attention à la croissance des dépenses. Tous les Suédois connaissent le montant de leur impôt santé. Les dotations de l'État central assurent une péréquation entre les régions. Une très faible part du financement provient aussi directement des patients.

2) L'évaluation des performances. La Direction nationale de la Santé et des Affaires sociales et l'Association suédoise des autorités locales et régionales ont élaboré un modèle pour comparer et évaluer les résultats afin d'atteindre les objectifs fixés.

3) Une forte concurrence dans le système. L'organisme qui paie pour les soins de santé d'une population donnée (l'acheteur, soit le comté) et les prestataires de services (7 hôpitaux régionaux,

70 hôpitaux départementaux de district, 1 100 centres de soins) transigent ensemble. Les prestataires du réseau sont donc en concurrence pour l'obtention de contrats de la part du comté. En étant plus efficaces, les établissements les plus performants peuvent ainsi augmenter leurs revenus.

4) Une révision du mode de rémunération des médecins, qui étaient auparavant salariés. Une partie de leur salaire est désormais liée à la capitation (en fonction du nombre de clients de leur cabinet médical) et à un système complémentaire de prime au rendement.

5) Une révision des rôles des professionnels de la santé. En raison de la pénurie de médecins, mais aussi pour diminuer les coûts, les compétences des professionnels ont été décloisonnées. Les infirmières de famille, dont le meilleur équivalent au Québec serait les superinfirmières, peuvent prescrire certains médicaments. Les citoyens peuvent également être dirigés vers des services spécialisés par les infirmières de famille sans être vus par un médecin généraliste.

6) Une garantie de soins. Le gouvernement suédois et les comtés ont instauré en 2005 une garantie de soins élargie stipulant qu'un patient doit avoir un accès immédiat aux soins primaires – l'équivalent de nos cliniques sans rendez-vous (o jour d'attente) – qu'il doit pouvoir consulter un généraliste dans les 7 jours et un spécialiste dans les 90 jours ; et qu'il doit pouvoir obtenir un traitement au maximum 90 jours après avoir reçu un diagnostic. Puisque l'établissement hospitalier doit prendre en charge les coûts de déplacement d'un patient vers un autre centre si les délais ne sont pas respectés, cette mesure a produit des effets bénéfiques.

DES CHEMINS OPPOSÉS

Pour faire face aux défis du système de santé, le gouvernement du Québec a mis de l'avant plusieurs changements allant à l'inverse des réformes instaurées en Suède. Au lieu de procéder à une décentralisation du réseau en accordant plus d'autonomie aux acteurs locaux et régionaux dans la gestion des ressources humaines, le financement et la prestation de services, le ministre a plutôt obtenu une plus grande centralisation du réseau. Par exemple, la loi lui donne le pouvoir de nommer et de renvoyer les gestionnaires et les administrateurs des centres intégrés de santé et de services sociaux. Il formulera lui-même les plans stratégiques de ces centres. Il permettra, ou non, aux conseils d'administration de se doter de comités consultatifs, dont il nommera lui-même les membres. Il pourra déterminer des plans régionaux pour ce qui est de la planification de la main-d'œuvre et des activités de perfectionnement que peut suivre le personnel. Auparavant, ces tâches revenaient aux conseils d'administration. Ainsi, alors que les Suédois ont mis fin à la structure rigide et centralisée qui existait autrefois, le Québec la renforce davantage.

Les autres réformes du ministre Barrette sont généralement éloignées de ce qui se fait en Suède. En raison de la nouvelle centralisation de la gestion du réseau de la santé, les mesures d'imputabilité et de transparence qui existent en Suède sont impossibles ici. La reddition de comptes est donc plus opaque.

En outre, contrairement à un mythe populaire, la place du privé dans le système de santé suédois demeure plus faible qu'au Québec. En effet, les dépenses privées en Suède représentent 15,5 % des dépenses totales en santé, contre 30,7 % pour le Québec.

La Suède a aussi mis en place des mesures qui obligent les établissements de santé publics à entrer en concurrence entre eux, par exemple quant au respect des délais de traitement et aux coûts. Pour la prestation de certains services comme les soins à domicile, la concurrence se fait entre le public, le privé et des organismes sans but lucratif. La Suède a donc réussi à implanter un mode de gestion axé sur les résultats, la concurrence, la transparence et la reddition de comptes, alors que le Québec n'y est pas encore arrivé, du moins pas à la manière suédoise. Soulignons que, pour évaluer le système de santé, l'État suédois ne fait pas appel à de grandes firmes de consultants, puisque le résultat des analyses de celles-ci est connu d'avance : il faut plus de services privés et plus de contrats pour des consultants privés. Il a plutôt renforcé le rôle d'agences publiques indépendantes afin d'évaluer les performances du système.

Finalement, l'État suédois fait ce que le gouvernement du Québec ne fait que trop peu : il évalue les résultats grâce à l'informatisation du réseau de la santé. Déjà, en 2002, plus de 90 % des médecins généralistes suédois utilisaient Internet pour consulter les dossiers électroniques des patients et échanger au sujet des traitements. Au Québec, l'informatisation du système a débuté en 2013 et sa performance et ses coûts exorbitants sont critiqués par le ministre de la Santé lui-même.

Cet amalgame de caractéristiques explique pourquoi la Suède est fréquemment citée par les experts du milieu de la santé comme ayant l'un des meilleurs systèmes de soins de santé au monde. Bien que le Québec affiche de bons résultats selon des indicateurs du niveau de santé de la population comparativement à plusieurs pays de l'OCDE, notre système de santé coûte beaucoup plus cher qu'ailleurs quand on considère des indicateurs comme les dépenses en santé par rapport au PIB ou par habitant. Il est alors normal de se comparer aux meilleurs, comme la Suède.

Les nombreuses tentatives de réformer notre système ont épuisé et désabusé bon nombre de professionnels de la santé. L'avenir dira ce qu'il adviendra de cette énième réforme qui est déjà critiquée par plusieurs groupes d'intérêt du milieu. Mais pour l'instant, il est difficile de croire que le système de santé québécois puisse devenir plus performant et plus apte à répondre aux besoins des patients. ◊

Notes et sources, p. 284

Assurance médicaments : une pilule amère

ÉLISABETH GIBEAU
Analyste santé, Union des consommateurs

Mi-public, mi-privé, l'actuel régime québécols d'assurance médicaments coûte une fortune et est inéquitable. Il est urgent de le remplacer par un régime universel public.

Instauré en 1997, le Régime général d'assurance médicaments (RGAM) protège environ 43 % des Québécois, le reste de la population étant couverte par des régimes privés d'assurances collectives. Or, les pressions en faveur de sa réforme s'accentuent. À l'heure où les médicaments ne servent plus seulement à guérir mais aussi à prévenir les maladies, voire à remplacer des chirurgies, le choix d'un régime hybride public-privé d'assurance médicaments a eu des impacts majeurs sur le contrôle du coût des médicaments.

Les données parlent d'elles-mêmes : pour leurs ordonnances, les Canadiens paient en moyenne 30 % de plus que les habitants des autres pays de l'OCDE. Avec les Suisses, ce sont eux qui paient leurs médicaments le plus cher dans le monde.

Quant aux Québécois, ils font figure de cancres au plan national en matière de dépenses en médicaments, prescrits et non prescrits, par habitant. Selon l'Institut canadien d'information sur la santé, ils ont dépensé en moyenne 1 063 $ par habitant en 2012.

C'est 12 % de plus que la moyenne canadienne et 44 % de plus que les Britanno-Colombiens !

Les dépenses en médicaments et en services pharmaceutiques représentent le deuxième poste budgétaire de la Régie de l'assurance maladie du Québec (RAMQ), après la rémunération des médecins. En 2013-2014, la RAMQ a déboursé 3,3 milliards de dollars pour couvrir le coût des médicaments et des services pharmaceutiques assurés par le RGAM. C'est environ trois fois plus qu'à sa création il y a huit ans.

UN RÉGIME INÉQUITABLE

La mise en place du RGAM a représenté un progrès incontestable pour le 1,5 million de personnes qui ne bénéficiaient avant 1997 d'aucune couverture d'assurance pour leurs médicaments. Cependant, de nombreuses recherches ont permis de documenter les iniquités liées à la nature hybride (public-privé) du RGAM. Par exemple, le caractère peu progressif de la partie publique du régime fait en sorte que la prime maximale (640 $ par année en 2015-2016) est très vite atteinte: pour une personne seule, elle s'applique ainsi dès que ses revenus annuels bruts excèdent 8114$.

Pire encore, dans les régimes privés d'assurance collective, la prime des assurés est établie en fonction du risque représenté par l'état de santé de l'ensemble des employés d'une même organisation, et non selon le revenu. Par ailleurs, les régimes privés présentent plusieurs autres handicaps: aucune gratuité des médicaments, même pour les enfants mineurs — contrairement au régime public —, application d'une taxe de vente de 9% sur les primes, employés imposés sur la contribution de l'employeur à leur régime d'assurance collective, etc.

PHARMACIENS: DES HONORAIRES VARIABLES

Les bénéficiaires québécois ne sont pas davantage égaux devant les honoraires des pharmaciens. Par exemple, ceux-ci sont autorisés à facturer au maximum 9$ par prescription aux assurés du régime public. En revanche, ils ne sont pas réglementés en ce qui concerne les bénéficiaires d'assurances collectives privées, qui doivent verser entre 8 et 30$ par prescription — voire plus — pour rétribuer le pharmacien. Autrement dit, deux clients achetant les mêmes médicaments dans une même pharmacie acquitteront deux factures différentes selon qu'ils sont assurés par l'entremise du gouvernement ou par une compagnie d'assurance.

En somme, si le régime hybride d'assurance médicaments a amélioré le sort de nombreux Québécois, son adoption a aussi entraîné son lot d'iniquités en même temps qu'une dérive des dépenses.

DES SOLUTIONS?

Au cours des dernières années, plusieurs spécialistes et chercheurs universitaires ont démontré que seul un régime d'assurance médicaments géré, financé et intégré au système public de santé — en plus d'être encadré par une politique du médicament — permettrait de contrôler les coûts et les dépenses de façon efficace. Un tel système pourrait en outre corriger les problèmes d'équité liés au régime hybride actuel.

Faisons quelques comparaisons avec des pays qui ont adopté des régimes d'assurance médicaments entièrement publics. En France, au Royaume-Uni, en Suède, en Australie et en Nouvelle-Zélande, les médicaments coûtent de 16% à 40% moins cher qu'au Québec, tandis que leur indexation annuelle est de deux à trois fois moins élevée, selon une étude de Marc-André Gagnon, de l'Université Carleton[1].

Le régime néo-zélandais serait particulièrement bien adapté aux provinces canadiennes, qui auraient tout intérêt à l'imiter, selon des chercheurs de l'Université de la Colombie-Britannique. Dans une étude publiée en 2007, *Influencer les prix des médicaments d'ordonnance grâce à des politiques axées sur les formulaires: leçons apprises de la Nouvelle-Zélande*, ceux-ci ont démontré que les prix de quatre médicaments étaient en moyenne 45 % moins élevés que ceux prévalant en Colombie-Britannique pour les mêmes produits[2]. La différence était encore plus marquée en ce qui concerne les versions génériques, qui coûtaient 58 % moins cher. Pour les auteurs, plusieurs obstacles entravent la mise en place de politiques permettant de limiter les prix au Québec et au Canada: manque de volonté politique, puissance du lobby pharmaceutique, rapport de force défavorable aux acheteurs publics de médicaments, etc.

dépenses de médicaments, les assurés profiteraient d'une réduction de leur contribution financière, les employeurs n'auraient plus à gérer les hausses des primes de leur assurance collective.

ANALYSE COÛTS-BÉNÉFICES

Selon l'actuel ministre de la Santé et des Services sociaux du Québec, Gaétan Barrette, le coût d'une réforme du régime d'assurance médicaments serait plus élevé que les éco-

Québec aurait pu économiser 828 millions de dollars en 2014 grâce à l'adoption d'un régime entièrement public.

Un régime universel permettrait-il de redresser la situation? Marc-André Gagnon en est convaincu. Selon ses travaux, Québec aurait pu économiser 828 millions de dollars en 2014 grâce à l'adoption d'un régime entièrement public, soit 11 % du total des dépenses en médicaments, tous régimes confondus (public et privés). Un tel régime permettrait en outre de donner à tous un accès raisonnable et équitable aux médicaments, peu importe la richesse, l'âge ou l'état de santé. Tous y gagneraient: le gouvernement pourrait freiner ses

nomies qui en découleraient. Pourtant, selon un rapport de la firme d'analyse économique Daméco paru en 2014, en raison principalement des gains d'efficacité du système de santé et du marché du travail qui y seraient liés, l'élargissement de la couverture du RGAM aurait des impacts économiques positifs pour le Québec, et pourrait aisément se faire à coût nul pour le gouvernement. Selon les auteurs, l'instauration d'un tel régime permettrait en outre de retourner plus de 300 millions de dollars annuellement dans les poches des consommateurs de médicaments, somme qui pourrait ensuite être réinvestie dans l'économie québécoise.

D'autres provinces canadiennes se penchent sérieusement sur la question. En juin 2015, le ministre de la Santé ontarien, Eric Hoskins, a réuni sept de ses homologues provinciaux afin de discuter de l'établissement d'un régime d'assurance médicaments pancanadien, hypothèse autour de laquelle s'est dégagé un consensus. Le Québec ne s'est pas présenté à cette rencontre.

Salois, dans un rapport déposé en mars 2015[3]. «En raison de la légitimité des arguments qui soutiennent la couverture publique universelle, le ministre de la Santé et des Services sociaux ne peut faire l'économie d'une réflexion à cet égard, réflexion sociétale qui devrait faire une large place à l'ensemble des points de vue et tracer la voie des décisions à venir», écrit le commissaire.

Le Canada est le seul pays développé à ne pas avoir intégré les médicaments dans son système public de soins de santé.

La pression s'accentue encore au pays, alors que 115 chercheurs universitaires canadiens du domaine de la santé ont endossé la déclaration Pharmacare 2020, qui vise notamment à rappeler que le Canada est le seul pays développé à ne pas avoir intégré les médicaments dans son système public de soins de santé et qu'il est temps de corriger cette situation en adoptant un régime public universel d'assurance médicaments.

Québec doit aussi agir, avance le commissaire à la santé et au bien-être, Robert

Il n'est pas le seul à le penser. À l'heure actuelle, au Québec, plus de 420 groupes, spécialistes et personnalités influentes — dont Jean Rochon, ministre de la Santé au moment de l'implantation du régime actuel — appuient la campagne de l'Union des consommateurs pour l'instauration rapide d'un régime universel public d'assurance médicaments. C'est non seulement un enjeu de finances publiques, mais aussi une question d'équité sociale. ¶

Notes et sources, p. 284

Éducation

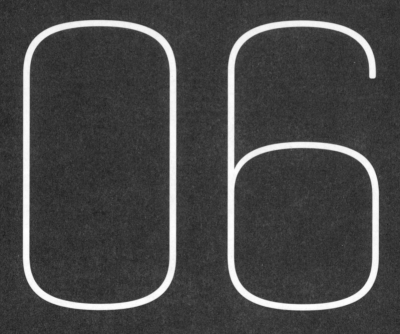

À QUOI SERVENT NOS COMMISSIONS SCOLAIRES ?

Quand et comment sont nées les commissions scolaires ?
Quels sont leurs rôles et leurs fonctions ? Voilà les enjeux liés
à l'abolition des élections ? Voilà les questions qui se posaient
à l'automne 2015, au moment où le ministre de l'Éducation déposait
un projet de loi sur la gouvernance scolaire. Elles se posent toujours.

JEAN-PIERRE PROULX
Ex-journaliste au *Devoir* et professeur retraité,
Faculté des sciences de l'éducation, Université de Montréal

Au début de 2015, le ministre Yves Bolduc annonçait la décision du gouvernement libéral de Philippe Couillard d'abolir les élections scolaires. Lors de la campagne électorale du printemps 2014, il avait fait du taux de participation populaire un enjeu du scrutin scolaire de novembre. Ce taux fut catastrophique : moins de 5 % dans les commissions scolaires francophones et quelque 18 % chez les anglophones.

En même temps que le gouvernement confirmait, en mai 2015, la fin des élections scolaires, le nouveau ministre de l'Éducation, François Blais, proposait d'accorder plus d'autonomie aux écoles et de revoir le rôle et les fonctions des commissions scolaires. Pour mieux comprendre les enjeux de ces changements, un rappel historique s'impose.

UNE INSTITUTION VIEILLE DE 170 ANS

Nos commissions scolaires sont nées en 1845 ; elles avaient pour rôle d'organiser les services éducatifs sur un territoire donné. Ce qui a changé depuis, c'est la grandeur des territoires qui leur sont confiés et la variété des fonctions qu'elles exercent. Nous y reviendrons.

La démocratie scolaire, elle, a vu le jour plus tôt, soit en 1829, lorsque l'Assemblée législative du Bas-Canada a adopté l'Acte pour encourager l'éducation élémentaire dans les campagnes. Cette loi obligeait les habitants propriétaires des paroisses, des seigneuries ou des townships d'élire localement cinq syndics. Ceux-ci se voyaient confier « le contrôle, la direction, la régie, le maniement et l'administration exclusive des affaires des écoles ». Il leur revenait aussi d'établir les écoles, d'adopter les règlements appropriés, d'engager les maîtres et d'admettre les enfants entre 5 et 15 ans inclusivement. Pour l'essentiel, c'est encore ce que font nos commissions scolaires, mais, pour une part, elles le font maintenant sous la gouverne de l'État et du ministre de l'Éducation.

Il n'en a pas toujours été ainsi. En effet, l'éducation a d'abord été l'affaire exclusive des communautés locales. Ce n'est qu'en 1859 que le Parlement du Canada-Uni a créé la première autorité centrale en éducation, le Conseil de l'instruction publique, remplacé en 1867 dans la nouvelle province de Québec par le ministère de l'Instruction publique. En 1875, l'Assemblée législative l'a aboli sous l'influence des conservateurs et la pression des Églises catholique et protestante. Le Parlement a alors confié la gouvernance des écoles publiques aux représentants de ces deux confessions regroupés dans un comité catholique et un comité protestant. En 1964, sur la recommandation de la commission Parent, le législateur a recréé le ministère de l'Éducation.

À compter de 1875, les deux comités confessionnels ont exercé progressivement un contrôle rigoureux des programmes d'étude. En revanche, on laissa l'administration des écoles, et surtout leur financement, à la discrétion des commissions scolaires. Reposant sur l'évaluation foncière, la taxe scolaire, que les contribuables voulaient la plus basse possible, rapportait peu ou beaucoup selon la richesse plus ou moins grande des municipalités. Ainsi s'accentuèrent avec le temps les disparités socioéconomiques entre les commissions scolaires.

Quant à la démocratie scolaire, elle fut, jusqu'en 1961, très partielle. Depuis les origines, hors de Montréal et de Québec, seuls les contribuables élisaient les commissaires. Dans ces deux grandes villes, les conseillers municipaux, l'archevêque et le gouvernement en nommaient chacun une partie, en excluant les contribuables.

Un premier changement survint en 1961 quand Paul Gérin-Lajoie, avant même de devenir le premier ministre de l'Éducation en 1964, fit adopter une loi pour permettre aux parents d'enfants de moins de 18 ans de voter. Puis, en 1971, on instaura l'élection des commissaires au suffrage universel. Mais ce n'est qu'en 1973 que l'on permit aux Montréalais et aux citoyens de

La démocratie scolaire a vu le jour en 1829, lorsque l'Assemblée législative du Bas-Canada a adopté l'Acte pour encourager l'éducation élémentaire dans les campagnes.

la ville de Québec d'élire leurs commissaires. Bref, la pleine démocratie scolaire n'a pas 50 ans. Et hélas, actuellement, elle est moribonde, sur le plan de la participation du moins. Les élus, eux, sont néanmoins conscients d'exercer un mandat démocratique.

LA RÉGIONALISATION

Au cours du dernier demi-siècle, il s'est produit un autre changement majeur : la régionalisation de plus en plus grande de la gouvernance locale de l'éducation. En 1960, on dénombrait 1 557 commissions scolaires catholiques et 273 protestantes. En 1971, leur nombre a été réduit à 168. Deux ans plus tard, la trentaine de commissions que comptait l'île de Montréal était ramenée à six. Puis, quand en 1999 on passa aux commissions scolaires linguistiques, on fixa leur nombre à 71.

La réduction importante du nombre de commissions scolaires est un phénomène majeur sur les plans sociopolitique et de la gouvernance. D'une part, une distance de plus en plus grande s'est creusée entre les électeurs et les candidats. Depuis 2014, les 71 présidents sont élus au suffrage universel. Chacun d'eux doit « rejoindre » plus d'électeurs que les candidats de chacune des 75 circonscriptions fédérales du Québec ! D'autre part, et surtout, la gouvernance s'est éloignée des écoles. L'exemple extrême est la commission scolaire gaspésienne des Chic-Chocs, dont le territoire s'étend sur 280 km, de Cap-Chat jusqu'à Percé. C'est la distance qui sépare Montréal de l'île d'Orléans !

LA MISSION ACTUELLE DES COMMISSIONS SCOLAIRES

Le rôle essentiel d'une commission scolaire, et de son conseil formé de commissaires élus et de représentants des parents sans droit de vote, est depuis toujours d'organiser les services éducatifs dans les écoles de son territoire. En 2008, le législateur a révisé les règles de gouvernance des commissions scolaires, sous la ministre Michelle Courchesne.

La loi définit d'abord d'une manière générale la mission de la commission scolaire :

« La commission scolaire a pour mission d'organiser, au bénéfice des personnes relevant de sa compétence, les services éducatifs prévus par la présente loi et par les régimes pédagogiques établis par le gouvernement.

La commission scolaire a également pour mission de promouvoir et valoriser l'éducation publique sur son territoire, de veiller à la qualité des services éducatifs et à la réussite des élèves en vue de l'atteinte d'un plus haut niveau de scolarisation et de qualification de la population et de contribuer, dans la mesure prévue par la loi, au développement social, culturel et économique de sa région » (art. 207.1).

Si le premier alinéa dit l'essentiel de la mission d'une commission scolaire, le second l'enrichit, affirmant à la fois la valeur intrinsèque de l'éducation et les finalités de son action : la qualité de cette éducation, la réussite des élèves, le développement multiforme des régions. Cet énoncé justifie du coup l'action concertée de chaque commission scolaire avec l'ensemble des institutions éducatives, sociales et économiques de son territoire.

Cela dit, sa mission première se déploie à travers une série de fonctions, des plus générales aux plus pointues.

D'abord, la commission s'assure que les élèves de son territoire reçoivent les services auxquels ils ont droit. Elle dispense ceux-ci tant dans ses écoles primaires et secondaires que – on l'oublie – dans les centres de formation professionnelle et les centres d'éducation des adultes. Elle doit donc admettre les élèves

2008, la loi oblige les écoles à signer des «conventions de gestion» avec la commission scolaire. Ces conventions visent à «assurer l'atteinte des buts fixés et des objectifs mesurables prévus à la convention de partenariat conclue entre la commission scolaire et le ministre». Ces buts et objectifs découlent des plans stratégiques de chacun. L'autonomie locale tant des écoles que des commissions scolaires s'en est trouvée réduite d'autant.

La commission scolaire exerce par ailleurs sur les établissements d'enseignement un pouvoir de surveillance.

Changer le mode de sélection des commissaires ne signifie en rien la fin des commissions scolaires.

dans les services qu'elle offre déjà, en organiser au besoin de nouveaux, voire conclure des ententes avec d'autres commissions scolaires – le cas est fréquent en matière de formation professionnelle. Elle affecte évidemment à cette fin les immeubles en fonction des services éducatifs particuliers qu'elle rend et en fait construire si nécessaire, avec l'autorisation du ministre de l'Éducation, puisque le gouvernement en paie le coût.

La commission scolaire entretient des liens étroits avec les établissements de son territoire qui, par ailleurs, jouissent déjà d'une certaine autonomie. Ainsi, elle appuie leurs projets éducatifs et les consulte sur divers objets. Mais depuis

Celui-ci porte sur le respect de la loi, mais aussi sur les diverses dispositions du «régime pédagogique» pour les différents types d'établissements. Ce règlement gouvernemental définit le cadre d'organisation des établissements, par exemple leur calendrier et les services éducatifs. Il prescrit les matières obligatoires et optionnelles, règle les modalités d'évaluation, régit la diplomation, etc. Cette surveillance porte encore sur le respect des programmes ministériels et sur l'évaluation des apprentissages. Elle s'exerce en bonne partie au moyen de rapports que les directions d'établissement doivent soumettre à la commission. Il s'agit d'ailleurs là d'un point litigieux, car cette exigence alourdit leur fardeau administratif.

La commission régit en outre les inscriptions annuelles en fonction des critères de résidence et des places disponibles. Elle établit le calendrier scolaire local, notamment celui des journées pédagogiques. Elle définit les règles de passage entre les cycles d'enseignement et entre le primaire et le secondaire. C'est ici que se pose la question litigieuse du redoublement. La commission scolaire adopte la politique des services aux élèves handicapés et en difficulté en respectant le plus possible l'objectif de leur intégration dans les classes ordinaires déjà fixé par la loi. C'est aussi elle qui crée, après approbation du ministre, les « écoles à projet particulier », comme celles qui offrent exclusivement un programme sport-études. La commission scolaire a encore le dernier mot en ce qui concerne l'expulsion définitive des élèves qui sont confiés à la Direction de la protection de la jeunesse.

Les commissions scolaires s'occupent aussi des ressources humaines : elles engagent et affectent le personnel des écoles et de l'administration. Elles négocient les conventions collectives locales. La gestion au quotidien dépend en revanche de la direction des établissements, gestion fortement encadrée par les conventions collectives.

Les fonctions de la commission scolaire s'étendent aux « services à la communauté ». Le plus connu est celui des services de garde, qu'elle organise à la demande d'une école. Elle organise aussi les services de restauration dans les écoles et, en milieux isolés, les services d'hébergement. Les services communautaires touchent encore l'innovation technologique en entreprise en lien avec la formation professionnelle, de même que les projets communautaires en coopération, notamment avec les municipalités. Ils s'étendent aussi à la coopération internationale.

Une part importante de l'activité d'une commission scolaire a trait aux ressources matérielles et financières. La commission s'occupe de la construction, de la réparation et de l'entretien des immeubles. Elle répartit les ressources financières fournies par le gouvernement entre les établissements. Elle vise à cet égard à assurer une égalité des chances entre les élèves malgré la diversité des milieux. Si chaque établissement établit son budget, la commission scolaire doit néanmoins l'approuver. Enfin, elle peut imposer la taxe scolaire, dont elle fixe le taux. La loi a toutefois imposé un plafond. Enfin, la commission scolaire organise le transport des élèves et en fixe les règles.

LES ENJEUX ACTUELS

À l'été 2015, avant même le dépôt d'un projet de loi, il était question de remplacer le conseil des commissaires élus, qui dirige chaque commission scolaire, par un conseil d'administration composé de représentants des parents, de membres du personnel des écoles, de membres de la communauté ainsi que de conseillers municipaux. La formule n'est pas nouvelle : c'est en gros celle du modèle de gouvernance des cégeps.

Changer le mode de sélection des commissaires ne signifie en rien la fin des commissions scolaires. Il faudra encore un pouvoir ordonnateur pour organiser les services éducatifs dispensés dans les établissements de tous types sur un territoire donné et sur la base de l'égalité des chances.

Les vrais enjeux sont autres. Le premier concerne la légitimité politique de la « nouvelle administration ». Depuis l'automne 2014, celle des commissaires élus est certes au plus bas en raison de la participation famélique des citoyens aux élections. Mais plusieurs, et sans doute la majorité, de ces mêmes commissaires se sentent responsables des écoles de leur circonscription et redevables envers leurs électeurs et surtout les parents. Les sentiments qui ont animé jusqu'ici ces élus ne sauraient être les mêmes chez des administrateurs non élus – et ce, sans mettre en cause leur sens des responsabilités.

Un second enjeu a trait au redéploiement des pouvoirs et des fonctions entre le ministère de l'Éducation, les commissions scolaires et les établissements. En 1998, on a valorisé l'école : on a créé des conseils d'établissement dotés de vrais pouvoirs pédagogiques et on a reconnu l'autonomie professionnelle des enseignants. En 2008, on a procédé à une recentralisation, en obligeant par des « contrats de partenariat » les commissions scolaires à aligner leurs plans stratégiques sur celui du

> # Entre ceux qui refusent, au nom de la liberté, l'intervention de l'État en éducation et ceux qui, au nom de l'égalité, voient dans un État tout-puissant le seul pouvoir légitime, il reste à trouver un équilibre.

ministère. De leur côté, les écoles doivent, par des « contrats de gestion », s'arrimer au plan stratégique de la commission scolaire. Or, ici comme à l'étranger, la tendance est inverse : le discours sur la gouvernance scolaire revalorise maintenant l'autonomie des établissements. On y voit un facteur de réussite des élèves. Le projet ministériel annoncé à l'été 2015 voulait précisément favoriser de nouveau l'autonomie des écoles.

Cela dit, une décentralisation n'est jamais facile à réaliser : le ministère de l'Éducation tient à son pouvoir régulateur sur l'ensemble du système. Car c'est à lui que l'opinion publique impute le bonheur, mais surtout les malheurs de l'école publique. Pour leur part, soucieux d'un traitement égalitaire de leurs membres, les syndicats d'enseignants préfèrent aussi la centralisation.

Accorder davantage d'autonomie aux écoles constitue sans doute une voie prometteuse. Les recherches internationales tendent à le confirmer – encore qu'en éducation, les certitudes sont rares, comme l'illustrent les changements fréquents qui caractérisent ce milieu. Le défi majeur demeurera toujours d'assurer à chaque élève une égalité des chances alors que les talents sont, eux, inégaux, ce qui milite en faveur de la diversité des modèles éducatifs. Aussi, entre ceux qui refusent, au nom de la liberté, l'intervention de l'État en éducation et ceux qui, au nom de l'égalité, voient dans un État tout-puissant le seul pouvoir légitime, il reste à trouver un équilibre. Et c'est sans compter que l'éducation est intimement liée aux diverses conceptions de l'homme qui traversent nos sociétés démocratiques. ◊

Climat

CHANGEMENTS CLIMATIQUES : LE QUÉBEC DOIT S'ADAPTER

À l'heure des grands sommets sur le climat, le dernier en date
étant considéré comme celui de « la dernière chance » à Paris, les changements
climatiques sont une réalité à laquelle le monde doit s'adapter. Le Québec,
dont la biodiversité, les ressources en eau et l'économie dépendent
beaucoup du climat, ne fait pas exception.

ROBERT SIRON
Coordonnateur de programmes, impacts et adaptation, Ouranos

BEATRIZ OSORIO
Assistante de recherche, Ouranos

HÉLÈNE CÔTÉ
Spécialiste en simulations et en analyses climatiques, Ouranos

TRAVIS LOGAN
Spécialiste en scénarios climatiques, Ouranos

Selon les données les plus récentes de l'Agence américaine pour l'océanographie et l'atmosphère[1], l'été 2015 fut le plus chaud jamais enregistré sur la planète depuis le début des relevés météorologiques, il y a 135 ans. Ce nouveau record confirme que nous vivons bien avec les changements climatiques (CC) d'origine humaine, comme l'affirme le Groupe d'experts intergouvernemental sur l'évolution du climat (GIEC) dans son dernier rapport[2]. Ce dérèglement du climat est aussi observé au Québec et nous devons nous y préparer. Car malgré les efforts pour réduire nos émissions de gaz à effet de serre (GES) responsables des CC, ceux-ci persisteront pendant longtemps.

Les CC ont déjà de nombreuses répercussions sur notre quotidien. Leurs effets sur l'économie et sur la population sont ressentis dans tous les secteurs d'activité et dans toutes les régions du Québec. Par exemple, la hausse des températures contribue à allonger la saison des pollens allergènes, ce qui engendre des problèmes respiratoires et cardiovasculaires chez un nombre grandissant de personnes. Les vagues de chaleur augmentent la mortalité et la morbidité dans les couches les plus vulnérables de la population, comme les enfants en bas âge, les personnes âgées ou malades et celles vivant sous le seuil de la pauvreté. Les Québécois doivent aussi composer avec des épisodes de gel-dégel plus fréquents durant l'hiver, avec les risques de chutes et de fractures qui leur sont associés. Certains secteurs comme l'agriculture, l'acériculture et les loisirs d'hiver sont aussi sensibles au gel-dégel.

En milieu urbain, des pluies intenses et plus fréquentes causent des inondations et provoquent des débordements dans le milieu naturel. Les sinistres associés aux crues des eaux sont en hausse et surviennent maintenant en toute saison, et non plus seulement lors des débâcles printanières. Les inondations constituent d'ailleurs le principal risque naturel au Québec. Elles engendrent déjà par le gouvernement des débours annuels moyens de l'ordre de 70 millions de dollars en indemnités, ce qui n'est qu'une partie du coût total pour la société.

Les précipitations influencent fortement le niveau et le débit des rivières, mais ceux-ci dépendent aussi de l'évaporation et du couvert de neige. Les modèles hydroclimatiques projettent une augmentation des débits hivernaux moyens des rivières vers le milieu du siècle. Les rivières du Nord verront leurs débits moyens augmenter au printemps et en automne, ce qui représente en soi une bonne nouvelle pour la production hydroélectrique du Québec. À l'inverse, dans le sud du Québec, on s'attend plutôt à une baisse des débits moyens en été, au printemps et à l'automne. Il est

cultures, à la pêche – tant récréative que commerciale – ainsi qu'au tourisme et aux loisirs. De plus, les sols risquent de devenir plus secs durant l'été dans le sud du Québec. Le «stress hydrique» subi par les arbres pourrait affecter le rendement forestier et devra être pris en compte dans les futures initiatives de verdissement des villes.

Les CC modifient aussi le milieu marin. La tendance à la hausse du niveau des océans s'observe déjà à l'échelle planétaire. Dans le golfe du Saint-Laurent, sans un effort important de réduction des GES, on projette une hausse du niveau relatif de la mer de 30 à 75 cm et une diminution considérable de l'englacement le long des

C'est sur le plan de la baisse de la consommation d'énergie que le Québec pourrait tirer les plus grands bénéfices de l'évolution du climat.

très probable également que les étiages[3] seront plus sévères et plus longs à l'avenir.

Les effets des CC se feront sentir sur les sources d'eau souterraines et de surface en ce qui concerne tant la disponibilité de l'eau que sa qualité. Sur le plan environnemental, pourra-t-on maintenir la qualité des écosystèmes aquatiques et de l'habitat du poisson dans de telles conditions? Sur le plan économique, il pourrait y avoir des conflits d'usage avec des enjeux liés aux prises d'eau potable, à l'irrigation des

côtes. Sans cette protection naturelle, le littoral marin du Québec sera davantage exposé à des phénomènes violents comme les vagues de tempêtes, qui accélèrent l'érosion côtière. Des marais, des falaises et des cordons dunaires sont déjà grugés par la mer. Or, ces écosystèmes côtiers fournissent des services écologiques qui contribuent au développement économique des régions maritimes. L'érosion a déjà entraîné le déplacement de routes et la construction d'ouvrages de pro-

UN QUÉBEC DE PLUS EN PLUS CHAUD

On projette au Québec des hausses de température plus fortes que la moyenne mondiale:

- les températures moyennes annuelles ont déjà augmenté de 1 à 3 °C depuis 1950;
- on s'attend à un réchauffement supplémentaire de 2 à 4 °C pour la période 2041-2070 et de 4 à 7 °C pour la période 2071-2100;
- la moyenne hivernale dans le nord du Québec pourrait augmenter de 15 °C d'ici 2100, selon un scénario pessimiste;
- la température la plus chaude de l'année pourrait encore s'élever de 3 à 5 °C selon la région dans le scénario modéré d'émissions de GES, et de 4 à 7 °C selon le scénario d'émissions élevées;
- la température la plus froide de l'année augmenterait fortement;
- la durée des vagues de chaleur et la fréquence des nuits plus chaudes augmenteraient fortement.

Des précipitations plus intenses

Des tendances significatives sont déjà observées pour les précipitations dans le sud du Québec:

- à la hausse pour les pluies printanières et automnales entre 1950 et 2010, de même qu'en été à certains endroits;
- à la baisse pour la neige dans plusieurs stations météorologiques;
- à la hausse en automne pour l'indice de pluie sur cinq jours qui entre dans l'estimation du risque d'inondations.

Des changements sont aussi attendus à l'avenir:

- hausses du total des précipitations hivernales et printanières partout au Québec;
- hausses des précipitations estivales et automnales dans le nord et le centre du Québec;
- hausse significative des précipitations abondantes et extrêmes dans toutes les régions du Québec.

tection dans les régions maritimes du Québec. Ce phénomène s'amplifiera et pourrait engendrer des coûts estimés à environ 700 millions de dollars en pertes et dommages au cours des 50 prochaines années. Le secteur des pêches et de l'aquaculture sera aussi affecté. En effet, moules, homards, crabes et crevettes – principaux produits de la mer québécois – sont sensibles à l'acidification des océans, une conséquence directe de l'augmentation des concentrations de gaz carbonique dans l'eau.

À la fin du siècle, les écosystèmes et la biodiversité du Québec auront beaucoup changé. L'aire de répartition de centaines d'espèces d'animaux et de végétaux pourrait s'être déplacée vers le nord de 45 à 70 km par décennie, tandis que certaines espèces indigènes, déjà confinées dans l'extrême nord du Québec ou sur les plus hauts sommets, auront probablement disparu. Les nouvelles conditions climatiques seront aussi favorables à l'arrivée d'espèces provenant du sud, y compris des espèces exotiques envahissantes ou nuisibles. L'apparition récente de la maladie de Lyme dans le sud du Québec, apportée des États-Unis par plusieurs espèces hôtes, en est un exemple bien documenté.

DES EFFETS CUMULATIFS

Les CC exercent une pression supplémentaire sur nos systèmes, naturels et humains, qui s'ajoute aux vulnérabilités environnementales, sociales et économiques existantes et qui du coup les rend encore plus difficiles à gérer.

De plus, chaque région du Québec a ses propres vulnérabilités dont il faut tenir compte dans les stratégies d'adaptation et d'aménagement du territoire. Ainsi, le sud du Québec est vulnérable en raison du développement urbain en forte croissance, de ses infrastructures vieillissantes et de la concentration de pôles économiques importants. D'ailleurs, les écosystèmes de cette région, qui sont les plus riches en biodiversité et qui fournissent des services écologiques essentiels à des millions de personnes, sont menacés car ils subissent les effets cumulatifs des activités humaines et des CC.

Dans le Saint-Laurent, l'augmentation des températures et les bas niveaux d'eau favoriseront l'expansion du roseau envahisseur, ce qui risque de provoquer la perte d'habitats riverains de grande valeur écologique pour la faune terrestre et aquatique, notamment dans le lac Saint-Pierre, classé réserve mondiale de biosphère de l'UNESCO.

Dans la forêt boréale, on prévoit que les CC modifieront le régime des feux et des épidémies d'insectes et de maladies qui affectent les ressources forestières. Il s'agit d'une des dernières grandes forêts de la planète qui jouent un rôle clé dans la lutte contre les CC, cet écosystème retirant de l'atmosphère des quantités considérables de gaz carbonique.

Dans le nord du Québec, le dégel du pergélisol[4], les modifications du couvert de glace et de neige ainsi que les changements dans le régime des tempêtes ont déjà des impacts sur les bâtiments et les infrastructures industrielles et de transport, qui sont vitales dans ces régions. Les populations autochtones du Nunavik voient leurs activités et l'accès au territoire grandement affectés en raison du changement rapide de leur environnement. La flore et la faune de la toundra sont parmi les plus vulnérables aux CC. Cet écosystème est en train de se transformer profondément, et avec lui le mode de vie traditionnel des populations nordiques.

DES SOLUTIONS D'ADAPTATION

Nous disposons maintenant de nouvelles données pour guider la mise en œuvre des mesures d'adaptation au Québec. Nous en donnons ici quelques exemples récents, en commençant par les solutions technologiques ou d'ingénierie, qui sont nombreuses.

Pour faire face à l'augmentation des précipitations, on pourrait augmenter le nombre et la taille des turbines dans les centrales d'Hydro-Québec du nord de la province ; ou implanter des systèmes végétalisés en milieu urbain pour faciliter la gestion des eaux de pluie et diminuer les volumes d'eaux à traiter. Dans le domaine maritime, les experts préconisent la recharge en sable des plages pour contrer le phénomène d'érosion, une solution moins dommageable pour l'environnement que l'enrochement. En agriculture, les cultures devraient se diversifier et inclure des variétés végétales plus adaptées aux nouvelles conditions climatiques. Des systèmes d'irrigation plus performants permettraient quant à eux de mieux gérer les ressources en eau, qui deviennent de plus en plus limitées en été.

Avec l'essor des technologies de l'information et de la communication apparaissent des systèmes dits « d'alerte précoce » pour prévenir la population, par exemple en cas d'événements climatiques violents ou de canicule, ou durant les périodes de crues ou de très faibles débits

d'eau. L'introduction des GPS et de la téléphonie par satellite a aussi contribué à rendre la chasse et la pêche plus sécuritaires dans le Nord. La géomatique permet de produire des cartes de risque détaillées, par exemple pour identifier les zones sensibles au dégel du pergélisol, celles où il y a des risques de glissement de terrain ou encore les zones inondables.

Au Québec, comme ailleurs dans le monde, il y a un intérêt croissant pour des options d'adaptation basées sur les écosystèmes, afin de bénéficier des services écologiques qu'ils nous fournissent. Par exemple, on met en place des mesures pour protéger les écosystèmes aquatiques et les sources d'eau potable. La préservation de bandes riveraines permet déjà de diminuer le ruissellement des polluants vers les lacs et les rivières. On recommande aussi de prendre en compte les « espaces de liberté » des rivières plutôt que de confiner celles-ci entre des berges artificialisées, pour permettre une régularisation plus naturelle des débits et pour diminuer l'impact des crues. Dans les villes, on envisage de plus en plus la plantation d'arbres, la création de parcs et de toits verts, voire la restauration des ruisseaux autrefois bannis du paysage urbain. Ces « infrastructures vertes » visent à réduire la chaleur accablante durant les canicules, mais elles offrent aussi des bénéfices supplémentaires aux citadins en fait de santé mentale et de bien-être. Les plans d'aménagement du territoire prévoient maintenant de conserver de grands espaces naturels (les « ceintures vertes ») autour des grandes villes. L'agroforesterie, qui consiste à intercaler cultures et plantations d'arbres, est une option à l'étude au Québec ; elle permettrait aux agriculteurs de faire face aux CC en diversifiant leur production, tout en contribuant à rehausser la biodiversité et l'attrait des paysages agricoles.

L'adaptation aux CC s'appuie aussi sur des leviers institutionnels : politiques, programmes et plans d'action gouvernementaux, plans d'adaptation municipaux, guides, normes, incitatifs financiers, etc. À cet égard, les institutions publiques ont un rôle central à jouer pour stimuler la transition vers l'adaptation, de la planification jusqu'à la mise en place d'actions concrètes sur le terrain. L'adaptation doit mobiliser toute l'information et tout le savoir collectif, incluant les savoirs locaux et traditionnels, en s'appuyant sur l'éducation, la sensibilisation et le partage des connaissances pour rejoindre et impliquer tous les citoyens.

DES BARRIÈRES À CONTOURNER ET DES OCCASIONS À SAISIR

Même quand on sait comment s'adapter, les mesures ne sont pas toujours mises en place. L'accès à l'information reste encore difficile et on constate toujours un manque de communication entre les divers acteurs, des lacunes dans la gouvernance ou encore une mauvaise perception quant à l'urgence

ÉVÉNEMENTS MÉTÉOROLOGIQUES EXTRÊMES : ENCORE DIFFICILES À SIMULER

Au sujet de ce type d'intempéries, nos connaissances ne sont pas aussi avancées qu'en ce qui concerne les températures ou les précipitations. Dans le cas des **orages** et du **verglas**, la puissance actuelle des superordinateurs ne permet pas encore aux modèles climatiques de bien les simuler, mais les recherches progressent rapidement.

Quelques études préliminaires réalisées au Québec et ailleurs laissent entrevoir une hausse de la fréquence des orages et de leur intensité au fur et à mesure que l'on s'approchera de la fin du XXIe siècle, alors que les **tempêtes hivernales** pourraient diminuer. Quant aux **cyclones post-tropicaux** (communément appelés « restes d'ouragan »), qui s'accompagnent de pluies torrentielles, de vents violents, de fortes vagues et d'une hausse locale du niveau de la mer, il n'est pas encore possible de déterminer si leur fréquence et leur intensité changeront, mais on sait que ceux qui atteindront le golfe du Saint-Laurent apporteront de plus grandes quantités de précipitations sur le littoral.

Cet article s'appuie sur la dernière synthèse des connaissances sur les changements climatiques au Québec, publiée par Ouranos : www.ouranos.ca/fr/synthese2015/.

d'agir. Par ailleurs, il faut éviter les dangers de la « maladaptation », autrement dit des actions qui seraient contre-productives, conduisant par exemple à augmenter nos émissions de GES.

S'adapter peut aussi vouloir dire tirer profit des occasions créées par les CC. Cela pourrait être le cas dans les secteurs agricole et forestier, puisque l'allongement de la saison de croissance, combiné aux concentrations plus élevées de gaz carbonique dans l'air, augmentera la productivité végétale. Ces secteurs doivent toutefois rester vigilants. Car les gains de productivité pourraient être compromis, en forêt par l'assèchement ou l'appauvrissement des sols, et en agriculture par l'arrivée de nouveaux ravageurs et maladies des cultures. Pour ces secteurs, il n'est donc pas encore possible de dire si le bilan économique sera positif ou négatif dans l'avenir.

Le secteur du tourisme se trouve dans la même situation. Selon des projections faites pour un futur rapproché (2020), les régions touristiques de l'Estrie et des Laurentides profiteront de gains économiques en été, mais connaîtront des pertes du côté des activités hivernales. Pour y parer, les entreprises touristiques cherchent à diversifier leurs activités avec des programmations étendues sur les quatre saisons plutôt que concentrées en été ou en hiver.

Tout compte fait, c'est sur le plan de la baisse de la consommation d'énergie que le Québec pourrait tirer les plus grands bénéfices de l'évolution du climat. En effet, la diminution des besoins énergétiques associés au chauffage pourrait être largement supérieure à l'augmentation anticipée des besoins liés à la climatisation, même avec des étés plus chauds.

CONCLUSION

Le gouvernement du Québec a fait plusieurs gestes concrets pour aborder de front les CC. En 2001, il fondait, en partenariat avec Environnement Canada et Hydro-Québec, le Consortium Ouranos, dédié à la R-D en climatologie régionale et à l'adaptation aux CC[5]. En 2012, le Québec se dotait d'une stratégie pour orienter les initiatives en adaptation et adoptait un plan d'action sur les CC faisant suite au plan précédent, en vigueur depuis 2006[6].

Les connaissances sur la climatologie régionale et l'adaptation ont beaucoup progressé au Québec dans les dernières années, grâce à un effort en recherche et développement sans précédent. Ces nouvelles connaissances sont à la disposition des usagers et de toutes les parties prenantes qui ont la responsabilité de mettre en place les mesures d'adaptation recommandées. Pour ce faire, le Québec possède une grande expertise et une bonne capacité d'adaptation. C'est donc avec l'ensemble des acteurs qu'il faut dorénavant poursuivre la route et travailler de concert. C'est la condition indispensable pour que l'adaptation du Québec aux CC se fasse efficacement et... à temps ! ◊

Notes et sources, p. 284

Marché du carbone 101

PIERRE-OLIVIER PINEAU
Titulaire de la Chaire de gestion du secteur de l'énergie, HEC Montréal

Le Québec a des objectifs ambitieux de réduction des émissions de gaz à effet de serre. Pour les atteindre, il s'est doté d'un mécanisme contraignant: un marché du carbone. Est-il efficace?

À la base, le défi de la diminution des émissions de gaz à effet de serre (GES), qui causent les changements climatiques, est simple: il suffit de limiter certaines activités humaines qui sont à la source de ces émissions. Évidemment, la difficulté réside dans le choix des activités à modifier. Sachant qu'au Québec le transport routier produit 33 % des GES, devrait-on interdire à certains véhicules polluants de rouler, par exemple les camions légers (fourgonnettes, VUS et camionnettes) ou les motos, dont les émissions ont augmenté de 164 % entre 1990 et 2013? Ou devrait-on limiter les activités de nos industries manufacturières, même si elles sont créatrices d'emplois et de richesse et qu'elles ont déjà réduit de plus de 20 % leurs émissions de GES depuis 1990?

Entre une approche prohibitive et un simple appel à la bonne volonté, le gouvernement québécois a choisi une approche dite « de marché », qui introduit des incitatifs financiers dans l'équation. En 2013, il a créé le Système de plafonnement et d'échange de droits d'émission de GES du Québec, aussi connu sous le nom de « marché du carbone ». Depuis 2014, ce marché est lié à celui de la Californie, le seul État américain ayant maintenu l'engagement pris dans le cadre de la création, en 2007, de la Western Climate Initiative (WCI) — un regroupement d'États américains et de provinces canadiennes qui souhaitent se doter d'une approche commune pour lutter contre les changements climatiques. Tous les autres membres de la WCI se sont depuis désistés par manque de volonté politique.

Du côté canadien, l'Ontario prévoit rejoindre le Québec et la Californie d'ici 2018 au sein de ce marché du carbone unique en Amérique du Nord, voire au monde, par l'étendue des secteurs économiques assujettis à une limite d'émissions et par la rigueur de cette limite.

LE B.A.-BA DU MARCHÉ DU CARBONE

Le marché du carbone exige que les pollueurs aient des «droits d'émission» québécois ou californiens (et bientôt ontariens) correspondant à leurs émissions. La quantité de droits disponibles décroît cependant chaque année en vue d'atteindre la cible de réduction pour 2020, qui est d'émettre 20 % de moins de GES qu'en 1990. Ainsi, le plafond de GES permis en 2015 au Québec, déjà sous le niveau de 1990, était de 65,3 millions de tonnes d'équivalent CO_2, et il diminuera d'environ 2 millions de tonnes par an pour atteindre 54,7 millions en 2020. À chaque tonne correspond un droit d'émission.

Au fil des ans, comme les droits d'émission à acquérir seront moins nombreux, moins d'émetteurs pourront libérer des GES. C'est un peu comme les permis de chasse: les chasseurs se les procurent pour avoir le droit de tuer un animal. En limitant le nombre de permis, le gouvernement contrôle le déclin de la population animale.

QUI SE PROCURE DES DROITS D'ÉMISSION ?

Pour éviter à monsieur et madame Tout-le-monde de devoir gérer ses droits d'émission de GES, ce sont les entreprises industrielles et les distributeurs d'énergie qui doivent acquérir les droits d'émission pour les GES découlant de leurs activités ou de la vente de leurs produits (essence, diesel, propane et gaz naturel).

Les droits d'émission doivent-ils être offerts gratuitement aux émetteurs, pour ne pas leur imposer une nouvelle dépense? Ou doivent-ils être vendus, et si oui à quel prix? Si la gratuité peut sembler aberrante, parce qu'on permet alors aux pollueurs de polluer impunément (tout en imposant une contrainte globale sur la quantité), il faut aussi prendre

LES VASES COMMUNICANTS

Dans le cas où les droits d'émission québécois disponibles seraient en nombre insuffisant, les pollueurs québécois pourraient acheter des droits californiens. C'est le gouvernement californien qui empocherait alors l'argent, et la limite permise de GES émis en sol québécois serait dépassée. Mais comme la quantité de GES libérés en territoire californien serait moindre (l'acheteur québécois empêchant un acheteur californien de polluer), au final la limite globale fixée par les deux gouvernements serait respectée. Ce marché commun offre donc une souplesse permettant une plus grande efficacité économique: les entreprises peuvent poursuivre leurs activités tout en participant à la réduction globale des GES.

en compte le fait que des entreprises pourraient décider de délocaliser leurs activités là où des droits d'émission ne sont pas exigés – c'est-à-dire presque partout ailleurs dans le monde. C'est pourquoi le gouvernement québécois alloue gratuitement aux industries une portion des permis d'émission. Ainsi, en 2015, 51 grands émetteurs industriels de GES, notamment Alcoa, Tembec, Cascades et Suncor, se sont partagé des droits d'émission gratuits pour 13,4 millions de tonnes.

La plus grande partie des droits restants, pour 47 millions de tonnes en 2015, est vendue au cours d'enchères tenues quatre casion de cette seule vente aux enchères, le gouvernement québécois a ainsi récolté 183 millions de dollars, qui sont versés au Fonds vert, lequel finance depuis 2006 des mesures favorisant le développement durable. Depuis la première vente aux enchères du marché du carbone, tenue en décembre 2013, le gouvernement québécois a versé 759 millions de dollars au Fonds vert. Une grande partie de cette somme aide à financer le transport en commun et d'autres initiatives de réduction des GES.

Les participants aux enchères sont en premier lieu les distributeurs de combus-

De l'Europe à la Chine, ces marchés envoient le signal qu'on ne peut plus émettre du CO_2 sans contrainte.

fois l'an par le ministère du Développement durable, de l'Environnement et de la Lutte contre les changements climatiques, au moyen d'une plateforme électronique commune avec la Californie. Une quantité dite «de réserve» est gardée par le gouvernement pour être mise en vente, au besoin, en cas de prix élevés des droits d'émission. Aux enchères du 18 août 2015, les troisièmes tenues cette année-là, le gouvernement a mis en vente 11,2 millions de droits d'émission. Le prix plancher était de 15,84 $ la tonne, et le processus de l'enchère a résulté en un prix de vente final de 16,39 $ la tonne. À l'oc- tibles fossiles. Comme un litre d'essence libère 2,36 kg de GES, les distributeurs de carburant québécois, qui vendent plus de 9 milliards de litres à la pompe par an, doivent acheter environ 21 millions de droits d'émission chaque année.

De leur côté, les entreprises polluantes y acquièrent aussi des droits d'émission supplémentaires si elles prévoient dépasser la quantité d'émissions dont les droits leur ont été alloués gratuitement par le gouvernement. Seuls les émetteurs de GES des secteurs agricole et de l'enfouissement des déchets ne sont pas tenus de participer aux enchères: leurs émissions ne sont pas soumises au plafond établi par le gouvernement.

Enfin, certaines personnes physiques et morales font aussi monter les enchères: des spéculateurs espèrent revendre ces droits d'émission plus tard à prix plus élevé, tandis que des environnementalistes peuvent en acheter pour empêcher un pollueur de polluer. Ces spéculateurs et militants n'ont acheté jusqu'à maintenant que de 5 à 8 % des droits d'émission vendus à chaque enchère.

UN SYSTÈME EFFICACE ?

Seul l'avenir dira si le marché du carbone est efficace pour réduire les émissions de GES et freiner les changements climatiques. Les autres solutions possibles, basées soit sur la réglementation − interdire par exemple les véhicules polluants ou les déplacements en solo −, soit sur la bonne volonté de la population et des entreprises, n'ont paru jusqu'à présent ni attrayantes ni efficaces aux gouvernements. Et une taxe sur le carbone? S'il serait plus simple à comprendre et à gérer que le marché du carbone, un mécanisme consistant à taxer le CO_2 émis lors de la combustion de produits pétroliers et de gaz naturel ne garantirait pas une réduction des émissions, puisqu'aucun plafond d'émission ne serait alors fixé. De plus, une telle taxe serait politiquement difficile à faire accepter.

Si les pollueurs québécois sont proactifs et réduisent leurs émissions de GES pour éviter de devoir acheter trop de droits d'émission, alors le marché du carbone sera une réussite. Par contre, si les émetteurs tardent à réduire leurs émissions de GES, les droits d'émission se feront rares sur le marché. Selon le jeu de l'offre et de la demande, cette rareté fera gonfler le prix des droits. Puisque les distributeurs d'essence seront touchés, cette hausse pourrait aussi faire grimper le prix de l'essence. Un choc tarifaire est donc sans doute à prévoir d'ici 2020, avec la grogne populaire qui l'accompagnera, comme chaque fois que le prix à la pompe augmente. À moins, évidemment, que nous trouvions rapidement des façons de réduire notre consommation d'énergies fossiles.

Chose certaine, cette initiative québéco-californienne s'ajoute aux différents marchés du carbone qui voient le jour autour du globe. De l'Europe à la Chine, ces marchés envoient le signal qu'on ne peut plus émettre du CO_2 sans contrainte. Le fait de faire payer les émetteurs de GES par l'achat de droits d'émission nous rapproche d'un des principes fondamentaux du développement durable, celui de pollueur-payeur. Au Québec, comme les sommes recueillies par ce marché du carbone financent des initiatives de réduction des GES, on peut affirmer qu'un mécanisme ayant un impact positif sur l'environnement a été introduit dans l'économie québécoise. Ce qui constitue certes un pas en avant. ¶

Économie

POLITIQUE INDUSTRIELLE : L'HEURE EST À LA TRANSITION ÉCOLOGIQUE DE L'ÉCONOMIE

Alors que les nouvelles politiques industrielles dans le monde facilitent la transition vers une économie à faible intensité de carbone, le Canada, devenu un pétro-État, rame à contre-courant. Le Québec aussi. Pour redynamiser nos industries, un changement de cap s'impose.

GILLES L. BOURQUE
Chercheur, Institut de recherche en économie contemporaine

ROBERT LAPLANTE
Directeur général, Institut de recherche en économie contemporaine

L'économie du Québec souffre. La situation de l'emploi ne cesse de se détériorer avec un taux de chômage trop élevé, en particulier à Montréal, une grande proportion de postes à temps partiel, une précarité croissante, un accroissement inquiétant du travail autonome et une stagnation des salaires. Le secteur manufacturier subit de lourdes pertes, les fermetures d'usines étant nombreuses, les unes parce qu'elles ne parviennent plus à être rentables, les autres parce qu'elles sont délocalisées aux États-Unis, au Mexique ou en Asie. Les cas récents d'Electrolux (2014), de Mabe (2014) et de Rio Tinto Alcan (2013) ont acquis la valeur de symboles d'un secteur en détresse.

Les difficultés varient d'une industrie à l'autre, mais notre secteur manufacturier souffre d'abord d'un phénomène structurel : le mal hollandais, c'est-à-dire la perte de compétitivité provoquée par la hausse du dollar canadien, qui est dopé par les exportations de ressources naturelles, en particulier les ressources pétrolières.

Le Canada est devenu un pétro-État. Le paradigme extractiviste – l'exploitation et l'exportation massives de ressources naturelles peu ou pas transformées –, qui a donné au pays une forte poussée de croissance ces dernières années, a coûté cher au Québec. Alors qu'entre 2002 et 2008 la part des ressources naturelles dans les exportations canadiennes doublait, passant de 15,5 % à 32,9 %, la part des produits manufacturés dans les exportations québécoises chutait de 8 %, pour s'établir à 20,8 % en 2008[1]. Cette baisse des exportations de biens transformés a occasionné la perte de plus de 100 000 emplois ! La saignée s'est poursuivie depuis.

Au premier trimestre de 2015, les exportations de biens québécoises étaient retombées à leur niveau du troisième trimestre de 2014[2]. Les pertes de capacité industrielle, d'expertise et de savoir-faire, s'ajoutant à la perte de compétitivité des entreprises attribuable à la surévaluation du huard pendant plus d'une décennie, handicapent nos industries. Le secteur manufacturier québécois peine aujourd'hui à relancer ses exportations malgré la lente reprise américaine et l'effondrement de la devise canadienne.

Le Québec aurait donc besoin d'une vigoureuse intervention de politique industrielle. Les restructurations en cours dans l'économie mondialisée, la montée des économies émergentes et la révision

Selon Rodrik et un nombre grandissant d'analystes, la politique industrielle du XXIe siècle doit reposer davantage sur la concertation et la collaboration entre les acteurs que sur le dirigisme d'État. Elle doit être soutenue par la création et la mobilisation d'outils de financement mis au service d'approches de soutien favorisant les meilleures pratiques et l'appren-

L'effondrement du cours des minerais et du prix du pétrole a eu tôt fait de plomber les ambitions libérales.

des modes de production rendue nécessaire par la lutte contre les changements climatiques exigent un repositionnement général en cette matière.

DES POLITIQUES
INDUSTRIELLES REPENSÉES

Depuis plus d'une décennie, on observe partout dans le monde des courants de redéfinition des politiques de soutien et d'intervention de l'État sur le plan industriel. Au début des années 2000, l'économiste américain Dani Rodrik a fait figure de pionnier en livrant un puissant plaidoyer en faveur du renouvellement des politiques industrielles[3]. Principal vecteur de captation de la valeur, primordial pour le maintien de la compétitivité et indispensable au développement des classes moyennes, le secteur manufacturier a besoin, selon lui, de nouveaux modes d'accompagnement.

tissage collectif. Un dialogue ouvert, la transparence, la coopération, la clarté des critères de financement, un programme précis, une reddition de comptes : voilà, en résumé, les principes qui guident les nouvelles politiques industrielles en Europe et dans plusieurs économies émergentes.

Mais c'est la transition écologique de l'économie qui désormais donne aux nouvelles politiques industrielles leur impulsion principale. Du soutien à la restructuration industrielle, ces politiques ont progressivement évolué vers la prise en compte des défis environnementaux. Au cœur de leur mutation : la montée des préoccupations devant les perturbations climatiques et les efforts pour réduire la dépendance envers les énergies fossiles – efforts désormais reconnus comme indispensables à une prospérité durable. Le renouveau des politiques industrielles passe par des stratégies de réduction du bilan carbone, de changement de base énergétique et de substitution des technologies.

D'HIER À AUJOURD'HUI

Le Québec a une feuille de route intéressante en matière de politique industrielle[4]. Dès les années 1990, il a fait partie des pionniers avec la stratégie des grappes industrielles de l'ex-ministre libéral de l'Industrie, du Commerce et de la Technologie, Gérald Tremblay. En complémentarité avec les politiques de main-d'œuvre et de développement régional, cette approche présentait des innovations importantes, en particulier en matière de relations entre les entreprises, de stimulation de l'innovation, de concertation et de stratégie d'accroissement de la productivité[5]. Portées par de nombreux acteurs sociaux, sur la base d'un mode de gouvernance plus partenarial, ces politiques ont largement contribué à la modernisation de l'économie québécoise. Mises en place pendant le dernier mandat de Robert Bourassa (1989-1994), elles ont été poursuivies et, dans certains cas, bonifiées pendant les deux mandats du Parti québécois qui ont suivi (1994-2003).

C'est avec la volonté de faire table rase de ce modèle que le nouveau gouvernement libéral de Jean Charest arrive au pouvoir en 2003. La « réingénierie de l'État » est alors invoquée pour donner un nouvel habillage au parti pris en faveur du laisser-faire économique. Toutefois, grâce à la résilience du modèle québécois – des contre-pouvoirs solides, des institutions sociales bien enracinées, un électorat sensible aux enjeux nationaux –, le gouvernement Charest n'a pas pu aller aussi loin que le laissaient supposer ses envolées idéologiques.

En dépit de son approche économique assez dogmatique, ce gouvernement a tout de même donné au Québec un rôle d'avant-garde dans l'établissement d'objectifs de lutte contre les changements climatiques, en particulier lorsqu'on le compare à ses voisins provinciaux et au gouvernement conservateur à Ottawa. La poursuite effective d'un tel objectif aurait pu favoriser l'élaboration d'une politique industrielle visant à conjuguer reconversion de l'appareil productif et transition écologique. Force est de constater que le Québec a raté ce rendez-vous.

C'est plutôt sur le paradigme extractiviste qu'a misé, à partir de 2011, le second gouvernement Charest, en annonçant dans le cadre du Plan Nord des investissements de 80 milliards de dollars sur 25 ans, dont 45 milliards de fonds publics, sans obligation de transformer sur place des ressources minières. Tout en se faisant le chantre de l'entreprise privée, le gouvernement libéral choisissait ainsi de faire porter par l'État l'essentiel des risques en finançant les infrastructures requises pour la mise en exploitation des gisements nordiques. C'était là non seulement un pari douteux, mais surtout une manière d'arrimer les choix du Québec au modèle économique canadien, c'est-à-dire d'exposer davantage son économie aux effets du mal hollandais, en plus de choisir une orientation opposée aux exigences de la transition écologique de l'économie. L'effondrement du cours des minerais et du prix du pétrole a eu tôt fait de plomber les ambitions libérales.

Pendant son bref intermède, le gouvernement Marois (2012-2014) n'a donné qu'un aperçu de ses intentions en matière de politique industrielle. Selon l'analyse que nous en avons faite en 2013[6], la politique Priorité Emploi apparaissait comme un bon point de départ pour consolider le secteur manufacturier : mise au rancart du Plan Nord, abandon de la filière nucléaire et refus de poursuivre l'exploration des gaz de schiste. C'est par l'application des mesures de politique industrielle et par la mise en œuvre d'une politique d'électrification des transports que le gouvernement Marois et la ministre déléguée à la Politique industrielle, Élaine Zakaïb, entendaient donner un élan à la relance industrielle. Les orientations et plusieurs mesures s'intégraient à une véritable stratégie de transition écologique de l'économie :

- électrification des transports, combinant un axe de remplacement du pétrole par l'électricité et un axe de soutien aux secteurs industriels afférents ;
- création du Centre d'excellence en innovation manufacturière, qui ciblait les secteurs du transport, de l'énergie et des biomatériaux ;
- création du programme ÉcoPerformance destiné aux entreprises dési-

reuses d'améliorer leur bilan énergétique et environnemental ;
- bonification du financement du programme des grappes et des créneaux ACCORD, avec la création de trois nouvelles grappes industrielles, dont celle de la stratégie d'électrification ; etc.

Par ailleurs, une mesure marquait le retour à des pratiques de concertation : la mise sur pied d'un comité consultatif des partenaires de l'industrie, qui devait regrouper des entreprises manufacturières, des représentants du milieu syndical et de centres de recherche, de même que des fonctionnaires d'Investissement Québec et du ministère des Finances et de l'Économie.

Malheureusement, la crédibilité de Priorité Emploi a été minée par la volonté d'atteindre l'équilibre budgétaire à court terme. En ce sens, l'élection des libéraux de Philippe Couillard en 2014 a confirmé la défaite cuisante d'un projet qui n'avait pas pu prendre son envol.

En effet, le gouvernement Couillard a fait table rase de Priorité Emploi et, depuis, ne rate aucune occasion de faire valoir sa préférence pour le laisser-faire économique. Même la nouvelle approche en faveur des « gazelles » – ces entreprises à très fort potentiel de croissance qui devaient bénéficier d'un soutien préférentiel , qui avait pourtant l'appui unanime des milieux d'affaires, a été liquidée[7]. Ce gouvernement a par ailleurs ressuscité le Plan Nord en version allégée, sans rien changer de ses orientations fondamentales en ce qui concerne la transformation des ressources.

LA STRATÉGIE MARITIME : DES MESURES CLASSIQUES

Repiquée du programme de la Coalition Avenir Québec, la Stratégie maritime a été présentée à l'été 2015 comme le deuxième grand projet économique du gouvernement Couillard. Arrimée à une politique commerciale, elle vise à mieux outiller les ports du Québec, en particulier celui de Montréal, pour profiter de l'augmentation du commerce que devrait provoquer l'entrée en vigueur de l'Accord économique et commercial global entre le Canada et l'Europe. Le conditionnel reste de mise ici, car aucune étude sérieuse n'a encore établi rigoureusement l'impact économique potentiel de ce traité. L'optimisme tient à une pétition de principe quant aux vertus du libre-échange. La Stratégie maritime reste également en phase avec le paradigme extractiviste en favorisant la capacité d'exportation du minerai par des investissements dans les équipements portuaires régionaux.

La Stratégie maritime aura néanmoins des effets positifs sur le dynamisme des activités portuaires et sur leur insertion dans les circuits industriels et commerciaux. Les millions de dollars annoncés pour le soutien à l'investissement privé dans les zones industrialo-portuaires permettront des améliorations dans certains secteurs industriels (logistique, services et matériel de transport et manutention, etc.). De plus, les sommes consacrées à la décontamination des zones industrielles bordant les ports pourraient dynamiser la filière industrielle de la décontamination, tout en donnant aux villes un potentiel de revenus fonciers intéressant.

Mais quelles que soient les vertus de la Stratégie – d'autres aspects mériteraient plus ample discussion –, il ne saurait s'agir là du cœur d'une stratégie industrielle. En effet, une politique industrielle doit comporter des objectifs et des moyens pour améliorer la productivité, soutenir la croissance, favoriser le développement de la main-d'œuvre, etc. Même si elle constitue un précédent, la Stratégie maritime reste marquée par le déploiement de mesures classiques, certes pertinentes, mais qui ne répondent que partiellement aux défis industriels de l'économie québécoise.

AMORCER LA TRANSITION ÉCOLOGIQUE

Les défis de la compétitivité exigent désormais de changer les façons de produire et de consommer l'énergie – en visant à s'affranchir des énergies fossiles –, par une restructuration des circuits d'échange et de distribution et par un meilleur arrimage des politiques sectorielles. Dans ce contexte, l'essentiel reste à faire pour engager le Québec dans une transition écologique de son économie. Même si on ne peut faire abstraction du ralentissement économique global et de la généralisation des politiques budgétaires d'austérité, le gouvernement de l'Ontario montre qu'il est possible de proposer d'ambitieuses politiques de transition. Le Québec pourrait faire de même et s'engager à :

- créer une agence pour coordonner les stratégies visant une transition écologique de l'économie ;
- lancer de grands projets mobilisateurs dans les secteurs du transport, de l'énergie et de l'habitation ;
- ramener les acteurs de la société civile (en particulier les mouvements syndical, de l'économie sociale et écologiste) à une pleine participation au processus de formulation et de mise en œuvre des stratégies.

serre (GES) au Québec. C'est l'utilisation des énergies fossiles pour produire et faire circuler les biens qui rend les deux secteurs du transport et de l'énergie responsables de 76,3 % des émissions de GES. Par ailleurs, le secteur du bâtiment (résidentiel, commercial et institutionnel) se classe troisième parmi les plus grands émetteurs, responsable de 10,8 % des émissions de GES.

Au confluent de ces trois secteurs, la politique industrielle a pour rôle de faciliter à court et moyen terme le changement de base énergétique pour délaisser l'usage des énergies fossiles au profit de sources d'énergie renouvelables, d'encourager

L'essentiel reste à faire pour engager le Québec dans une transition écologique de son économie.

Dans une telle approche, une politique industrielle fait le pont entre les politiques de lutte contre les changements climatiques – transport, énergie, habitation – et les stratégies de développement du secteur manufacturier. Les différents éléments des politiques sectorielles de lutte contre le réchauffement et de la politique industrielle doivent se renforcer mutuellement.

Le choix des trois secteurs prioritaires (transport, énergie, habitation) va de soi. C'est le secteur du transport qui émet les plus grandes quantités de gaz à effet de

une consommation de biens et d'énergie plus responsable, et de mettre de l'avant un modèle productif contribuant à améliorer ses bilans social et environnemental. Qu'il s'agisse du transport collectif et de l'électrification des transports[8], de la transition vers les énergies renouvelables ou d'un plan de rénovation écoénergétique dans le secteur de l'habitation[9], tous les efforts doivent être faits pour s'assurer d'effets favorables sur l'économie du Québec en fait d'innovation, de production et de création d'emplois.

INNOVATIONS FINANCIÈRES ET FISCALITÉ ÉCOLOGIQUE

La question des moyens financiers nécessaires pour établir une telle politique industrielle reste le principal défi. Les solutions proposées par les spécialistes des questions de financement sont de trois ordres : il faut accroître l'effet de levier des actifs existants, rééquilibrer les priorités en faveur des secteurs stratégiques et faire appel à l'écofiscalité pour générer des flux de revenus consacrés à la transition.

Le Québec possède déjà certains instruments financiers (Investissement Québec, Caisse de dépôt et placement, fonds fiscalisés) qui pourraient rendre possible une audacieuse stratégie d'innovation financière. Il lui reste à peaufiner ces instruments et à mettre en place des incitatifs destinés à assurer la cohérence entre l'offre et la demande d'investissement à long terme pour le bien commun. Il peut le faire en mobilisant les institutions financières québécoises stratégiques (publiques et privées) autour de plateformes communes d'investisseurs pour la transition. L'exemple récent de la création de CDPQ Infra, filiale de la Caisse de dépôt et placement qui investira dans les infrastructures, montre qu'il est possible de mobiliser les investisseurs institutionnels (qui gèrent l'épargne des Québécois, en particulier l'épargne-retraite) autour de telles plateformes[10].

Par ailleurs, nos recherches montrent la nécessité d'engager une réforme de la fiscalité qui servirait de levier majeur pour canaliser les actifs nécessaires. L'IRÉC a fait paraître plusieurs travaux explorant des propositions porteuses :

- la modification du compte d'épargne libre d'impôt (CELI) pour soutenir des interventions de rénovation écoénergétique des habitations[11] ;
- une proposition de financement pour soutenir la transition écologique dans les transports[12] ;
- un ensemble de mesures d'écofiscalité et de modifications des paramètres de la participation du Québec à la bourse du carbone[13].

CONCLUSION

L'économie du Québec est placée devant une alternative simple : subir les changements climatiques et en gérer les effets les plus néfastes ; ou y faire face et se doter des orientations et des outils qui lui permettront de se redéployer dans un espace de contraintes aussi bien environnementales qu'économiques qu'elle pourra un tant soit peu maîtriser. Une nouvelle politique industrielle québécoise devrait faciliter les mutations en faveur d'une économie à faible intensité de carbone. Il n'est pas exagéré de penser qu'en agissant maintenant dans les secteurs clés du transport, de l'énergie et de l'habitation le Québec pourrait accéder au peloton de tête des sociétés les plus en phase avec les défis du XXIe siècle. ◊

Notes et sources, p. 284

L'ÉQUILIBRE BUDGÉTAIRE N'A PAS À ÊTRE REPORTÉ

Depuis 2003, l'État québécois a investi plus de trois milliards de dollars dans l'économie du Québec. Suivant les mouvances, il injecte parfois moins, parfois plus. Selon l'Institut du Québec, la baisse actuelle des dépenses de programmes est un retour au niveau d'investissement en vigueur avant la crise de 2008.

MIA HOMSY
Directrice, Institut du Québec

SONNY SCARFONE
Économiste, Institut du Québec

Adaptation par **JEAN-GUY CÔTÉ**,
directeur associé, Institut du Québec

Les mesures d'austérité du gouvernement sont dénoncées par divers groupes de la société québécoise. Selon eux, cette restriction des dépenses publiques nuit à la croissance économique de la province, et, pour cette raison, ils réclament le report de l'objectif d'équilibre budgétaire de quelques années.

Dans le cadre de ce débat, l'Institut du Québec (IdQ) publiait à l'été 2015 un rapport intitulé *Croissance économique et austérité : l'heure juste sur la situation du Québec*[1], qui concluait qu'aucun indicateur économique ne justifiait un report de l'équilibre budgétaire après 2016-2017. L'économie québécoise se portant bien, une réduction de la contribution gouvernementale au produit intérieur brut (PIB) était justifiée.

Depuis, le Canada est entré dans une faible récession au deuxième trimestre de 2015. Les prévisions de croissance économique du Québec ont été révisées à la baisse, et le prix des matières premières comme le fer ou le pétrole est de nouveau en chute libre. Face à ces nouvelles données, il y a lieu de se demander si les conclusions du rapport de l'IdQ sont toujours valables.

L'AUSTÉRITÉ EST-ELLE RÉELLE AU QUÉBEC ?

Afin de mesurer l'ampleur de l'effort budgétaire imposé et son incidence sur l'économie québécoise, l'IdQ a analysé l'impact de la politique budgétaire du gouvernement du Québec de 2003 à 2016. À noter que l'Institut fonde son analyse uniquement sur des données économiques, en reconnaissant cependant qu'il existe d'autres considérations pour juger de la pertinence des restrictions budgétaires.

Le PIB, même s'il est un indicateur imparfait, constitue la mesure généralement reconnue de la vigueur d'une économie. Il représente la somme des dépenses de consommation et des investissements privés et publics, à laquelle s'ajoute le solde des exportations. Au Québec, les dépenses gouvernementales représentent environ 20 % du PIB.

Face à un ralentissement de la croissance ou à une décroissance du PIB, l'État a généralement trois options : modifier sa masse monétaire (par le biais de sa banque centrale, donc à l'extérieur du champ de compétence du Québec); augmenter ses dépenses publiques; ou maintenir le statu quo. La dernière option n'est généralement pas retenue puisqu'elle entraîne une explosion du taux de chômage. Et comme la modification de la masse monétaire est devenue quasi inutile dans un contexte où les taux d'intérêt sont à un plancher que l'écart entre le PIB réel prévu et le PIB potentiel est croissant, et que le taux d'emploi est inférieur au niveau atteint avant le ralentissement économique le plus récent. Par contre, lorsque l'activité du secteur privé retrouve son rythme à long terme, le gouvernement doit se retirer progressivement pour favoriser la croissance naturelle de l'économie.

La politique budgétaire du gouvernement québécois a-t-elle suivi ces principes entre 2003 et 2016 ? Pour répondre à cette question, il est essentiel d'analyser un

Il n'y a pas eu d'austérité au sens où, par ses décisions budgétaires, l'État aurait eu un effet négatif sur l'économie.

historique, il ne reste à l'État que l'augmentation des dépenses publiques pour redonner de la vigueur au PIB.

Lors d'une récession ou d'un ralentissement économique, le secteur public peut temporairement prendre la relève du secteur privé afin de stimuler la croissance économique et de minimiser l'augmentation du taux de chômage. L'impact de cette intervention gouvernementale dépend du type d'actions choisi, de leur ampleur, et du moment choisi – au début ou à la fin de la récession.

La science économique reconnaît que l'intervention gouvernementale est optimale lorsque la croissance du PIB se situe en dessous de sa tendance à long terme, cycle économique complet, soit un cycle de plusieurs années qui comprend une période de croissance et une récession.

L'IdQ, qui s'inspire de la méthode du Fonds monétaire international (FMI), conclut que pour l'ensemble de la période 2003-2016, il n'y a pas eu d'austérité au sens où, par ses décisions budgétaires, l'État aurait eu un effet négatif sur l'économie. Dans le cas du Québec, entre 2003 et 2016, l'État a plutôt eu un effet positif sur l'économie, en contribuant à la stimuler à hauteur de 3,5 milliards de dollars[2], et ce, même en considérant les deux années où les compressions seront parmi les plus intenses, soit 2015-2016.

On observe trois périodes distinctes de stimulation ou de restriction budgétaire :

- De 2003 à 2007, le gouvernement stimule peu l'économie ;
- De 2007 à 2010, à la suite de la crise de 2008, pour éviter que le Québec ne s'enfonce dans une récession, le gouvernement injecte 12,8 milliards de dollars dans l'économie ;
- De 2010 à 2016, le gouvernement opère un retour à la normale avec des investissements de 8,2 milliards de dollars ; il investit moins que durant la crise, mais plus qu'entre 2003 et 2007.

EST-CE QUE L'EFFORT DE RESTRICTION DU GOUVERNEMENT ACTUEL EST TROP HÂTIF ?

Ainsi, après avoir stimulé fortement l'économie entre 2007 et 2009, le gouvernement québécois a amorcé en 2010 une période de restrictions budgétaires qui se poursuivra jusqu'en 2016. Est-ce qu'il force le retour à l'équilibre budgétaire trop rapidement ? Puisque le Canada est en récession et que la croissance économique est faible au Québec, est-ce que ces compressions pourraient aussi faire plonger la province dans une récession ?

Pour répondre à ces questions, analysons la croissance à long terme du Québec. Les prévisions de croissance économique étaient de près de 2 % pour les années 2015 et 2016, un taux se situant près de la moyenne des 35 dernières années. Malgré un ralentissement économique,

le Conference Board du Canada prévoit que la croissance du PIB du Québec sera de 1,9 % en 2015, un taux non loin de la moyenne des 35 dernières années, qui est de 2 %. De plus, les prévisions de croissance pour 2016, 2017 et 2018 sont de 2 %, 2,4 % et 2,1 % respectivement, des pourcentages près de la moyenne historique. À plus long terme, en raison du vieillissement de la population, la croissance serait cependant limitée à 1,6 %.

Ainsi, si l'on se base sur le seul principe qui consiste à stimuler la croissance du PIB, les prévisions de croissance ne justifient pas une pause dans l'effort de retour à l'équilibre budgétaire. Le PIB du Québec continuera de croître à des niveaux semblables à sa moyenne historique.

Mais d'autres indicateurs économiques sont aussi pris en compte pour déterminer si le retour à l'équilibre budgétaire est précipité :

- Un taux de chômage de 8 % se situant près de la moyenne des 15 dernières années (8,1 %) ;
- Un taux d'emploi de près de 60 %, qui est plus élevé que la moyenne des dernières décennies (57,7 %) ;
- Une distribution des revenus personnels disponibles relativement stable, c'est-à-dire des inégalités des revenus parmi les plus basses en Amérique du Nord ;
- Un poids des dépenses publiques en hausse dans l'économie (prévision de 22 % en 2015-2016, comparativement à 18 % en 2004-2005) ;

- L'endettement du gouvernement, qui limite ses possibilités d'intervention à plus long terme.

Aucun de ces indicateurs ne suggère que l'exercice budgétaire du gouvernement met en péril la croissance de l'économie. De plus, le ralentissement économique, qui est plus prononcé ailleurs au Canada, pourrait générer d'importants investissements en infrastructures au pays de la part des autres juridictions. Ces investissements stimuleraient l'économie québécoise, et ce, sans l'intervention du gouvernement provincial.

DOIT-ON INVESTIR POUR QUE LE PIB RÉEL RATTRAPE LE PIB POTENTIEL ?

Malgré ce constat, serait-il pertinent que l'État continue d'investir dans l'économie afin que celle-ci rattrape son plein potentiel ? Un indicateur utile de l'état de la production dans l'économie est l'écart de production. Celui-ci mesure la différence entre le PIB réel (ce qui est réellement produit dans l'économie) et le PIB potentiel (ce que l'économie pourrait produire dans des conditions optimales). Ainsi, plus l'écart de production est négatif, plus l'économie offre une piètre performance. Au contraire, si l'écart est positif, l'économie surchauffe.

Effort budgétaire du gouvernement (positif = redressement budgétaire / austérité ; négatif = augmentation du déficit / stimulation budgétaire)

(Variation du solde structurel en M$ de 2007)

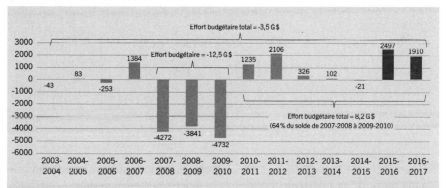

Comme le solde structurel est évalué sur une base résiduelle, on soustrait les transferts fédéraux, qui sont initialement dans le surplus/déficit présenté par le gouvernement. Nous soustrayons les immobilisations nettes, qui, elles ne figurent pas au déficit, mais représentent une stimulation économique importante.

Sources: données du Conference Board du Canada, Statistique Canada, ministère des Finances du Québec, calculs de l'Institut du Québec.

Quand une économie fait moins bien que prévu, il peut être souhaitable que l'État y investisse à court terme pour stimuler la production. Comme il y a une capacité de production inutilisée, l'économie peut produire grâce à l'investissement de l'État et ainsi combler l'écart de production entre le réel et le potentiel. Dans le cas d'une économie qui produit à son plein potentiel, voire plus, une intervention à court terme constituerait une augmentation inutile des dépenses gouvernementales. Dans ces circonstances, l'État doit plutôt adopter des mesures d'intervention visant une croissance économique à long terme ou qui augmentent la capacité de production de l'économie.

Depuis 1990, le Québec ne produit pas à son plein potentiel, mais l'écart de production diminue depuis quelques années.

grâce à un taux de change davantage favorable aux exportations.

Devant ce constat, il est difficile de soutenir une position demandant une intervention plus soutenue de l'État dans l'économie à court terme.

LE GOUVERNEMENT A-T-IL LA CAPACITÉ D'AUGMENTER SON INTERVENTION ?

La dette publique nette du Québec représente aujourd'hui près de 50 % de son PIB. Il importe de rappeler que les interventions du gouvernement ne peuvent être financées que par deux sources : les recettes fiscales, qui sont une ponction supplémentaire dans l'économie, ou l'endettement. Le Québec est la province la plus endettée au Canada, et par définition celle qui a la marge de manœuvre la plus mince pour

> La priorité est de mettre en place les conditions de croissance à long terme afin d'atténuer les effets du vieillissement de la population sur le marché du travail.

L'été dernier, il était prévu que le Québec comble cet écart au deuxième trimestre de 2017. Depuis, le Conference Board du Canada a devancé cette échéance au quatrième trimestre de 2016. Malgré une croissance plus faible, l'économie du Québec tournera plus rapidement à plein régime,

financer des interventions dans l'économie au moyen de l'endettement.

Les déficits des dernières années sont financés par des emprunts qui demeurent assujettis aux fluctuations des taux d'intérêt et à la notation des agences de crédit. Gonfler davantage la dette alors que les signaux économiques ne justifient pas de stimulation gouvernementale à court terme serait inapproprié. Une telle décision exposerait le Québec à des choix plus difficiles dans le futur.

DOIT-ON REPORTER L'ATTEINTE DE L'ÉQUILIBRE BUDGÉTAIRE ?

Selon les indicateurs analysés, et malgré les récents mouvements économiques, l'IdQ maintient les conclusions de son

de population vieillissante, améliorer la qualité de l'éducation et de la formation de la main-d'œuvre, attirer et retenir les meilleurs talents, et trouver le moyen de commercialiser davantage l'innovation. Ce sont là les fondements essentiels d'une société prospère à long terme.

Certes, le contexte économique ne justifie pas le recours à une stimulation économique additionnelle à court terme, mais les moyens choisis pour équilibrer le budget

Réduire de façon paramétrique les dépenses dans le système d'éducation pourrait entamer la compétitivité de l'économie du Québec à long terme.

rapport voulant qu'il n'est pas justifié de reporter l'atteinte de l'équilibre budgétaire pour stimuler davantage l'économie à court terme. La priorité est plutôt de mettre en place les conditions de croissance à long terme afin d'atténuer les effets du vieillissement de la population sur le marché du travail.

L'État doit tout de même suivre de près la situation des inégalités sociales et mettre en place des politiques budgétaires qui encouragent la croissance économique à long terme. Ces dernières touchent principalement la productivité. Afin que le Québec soit plus productif, il faudra inévitablement, dans un contexte

ne doivent pas compromettre les objectifs de prospérité à long terme. La qualité de la main-d'œuvre, qui repose sur l'éducation et la formation, est au cœur de l'économie du savoir de demain. Ainsi, réduire de façon paramétrique les dépenses dans le système d'éducation pourrait entamer la compétitivité de l'économie du Québec à long terme. Malheureusement, comme l'ont démontré les précédents travaux de l'IdQ[3], le système d'éducation est grandement sous pression cette année, et il ne semble y avoir aucun plan pour éviter des coupes paramétriques qui affecteront la qualité des services. ◊

Notes et sources, p. 284

L'inflation verbale du discours contre l'austérité

JEAN-FRANÇOIS SIMARD
Professeur en sciences sociales, Université du Québec en Outaouais

YOURI CHASSIN
Économiste et directeur de la recherche, Institut économique de Montréal
(Il signe ce texte à titre personnel.)

Le discours sur l'austérité a le dos large: étiolement du filet social, désengagement de l'État, démantèlement du «modèle québécois». Et si les chiffres sur les dépenses publiques livraient un autre discours?

L'austérité serait-elle le nouvel opium des intellectuels de gauche? On observe en effet la montée en puissance d'un argumentaire militant qui attribue à l'infatigable stéréotype du néolibéralisme le fait que le filet social se désagrège en raison d'un désengagement de l'État. Nous proposons ici de retourner aux faits et aux chiffres pour mieux décortiquer ce discours.

Huit ans après la dernière grande récession, et après avoir repoussé l'échéance de deux ans, le Québec reviendra peut-être à l'équilibre budgétaire. Les données du ministère des Finances indiquent que les dépenses publiques consolidées atteignent 98,6 milliards de dollars pour 2015-2016, en hausse de près de 1,5 milliard par rapport à l'année précédente. Comme le service de la dette n'a que peu augmenté (il accapare tout de même 10,5 milliards de dollars), les nouvelles sommes sont surtout consacrées aux programmes sociaux et aux réseaux de la santé et de l'éducation. En tenant compte de l'inflation, toutefois, il s'agit d'un financement presque identique à celui de l'année précédente.

En 2014-2015, les dépenses consolidées avaient diminué de 300 millions de dollars, une première depuis la récession de 2008. Il s'agit là de l'exception et non de la règle, ces dépenses ayant augmenté de 17,3 milliards de dollars au cours des huit dernières années. Avec les hausses d'impôt, de taxes et de tarifs, les recettes de l'État ont connu une croissance similaire, de 17 milliards de dollars. Dépassant le rythme de la croissance économique, certes modeste, les dépenses publiques sont ainsi passées de 23,2 % du PIB avant la récession à 25,1 % aujourd'hui.

LES CONTOURS FLOUS DE L'AUSTÉRITÉ

Ainsi, à la lumière de ces données, on peut dire que nous n'assistons pas à une diminution réelle des dépenses publiques. Alors, comment définir l'austérité?

S'il est question du retour au déficit zéro, l'austérité désignerait l'augmentation des recettes de l'État par davantage d'impôts, de taxes et de tarifs. C'est la définition qu'emploie notamment l'économiste Pierre Fortin dans une analyse qui lui fait déclarer que le Québec est un «champion de l'austérité[1]». Toutefois, la plupart des opposants à l'austé-

rité ne dénoncent pas une augmentation des revenus de l'État.

Autre hypothèse: l'austérité désignerait une augmentation globale des dépenses de l'État, mais une augmentation jugée insuffisante. Une telle définition verse inéluctablement dans le débat politique, chacun pouvant définir un niveau suffisant ou insuffisant d'augmentation des dépenses.

Comment expliquer alors que l'espace médiatique fasse état de «coupes» et de «compressions» avec une telle régularité? Lorsqu'on se plonge dans les différentes catégories de dépenses publiques, on constate, en résumé, que le poste de la santé et des services sociaux bénéficie d'une hausse des dépenses financée par des réductions dans

Dépenses et revenus consolidés actuellement et avant la récession de 2008-2009

	Avant la récession (2007-2008)	Actuellement (2015-2016)	Variation
Dépenses consolidées	81,3 G$	98,6 G$	+17,3 G$
Revenus consolidés	83,2 G$	100,2 G$	+17,0 G$
Dépenses consolidées en proportion du PIB	23,2 %	25,1 %	+1,9 %
Revenus consolidés en proportion du PIB	23,8 %	25,5 %	+1,7 %
Service de la dette	8,8 G$	10,5 G$	+1,7 G$
Dette du secteur public	199 G$	275 G$	+76 G$

Note : Les montants sont en dollars constants de 2015, afin de tenir compte de l'inflation. Les données exprimées en pourcentage du PIB permettent d'inclure la croissance économique. Les revenus consolidés sont supérieurs aux dépenses consolidées en 2015-2016 parce que les revenus incluent des redevances qui sont versées automatiquement au Fonds des générations.

Sources : plans budgétaires du ministère des Finances et calculs des auteurs.

d'autres secteurs. Avec ce constat, l'austérité désignerait alors les choix budgétaires difficiles qui résultent de la part grandissante des dépenses de santé dans le budget de l'État et d'un service de la dette incompressible, étouffant lentement mais sûrement les autres missions de l'État.

Autrement dit, ce n'est plus tant de la conjoncture du retour à l'équilibre budgétaire qu'il est ici question lorsqu'on parle d'austérité, mais des conséquences d'une tendance structurelle à l'œuvre depuis plusieurs décennies. Le discours contre l'austérité rappelle le proverbial arbre cachant la forêt.

UN DÉFI PLUS PROFOND QUE LE DÉFICIT ZÉRO

La réalité à laquelle fait face le gouvernement du Québec n'est pas différente de la crise de l'État-providence si brillamment décrite par le sociologue français Pierre Rosanvallon au début des années 1980[2]. Nous sommes pour l'essentiel dans le même paradigme, celui d'un déséquilibre chronique entre le coût de nos politiques publiques et notre capacité fiscale à les assumer sans nous engager dans une spirale de déficits.

Le vrai problème, sous-jacent à la crise profonde des finances publiques, c'est l'accélération incontrôlée de la dette et du service de la dette du Québec, qui limite la capacité du gouvernement à faire des choix différents, incluant celui de bonifier les programmes sociaux.

Pour subsister, le modèle québécois doit-il reposer sur une hausse perpétuelle des dépenses publiques, alors que le contingent de travailleurs, lui, ne cesse de diminuer? La cohésion sociale, certes cruciale, n'a pas qu'une seule dimension. À partir de quand la gauche, pourtant si solidaire, prendra-t-elle en compte le sentiment d'aliénation fiscale ressenti par des travailleurs de moins en moins nombreux, à qui l'on demande de payer de plus en plus, afin de perpétuer un modèle à bout de souffle? Trop nombreux sont ceux pour qui le discours de l'austérité s'est mué en slogan, lequel évite de réfléchir à l'essoufflement du modèle québécois.

La question sociale qui découle du débat sur l'austérité porte aussi sur notre capacité à léguer aux générations suivantes une qualité de vie égale, sinon supérieure, à la nôtre. N'en déplaise à ceux qui ne prêchent que pour une prétendue justice sociale à court terme, le concept de justice intergénérationnelle doit aussi faire partie de l'équation.

La question est désormais de savoir si ce qu'on qualifie aujourd'hui d'austérité ne serait pas la meilleure manière de sauvegarder le modèle québécois, justement. Ce fut le choix de René Lévesque en 1983 et de Lucien Bouchard en 1996. Reste maintenant à savoir comment les milieux de gauche sauront faire preuve de pragmatisme. ¶

Notes et sources, p. 284

Entrepreneuriat

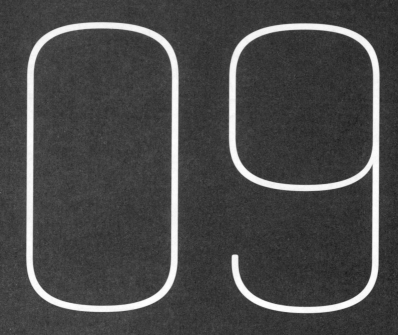

09

ENTREPRENEURIAT ET SOCIÉTÉ : UNE NOUVELLE ALLIANCE ?

Au Québec, de plus en plus d'entrepreneurs traditionnels (ou « capitalistes ») créent aussi une valeur sociale. Ils réinventent ainsi à leur manière le lien entre entrepreneuriat et société.

OLIVIER GERMAIN
Professeur, École des sciences de la gestion,
Université du Québec à Montréal

MICHEL GRENIER
Directeur général, Centre d'entrepreneuriat,
École des sciences de la gestion,
Université du Québec à Montréal

OCTAVE NIAMIE
Candidat au doctorat en administration,
École des sciences de la gestion,
Université du Québec à Montréal

L'entrepreneuriat ne peut se résumer à la seule volonté de créer de la richesse, qui n'est qu'une conséquence du fait de fonder une entreprise. L'obsession de transformer la société constitue aussi un motif important. C'est d'ailleurs pourquoi les actions des entrepreneurs ont souvent des retombées sociales.

Mais la relation entre entrepreneuriat et société est trop souvent réduite à l'entrepreneuriat social, qui s'est constitué de manière autonome, considérant les spécificités, notamment non marchandes, de ce type d'organisations. Ainsi, l'entrepreneuriat social dispose de ses propres structures d'accompagnement, aides au financement, concours et règles institutionnelles. Le modèle coopératif québécois est souvent considéré, à juste titre, comme à la fine pointe dans la création d'organisations collectives, dans l'invention de manières alternatives d'entreprendre et dans l'expertise produite autour de l'économie sociale.

De son côté, l'entrepreneuriat « traditionnel » a tracé son chemin séparément, en mettant essentiellement l'accent sur son rôle dans la croissance économique. Pourtant, l'un des économistes fondateurs du champ de l'entrepreneuriat, Joseph Schumpeter, soulignait dès 1911 le rôle d'agent de changement social de l'entrepreneur, en particulier dans sa manière de rompre avec les ordres établis.

STIMULER L'ENTREPRENEURIAT EN TEMPS DE CRISE : UNE MAUVAISE ALLIANCE ?

L'entrepreneuriat est souvent, en temps de crise économique, mis de l'avant par les acteurs publics et politiques comme principal vecteur de croissance. C'est à peu près la seule fonction sociale qu'on lui reconnaît. Le déclin des États-providence a conduit les gouvernements à se désengager progressivement des programmes d'aide sociale et, incidemment, à faire peser sur les épaules de l'individu la charge de créer son emploi, en somme de « s'entreprendre ». Ainsi s'est développée une population d'entrepreneurs dits de nécessité, qui fondent des entreprises non pas en raison d'une occasion intéressante détectée ou créée sur un marché, mais poussés par la précarité ou un accès limité au marché du travail. Une partie de l'entrepreneuriat immigrant et de l'entrepreneuriat féminin s'est d'ailleurs développée à cause de ces contraintes. L'entrepreneuriat pourrait alors représenter un élément fort de socialisation et de bricolage d'une trajectoire personnelle « viable ». Pourtant, cela conduit plus souvent à entretenir la précarité qu'à la résorber.

Est-ce parce que la motivation économique ne peut suffire à stimuler le geste entrepreneurial ? C'est l'avis de l'expert

foudroyées par le déclin d'industries en pleine maturité. Par exemple, la recréation d'un tissu de petites et moyennes entreprises dans la région de Trois-Rivières a permis de surmonter le déclin de l'industrie papetière, engageant l'action des élus, des communautés universitaires et d'entrepreneurs.

L'ENTREPRENEUR : AGENT DU CHANGEMENT SOCIAL

Un projet entrepreneurial peut être porteur de transformations sociales de deux façons. D'une part, l'universitaire américaine Susan Harmeling a démontré que le processus entrepreneurial constitue

Au Québec, l'entrepreneuriat constitue un vecteur fort de résilience des régions foudroyées par le déclin d'industries en pleine maturité.

américain en entrepreneuriat Scott Shane, qui parle de « l'illusionnisme autour de l'entrepreneuriat », proposant, de manière un peu radicale, de recentrer les aides sur des projets portés par de véritables ambitions entrepreneuriales, c'est-à-dire non motivés par des problèmes de sous-emploi.

Il ne s'agit pas de négliger pour autant le rôle collectif et social de l'entrepreneuriat dans la redynamisation des territoires. Au Québec, l'entrepreneuriat constitue un vecteur fort de résilience des régions

fréquemment un mécanisme par lequel une « obsession privée » ou individuelle remplit un « besoin général ». L'obsession personnelle de ces entrepreneurs ne les conduit pas alors à agir tels des héros, mais bien à faire preuve d'ingéniosité. En même temps qu'ils créent, ils changent nos manières de faire ou de penser. L'acte entrepreneurial s'inscrit alors dans une temporalité plus large et rejoint les préoccupations du moment. L'entrepreneur devient lui-même un agent de changement social. Dans ce cas, on pourrait considérer que seule la forme juridique de l'organisation distingue l'entrepreneur traditionnel de l'entrepreneur social, tant la mission de l'entreprise relève plus de préoccupations sociales que marchandes.

D'autre part, un grand nombre d'entrepreneurs se lancent aussi dans l'entrepreneuriat d'occasion sociale : ils démarrent une entreprise afin de remédier à un problème récurrent vécu par le plus grand nombre ou après avoir repéré un marché laissé de côté par d'autres en raison de sa faible viabilité. Dans ce cas, la création de valeur économique est une conséquence du changement social produit à une échelle « micro » par l'entrepreneur. Ou alors inventent-ils une autre manière de concevoir la valeur créée par l'entrepreneur ?

À bien y réfléchir, le souci de transformer la société, qu'il soit explicite ou implicite, constitue souvent un motif dans l'intention ou la manière d'entreprendre. Cela explique notamment une persévérance particulière chez l'entrepreneur.

DES ENJEUX ET DES PRÉCAUTIONS

Reconstruire ce lien entre entrepreneuriat et société constitue une avenue

DES EXEMPLES QUÉBÉCOIS D'OCCASIONS MARCHANDES... ET SOCIÉTALES

Les Fermes Lufa : une innovation radicale au service de la bonne alimentation
Fondées en 2009 par Mohamed Hage et son équipe, Les Fermes Lufa Inc. sont spécialisées dans l'agriculture en zone urbaine. L'entreprise utilise les technologies pour produire des légumes sur les toits des tours de bureaux, des centres commerciaux et d'autres édifices. Lufa propose d'améliorer la qualité de vie des populations urbaines en leur fournissant des variétés de légumes cultivés sous serre. Elle recrée des conditions climatiques qui améliorent la qualité des légumes, n'utilise pas de pesticides de synthèse et capture l'eau de pluie pour l'arrosage des plantes. Sa localisation à proximité des clients et son modèle de livraison directe aux consommateurs minimisent le transport et contribuent à réduire la pollution environnementale.

CirQles : créer de la proximité physique par les réseaux sociaux
Ramsey Diab et Daniel Heller, cofondateurs en 2014 de CirQles, ont constaté qu'ils en venaient souvent à ne rencontrer leurs voisins qu'au moment où ils déménageaient pour aller vivre ailleurs. Ainsi, à l'ère des téléphones intelligents et des réseaux sociaux, CirQles se donne pour mission de renforcer les liens sociaux dans les communautés afin de contrer l'isolement et ses conséquences. Par exemple,

▶

prometteuse pour promouvoir l'entrepreneuriat, notamment auprès des jeunes. Cela exige toutefois que l'on s'interroge sur la manière d'accompagner les projets. En ce sens, l'émergence au Québec de lieux collectifs d'entrepreneuriat (incubateurs, accélérateurs, *fab labs* ou « laboratoires de fabrication », espaces de co-entrepreneuriat) et de communautés facilitant l'entraide et la créativité collective coïncide avec cette nouvelle alliance.

Cela dit, il faut aussi agir sur l'écosystème entrepreneurial propice à rendre les projets viables et pérennes. Et les acteurs publics doivent dynamiser cet écosystème plutôt que le déstructurer continuellement par des décisions changeantes.

Par ailleurs, il ne faudrait pas croire que tout acte entrepreneurial se fait au service de la société. À ce titre, les technologies numériques réinventent les modèles économiques, les relations et les échanges entre les consommateurs et les producteurs de produits et services. Il existe de véritables initiatives au sein de l'économie du partage fondées sur une logique de don où chacun troque son expertise, son temps ou ses biens.

CirQles permet aux membres d'une communauté — qui peut être un immeuble, un quartier, un arrondissement ou une ville — de se retrouver autour d'intérêts communs, de partager et de s'entraider.

Muses urnes design: réinventer l'urne funéraire
Marie-Claude Lemire, à l'occasion de deux décès dans son entourage, constate que l'industrie funéraire offre des produits standardisés peu évocateurs de l'histoire individuelle des défunts. Ainsi naît l'entreprise Muses, incorporée en 2013 et spécialisée dans la fabrication et la distribution d'urnes funéraires. Partant du constat que les urnes offertes sur le marché sont similaires et majoritairement à connotation religieuse, elle se démarque en offrant des urnes personnalisables qui permettent d'évoquer la singularité de la personne décédée.

Alvéole: lutter contre la disparition des abeilles
Créée en 2014, Alvéole se donne pour mission de ramener les abeilles en ville pour maintenir l'écosystème floral. Des experts soutiennent que les abeilles, en tant que pollinisateurs, influencent les relations écologiques, la variation génétique des plantes et leur diversité. Cependant, les abeilles sont menacées de disparition à cause de l'utilisation par les agriculteurs de pesticides synthétiques et d'herbicides. Alvéole implique les citoyens en leur permettant d'acheter et d'installer des ruches d'une capacité de 10 kg de miel dans leur cour, sur leur balcon ou sur leur toit.

Ces modèles ont toutefois peu à voir avec le mouvement d'«ubérisation de l'économie», lequel s'inscrit plus dans la forme traditionnelle du capitalisme et, par ricochet, peut entretenir ou réinventer des formes de précarité. En effet, à titre de simples intermédiaires, les entreprises telles Uber ou Airbnb tirent des profits de la simple mise en relation des uns avec les autres. Elles se contentent aussi d'appliquer la loi de l'offre et de la demande en contournant des règles et des lois établies pour assurer la «bonne» marche de l'industrie visée. ◊

Notes et sources, p. 284

Fiscalité

PLAIDOYER POUR LA PROCHAINE RÉFORME DE LA FISCALITÉ QUÉBÉCOISE

Le gouvernement québécois prépare une réforme fiscale inspirée du rapport de la Commission d'examen sur la fiscalité québécoise. Au menu : une réduction de l'impôt sur le revenu compensée notamment par un recours accru aux taxes à la consommation, afin d'encourager davantage le travail et l'épargne.

LUC GODBOUT
Professeur et directeur du Département de fiscalité,
Chaire de recherche en fiscalité
et en finances publiques de l'Université de Sherbrooke[1]

D epuis que Maurice Duplessis, en 1954, a réintroduit un impôt sur le revenu des particuliers, le Québec n'a tenu que quatre grandes réflexions collectives sur sa fiscalité : la commission Bélanger (1962), celle qui a mené au *Livre blanc sur la fiscalité des particuliers* (1985), la commission D'Amours (1996) et, tout récemment, la commission d'examen sur la fiscalité québécoise, que j'ai dirigée et dont le rapport a été rendu public à l'hiver 2015[2].

Cette commission, qui a mené ses travaux de juin 2014 à février 2015 et qui a analysé l'ensemble du système d'imposition québécois et ses composantes, a conclu qu'une réforme fiscale était nécessaire au Québec, car des impôts sur le revenu trop élevés nuisent à l'augmentation de notre niveau de vie.

Un des constats de la commission est que le poids des impôts sur le revenu est trop élevé au Québec ; nous sommes en effet l'un des endroits dans le monde où les impôts sur le revenu occupent la place la plus importante dans l'économie. Parmi les 10 provinces canadiennes et les 50 États américains, le Québec arrive en peloton de tête quant au poids de l'impôt sur le revenu en proportion du PIB. Le Québec arrive aussi bon premier en cette matière quand on le compare aux pays du G7.

Ce constat doit servir de bougie d'allumage à notre réflexion en vue de mieux utiliser l'outil fiscal. La question dans cet article n'est pas de savoir s'il faut réduire ou non le poids global de la fiscalité dans l'économie. Laissons ce débat de côté et tentons de déterminer s'il est possible de mieux prélever la quantité de deniers requise pour le financement des services publics.

Si on prélève autrement le même volume de recettes fiscales, notre fiscalité peut davantage encourager le travail, l'effort et l'investissement. La réduction de l'impôt sur le revenu proposée se fait par deux voies. D'abord, en faisant le ménage dans la panoplie de mesures fiscales existantes, après les avoir évaluées. Les sommes ainsi dégagées financent une partie de la réduction de l'impôt sur le revenu. On finance le reste en repensant l'importance relative des modes d'imposition, en vue d'atteindre un meilleur équilibre.

Cet article fait un survol des principaux arguments en faveur d'une réforme fiscale basée sur une baisse des impôts sur le revenu et sur l'augmentation des taxes à la consommation.

LE POIDS DE LA FISCALITÉ

Les statistiques de l'OCDE permettent de faire une analyse détaillée de la place qu'occupe la fiscalité en proportion de l'économie. Inséré dans ces statistiques, le Québec, où le poids global de la fiscalité représentait 36,6 % du PIB en 2012, figure parmi les pays où ce poids est supérieur à la moyenne de l'OCDE (33,7 %). Au total, seulement 10 pays membres de l'OCDE ont une fiscalité plus lourde que celle du Québec, et 24 en ont une plus légère.

Hormis le Québec, ce sont des pays européens qui ont une fiscalité plus lourde que la moyenne de l'OCDE. C'est dire que le Québec, pourtant en sol nord-américain, a une propension à recourir à une fiscalité à l'européenne.

De surcroît, si le Canada dans sa globalité a une fiscalité représentant 30,7 % de son PIB, c'est parce que le Québec gonfle le résultat. En 2012, le poids de la fiscalité dans le reste du Canada (29,3 %) était plus près de celui des États-Unis (24,4 %) que de celui du Québec. Le Québec se distingue donc du reste du Canada, où le poids global de la fiscalité reste beaucoup plus faible que la moyenne de l'OCDE .

En somme, le Québec recourt davantage à la fiscalité que ses voisins immédiats et que plusieurs grandes nations du monde industrialisé. Ce constat renforce l'importance d'utiliser des modes d'imposition moins dommageables pour l'économie.

LE CHOIX DES MODES D'IMPOSITION

Afin de mesurer l'utilisation des principaux modes d'imposition, il convient d'analyser le poids respectif des impôts sur le revenu des particuliers et des taxes à la consommation[3].

Si on l'insère parmi les pays de l'OCDE, le Québec arrive deuxième, derrière le Danemark, et ex-æquo avec l'Islande pour le poids des impôts sur le revenu des particuliers en proportion du PIB.

Sans surprise, la proportion des recettes fiscales provenant des impôts sur le revenu au Québec est élevée – plus de 35 %, comparativement à 28,1 % en Suède et à 25,5 % en moyenne dans les pays de l'OCDE.

Ceci se traduit évidemment par un fardeau fiscal plus lourd pour les Québécois. Par exemple, si l'on applique la structure fiscale de l'Ontario aux contribuables du Québec, les Québécois gagnant entre 30 000 $ et 100 000 $ paieraient près de 4,5 milliards de dollars de moins en impôts sur le revenu.

Parallèlement, le Québec, avec le Canada et les États-Unis, est l'un des plus faibles utilisateurs des taxes à la consommation en proportion du PIB. Inséré dans les données de l'OCDE, il occupe le 30ᵉ rang sur 35.

Pour mesurer la dépendance envers l'impôt sur le revenu, il est possible de calculer un indice en divisant le poids des impôts sur le revenu par le poids des taxes à la consommation. Plus l'indice ainsi obtenu est faible (inférieur à 1), plus il signifie une grande utilisation des taxes à la consommation. Inversement, un indice supérieur à 1 signifie une plus grande utilisation des impôts sur le revenu.

Le Québec se distingue des pays de l'OCDE en arrivant au 4e rang sur 35 pour sa dépendance envers les impôts sur le revenu, relativement à l'utilisation des

LES INCIDENCES DE LA RÉFORME PROPOSÉE

Plusieurs approches existent pour mesurer l'effet des divers modes d'imposition sur la croissance économique. Au cours des dernières années, de nombreux travaux ont été effectués dans les pays développés à ce sujet. Dans une étude de 2009 sur la fiscalité et la croissance économique, l'OCDE indique que les impôts sur le revenu réduisent l'emploi, l'investissement en capital humain et la productivité de diverses manières[4]. En conséquence, elle affirme qu'une réforme orientée vers

La surutilisation des impôts sur le revenu dans la fiscalité québécoise nuit à l'emploi, à la croissance économique et au niveau de vie.

taxes à la consommation. L'indice du Québec en 2012 s'établissait à 1,85 fois plus d'impôts sur le revenu que de taxes à la consommation. À titre comparatif, 21 entités de l'OCDE prélevaient davantage de recettes fiscales par l'intermédiaire des taxes à la consommation que par les impôts sur le revenu, faisant en sorte que l'indice moyen pour l'OCDE était inférieur à 1 (0,91).

Ainsi, le Québec fait partie des entités ayant une fiscalité plus lourde que la moyenne de l'OCDE tout en recourant davantage à l'imposition des revenus qu'aux taxes à la consommation.

la croissance consisterait à transférer une partie des sources de recettes fiscales des États des impôts sur le revenu vers les taxes à la consommation. Avec les connaissances actuelles, on conclut que la surutilisation des impôts sur le revenu dans la fiscalité québécoise nuit à l'emploi, à la croissance économique et au niveau de vie.

Pour mesurer les effets de la fiscalité, le gouvernement du Québec utilise pour sa part le modèle d'équilibre général développé par les économistes Bernard Fortin, Henri-Paul Rousseau et Pierre Fortin. Cette approche a été utilisée pour la première fois dans le *Livre blanc sur la fiscalité des particuliers* de Jacques Parizeau en 1985[5]. Les résultats sont conformes aux résultats empiriques, tant canadiens qu'internationaux, et montrent que l'impôt sur le revenu des particuliers nuit davantage à la croissance économique que les taxes à la consommation.

Peu importe l'analyse des modes d'imposition, ce qu'il importe de retenir, c'est que les résultats pointent tous dans la même direction : l'impôt sur le revenu est plus dommageable pour l'économie que les taxes à la consommation.

Évidemment, lors d'un changement de mode d'imposition, il faut analyser l'effet combiné des différentes mesures. Il serait insuffisant d'analyser seulement les effets de la hausse des taxes à la consommation sans tenir compte des effets de la réduction de l'imposition du revenu.

Avec un revenu disponible plus élevé à la fin de la semaine, les gens peuvent choisir entre consommer davantage ou épargner davantage – dans les deux cas, l'effet est positif pour l'économie. De plus, une réduction de l'impôt sur le revenu améliore les incitations au travail. Certains travailleurs seront plus enclins à faire des heures supplémentaires, alors que d'autres voudront avoir un emploi à temps plein plutôt qu'à temps partiel. Dans un cas comme dans l'autre, l'économie sera favorisée par l'augmentation des heures travaillées, ce qui fera croître le PIB.

En outre, la baisse de l'impôt sur le revenu rend le travail au noir moins attrayant, car il engendre moins de gains, pour un risque égal de se faire prendre. Aussi, une hausse de la TVQ réduirait les pertes en évasion fiscale, notamment grâce aux mécanismes de récupération de la taxe payée sur les intrants.

La TVQ n'a d'effets que sur les revenus dépensés ; en conséquence, elle récompense davantage l'épargne personnelle, ce qui signifie plus de capital pour l'investissement et donc plus de croissance économique à long terme.

Finalement, la hausse de la TVQ est sans effet sur la compétitivité des entreprises québécoises. Le mécanisme de remboursement (CTI et RTI) aux entreprises fait en sorte que la TVQ n'affecte pas leurs coûts de production ni leur capacité à exporter.

Globalement, considérant la surutilisation de l'impôt sur le revenu au Québec, une réforme fiscale a tout avantage à réduire le recours à ce mode d'imposition. Évidemment, il ne s'agit pas d'abolir l'impôt sur le revenu, mais d'en réduire modestement sa portée, avec un effet neutre sur les équilibres financiers du gouvernement.

LES PERSPECTIVES

Comme en témoignent de nombreux travaux effectués dans les pays développés sur les répercussions économiques des divers modes d'imposition, diminuer les impôts sur le revenu dans le cadre d'une réforme neutre sur les recettes fiscales, en compensant par une augmentation des taxes à la consommation, aura un effet positif sur la croissance économique.

Le changement de structure fiscale procure un gain d'efficacité économique.

Évidemment, aucune réforme, même ayant des objectifs de croissance économique, ne devrait affecter négativement les plus démunis. Dans cette perspective, une augmentation de la TVQ doit être jumelée à une bonification du crédit d'impôt pour la solidarité. D'autres mesures profiteraient également aux ménages aux revenus les plus modestes, comme la majoration du montant personnel de base, la réduction significative des taux des premières tranches d'imposition ou l'élargissement de la base d'imposition par l'élimination de mesures fiscales préférentielles.

Enfin, telle que conçue, la réforme proposée non seulement aura des effets positifs sur l'économie québécoise, mais préservera la distribution des revenus équitable que l'on observe au Québec. Comme

Aucune réforme, même ayant des objectifs de croissance économique, ne devrait affecter négativement les plus démunis.

la croissance économique attendue dans la prochaine décennie sera plus modeste, le Québec doit faire preuve de leadership fiscal, et la réforme rend cela possible. ◊

Notes et sources, p. 284

Générations

FINANCES PUBLIQUES : SI LES JEUNES ÉTAIENT AU POUVOIR

À quoi ressemblerait le budget du Québec s'il était préparé par des jeunes ?
Les auteurs du tout premier indice d'équité entre les générations
se sont prêtés à l'exercice. Voici les mesures qu'ils mettraient en œuvre
pour « se rendre en 2031 sans faire faillite ».

JONATHAN TRUDEL
Reporter au magazine *L'actualité*,
dans lequel ce texte a été publié en 2015

Réinstaurer des péages sur les autoroutes, donner plus de pouvoirs aux « superinfirmières », taxer davantage les riches, augmenter la TVQ, utiliser des logiciels libres dans la fonction publique, révolutionner l'éducation en ligne...

S'ils étaient au pouvoir, les jeunes auteurs de l'indice québécois d'équité entre les générations n'hésiteraient pas à bousculer la population !

Publié dans les pages de *L'actualité* l'an dernier, ce nouvel indice révélait, à la (grande) surprise de bon nombre de personnes, que le niveau de vie des jeunes Québécois avait progressé au cours du dernier quart de siècle. Que les baby-boomers, contrairement aux idées reçues, n'étaient finalement pas « partis avec la caisse »... Mais cette étude indiquait aussi un amoncellement de nuages à l'horizon, causé en partie par le vieillissement accéléré de la population, et qui risque de mettre en péril tous ces gains.

« On nous a souvent demandé quelles étaient nos pistes de solutions et si notre indice aurait une suite », dit Christian Bélair, coauteur de l'indice. « C'est en réponse à ces questions qu'on a eu l'idée de créer notre propre budget du Québec. »

Christian Bélair et son complice Alexis Gagné, cocréateur de l'indice d'équité et du tout nouvel Institut des générations, se sont associés à trois jeunes femmes d'horizons politiques et idéologiques divers : Isabelle Fontaine, ex-présidente des jeunes péquistes, Maripier Isabelle, ex-présidente des jeunes libéraux, et Laura O'Laughlin, une économiste d'origine américaine (voir l'encadré à la page 167).

Le quintette ne cherche pas à devenir un porte-étendard des jeunes. Ses membres visent l'équité entre toutes les générations, insistent-ils. Et leurs mesures pour rééquilibrer le budget du Québec préparent l'avenir !

Pour guider leurs choix, ils se sont imposé une seule règle : les mesures retenues devaient faire l'unanimité au sein du petit groupe.

Les premiers débats ont été pour le moins houleux. « On était certains qu'on n'arriverait jamais à s'entendre, dit Alexis Gagné. Puis, au fil des discussions, les différends se sont aplanis. « Quand tu mets de côté la partisanerie, c'est étonnant comme ça fonctionne bien ! »

Les cinq membres partagent tous l'objectif d'assainir les finances publiques. Mais ils se montrent très critiques à l'égard du gouvernement Couillard et de la vague de compressions qui déferle sur le Québec depuis un an. « On ne devrait pas viser l'équilibre budgétaire à tout prix dès cette année, mais à long terme, dit Alexis Gagné. Il faut voir plus loin ! »

Ses jeunes collègues et lui ont les yeux rivés sur... l'année 2031. C'est à ce moment que les effets du vieillissement de la population se feront le plus sentir. La proportion de travailleurs actifs (qui paient le plus d'impôts) atteindra un creux historique alors même que le système de santé sera sous pression en raison d'un nombre record de personnes âgées de 75 ans et plus. « Le plan du gouvernement devrait être d'arriver en 2031 sans faire faillite », résume Alexis Gagné.

S'ils étaient au pouvoir, les jeunes bifferaient d'emblée l'une des mesures phares du gouvernement : la hausse des frais de garderie pour les parents de la classe moyenne. « C'est une mesure myope qui pourrait avoir un effet sur le taux de participation des femmes et, dans une moindre mesure, des hommes au marché du travail, dit Alexis Gagné. Ça brise aussi un pacte des générations, parce que les services de garde à faible coût sont l'un des rares services utilisés par les jeunes parents en compensation des impôts qu'ils paient. »

Les apprentis ministres des Finances annuleraient aussi le gel annoncé des salaires des employés de la fonction publique. En s'appuyant sur des chiffres de l'Institut de la statistique du Québec, ils évaluent que ces derniers sont déjà

LES AUTEURS DU BUDGET DES JEUNES

Alexis Gagné, analyste stratégique à la Fondation Lucie et André Chagnon

Christian Bélair, président de Credo, associé principal d'IS&B Économie simplifiée, ex-président du Regroupement des jeunes chambres de commerce du Québec

Maripier Isabelle, candidate au doctorat en économie à l'Université de Toronto, ex-présidente de la Commission-Jeunesse du Parti libéral du Québec

Laura O'Laughlin, économiste principale au cabinet de consultation en économie Groupe d'analyse

Isabelle Fontaine, vice-présidente de Ryan Affaires publiques, ex-présidente du Comité national des jeunes du Parti québécois payés à leur juste valeur ou sous-payés, quand on les compare aux syndiqués du secteur privé. Ils craignent en outre que Québec peine à recruter et à conserver des employés talentueux et innovateurs pour mener à bien la réforme de l'État si on continue à sabrer dans leur rémunération.

évalue les répercussions de l'activité économique sur l'environnement et sur l'épuisement des ressources naturelles. S'ils étaient au pouvoir, les jeunes le feraient!

Leur démarche montre également qu'il y a d'autres outils pour assainir les finances publiques. Ils proposent ainsi de

« Le plan du gouvernement devrait être d'arriver en 2031 sans faire faillite. »

L'équipe a basé ses calculs sur les chiffres présentés par le gouvernement libéral lors de sa mise à jour économique, en décembre 2014. Plutôt que de reprendre ligne par ligne l'ensemble du budget québécois, ses membres proposent 26 mesures, regroupées sous quatre grands thèmes. Elles généreraient des économies et des hausses de revenus totalisant d'ici quatre ans environ 5 milliards de dollars (sur un budget de près de 100 milliards), ce qui réduirait la pression qu'entraîne le vieillissement de la population.

Certaines mesures auraient un effet immédiat et facilement chiffrable (les péages sur les autoroutes et la hausse de la TVQ, par exemple). D'autres auraient un effet neutre ou minime sur le budget, mais insuffleraient une dose d'idéalisme dans la gestion des affaires de l'État: trouver un indicateur autre que le seul produit intérieur brut (PIB) pour mesurer la richesse du Québec, par exemple. Les environnementalistes réclament depuis longtemps qu'on

mettre fin à la possibilité pour les médecins d'exercer en société (de «s'incorporer»), cadeau qui leur a été accordé en 2007 et qui leur permet de payer moins d'impôt. Cette mesure générerait à elle seule des gains de 170 millions de dollars – soit les deux tiers des sommes que compte récupérer le ministre de la Santé, Gaétan Barrette, avec sa fusion controversée des établissements de santé du Québec.

Tout comme ils l'ont fait lorsqu'ils ont élaboré l'indice d'équité, Alexis Gagné et ses collègues ont convié un comité de «sages» à valider leurs choix. Réunis au centre-ville en décembre 2014, leurs invités les ont soumis à un véritable barrage: questions, commentaires et critiques, parfois virulents, ont fusé.

L'économiste Marcelin Joanis, de Polytechnique Montréal, s'est ainsi inscrit en faux contre l'idée d'augmenter de 1% la taxe de vente du Québec (TVQ), une des principales mesures fiscales prônées par les jeunes. «Vous plaidez pour l'équité entre les générations, mais une taxe est un instrument régressif. Je ne peux pas accepter ça », dit-il.

François Vaillancourt, du Département de sciences économiques de l'Université de Montréal, s'est élevé contre l'idée de réduire de moitié le plafond de cotisation aux régimes enregistrés d'épargne retraite (REER). « Pourquoi réduire l'incitation à l'épargne ? a-t-il demandé. Vous n'allez qu'accentuer l'inéquité entre les travail-

de vos grands-parents et que vous voulez les "catiner" un peu, mais il faut faire attention de ne pas discriminer les jeunes, a lancé ce professeur émérite à l'Université du Québec à Montréal. Ce serait injuste de donner une prime aux travailleurs de 60 ans et rien à ceux de 40 ans. »

L'ex-ministre péquiste Louise Harel s'est dite étonnée qu'aucune proposition ne vise à contrer les paradis fiscaux. Ce à quoi Alexis Gagné et Pierre Fortin ont répliqué

S'ils étaient au pouvoir, les jeunes bifferaient d'emblée l'une des mesures phares du gouvernement : la hausse des frais de garderie pour les parents de la classe moyenne.

leurs salariés qui ont un régime de retraite et les autres ! » Isabelle Fontaine a rétorqué que seule une petite minorité de bien nantis ont les moyens de verser 25 000 $ par an dans un REER...

L'économiste Pierre Fortin a critiqué avec humour les mesures fiscales visant à encourager les « aînés » de 60 ans et plus (comme lui) à continuer de travailler. « Je comprends que vous aimez la génération

que le Québec a bien peu d'emprise sur ce problème d'envergure mondiale.

Enfin, malgré certaines réserves, les « sages » ont unanimement applaudi l'initiative des jeunes. « On ne peut pas tous être d'accord sur tout, mais je salue votre travail, a dit le coloré Réjean Parent, ancien président de la Centrale des syndicats du Québec. Ça a le mérite de lancer le débat. »

LE BUDGET DES JEUNES

Voici comment le budget actuel du Québec, de 100 milliards de dollars, serait modifié.

Impact budgétaire
dans cinq ans (année 2019-2020)
M: million   **G**: milliard

THÈME 1: FISCALITÉ ET GOUVERNEMENT OUVERT

1.	Viser 1 % de surplus budgétaire	—
2.	Créer un «gouvernement ouvert»	- 10 M$
3.	Vive la déclaration de revenus unique!	+ 430 M$
4.	Embaucher un «shérif» du budget	0 $
5.	Hausser la TVQ de 1 %	+ 1,98 G$
6.	Baisser de 50 % le plafond de cotisation au REER	+ 340 M$
7.	Hausser l'impôt des riches	+ 110 M$
8.	Miser sur les logiciels libres	+ 210 M$

THÈME 2: MARCHÉ DU TRAVAIL

9.	Offrir un crédit d'impôt aux travailleurs de 60 à 64 ans	- 160 M$
10.	Inciter les employeurs à embaucher des «vieux»	- 230 M$
11.	Hausser l'âge pour toucher la RRQ	0 $
12.	Contrer l'âgisme	0 $
Revenus fiscaux additionnels générés par les mesures 9 à 12		+ 390M$
13.	Favoriser les horaires flexibles et le télétravail dans la fonction publique	0 $

THÈME 3: ENVIRONNEMENT

14.	Instaurer un péage au kilomètre sur les autoroutes	+ 500 M$
15.	Mieux mesurer la croissance (et ses effets sur l'environnement)	0 $
16.	Abolir le programme Roulez électrique	+ 70 M$
17.	Efficacité énergétique: vive les compteurs intelligents!	0 $
18.	Investir dans l'exploitation des ressources naturelles	0 $

THÈME 4: SANTÉ ET ÉDUCATION

19.	Créer une «épargne-santé»	variable*
20.	Créer une commission permanente d'innovation en santé	+ 1,5 G$
21.	Miser sur les «superinfirmières»	+ 400 M$
22.	Accroître le nombre de sages-femmes	+ 10 M$
23.	Mettre fin à l'exercice en société des médecins	+ 170 M$
24.	Taxer les boissons sucrées	+ 220 M$
25.	Augmenter le nombre d'élèves par classe en milieu non défavorisé	+ 400 M$
26.	Révolutionner l'éducation en ligne	+ 150 M$

AUTRES MESURES

Annulation du gel des salaires dans la fonction publique	- 790 M$
Annulation de la hausse des tarifs de garde	- 220 M$

REVENUS ADDITIONNELS GÉNÉRÉS	2,99 G$
ÉCONOMIES RÉALISÉES	2,49 G$

SURPLUS TOTAL SELON LE BUDGET DES JEUNES	+ 5,48 G$

* Les sommes versées dépendent de la taille du surplus généré chaque année.

THÈME 1 : FISCALITÉ ET GOUVERNEMENT OUVERT

1. Viser 1 % de surplus budgétaire

Remplacer la loi sur le «déficit zéro» par une autre, inspirée de la Suède, obligeant le gouvernement à dégager un surplus budgétaire. Ce surplus serait fixé, en moyenne, à 1% du PIB sur un cycle économique de sept ans. Une telle loi permettrait à l'État d'augmenter ses dépenses quand l'économie se détériore (ce qui causerait normalement un déficit) afin de stimuler les dépenses de consommation. En revanche, il devrait engranger des surplus quand l'économie se porte mieux. «Ce serait plus logique d'un point de vue économique, et ça éviterait d'alourdir le fardeau de la dette dont hériteront les jeunes», explique Maripier Isabelle.

2. Créer un «gouvernement ouvert»

Faire du gouvernement québécois un exemple de transparence en rendant publiques toutes les données liées aux programmes qu'il administre. L'information deviendrait publique par défaut. Le fardeau de la preuve serait inversé : ce serait à l'État de justifier une demande de confidentialité pour certains chiffres. Selon les jeunes, une telle transparence permettrait entre autres de lutter contre la corruption.

3. Vive la déclaration de revenus unique !

Confier à Revenu Québec la perception des impôts du Québec et du Canada. Mettre fin aux doublons dans les ressources à Québec et à Ottawa engendrerait des économies de 400 millions et allégerait le fardeau bureaucratique des contribuables et des entreprises du Québec, écrivent les jeunes.

Québec perçoit déjà la taxe de vente fédérale (TPS) en vertu d'une entente signée entre les ex-premiers ministres Brian Mulroney et Robert Bourassa, note l'un des «sages» consultés, François Vaillancourt. «Ottawa verse une compensation à Québec et ça marche ; on pourrait appliquer le même modèle», dit-il. Ce ne serait pas une première : les länder allemands et les cantons suisses perçoivent aussi les impôts fédéraux.

4. Embaucher un « shérif » du budget

L'histoire se répète avec chaque changement de gouvernement à Québec : la nouvelle équipe accuse ses prédécesseurs d'avoir trafiqué les chiffres du budget... Pour éviter que cela ne se reproduise, les jeunes imiteraient Ottawa et Washington et créeraient un poste de directeur du budget de l'Assemblée nationale. Appuyé par une vingtaine de fonctionnaires, cet expert indépendant serait chargé de présenter les «vrais» chiffres sur l'état des finances publiques aux parlementaires et à la population.

5. Hausser la TVQ de 1 %

En augmentant la taxe de vente de 1%, le gouvernement ajouterait deux milliards de dollars par année dans ses coffres. En plus de diminuer le déficit et d'aider à préserver les services publics, une telle taxe serait plus équitable envers les jeunes, dit Alexis Gagné. «Les jeunes travaillent presque tous, ils paient plus d'impôt sur le revenu, alors que les retraités travaillent peu ou pas. » Quant aux plus démunis, ils ont déjà droit à des crédits d'impôt.

6. Baisser de 50 % le plafond de cotisation au REER

L'État épargnerait annuellement 300 millions en abaissant de moitié, soit à 12 500 $, le plafond de cotisation à un régime enregistré d'épargne-retraite. « Peu de gens versent annuellement le maximum permis dans leur REER », dit Isabelle Fontaine. De telles mesures incitatives ont un « effet minime » sur les sommes épargnées pour la

8. Miser sur les logiciels libres

À l'échéance des contrats avec Microsoft (éditeur des populaires logiciels Word, Excel et PowerPoint), tous les employés de la fonction publique migreraient vers des logiciels libres, « qui ont fait de grands bonds sur le plan de la qualité dans les dernières années », précisent les jeunes. Les contribuables épargneraient des dizaines de millions de dollars par an en droits d'utilisation.

THÈME 2 : MARCHÉ DU TRAVAIL
Le choc démographique frappe le Québec, où la taille de la population âgée de 15 à

Le choc démographique frappe le Québec, où la taille de la population âgée de 15 à 64 ans a commencé à diminuer en 2014.

retraite et ne font que diminuer l'impôt payé par les contribuables à revenus élevés, écrivent les jeunes.

7. Hausser l'impôt des riches
Québec irait chercher près de 200 millions par année en créant un nouveau palier d'imposition pour les revenus supérieurs à 200 000 $. Le taux marginal d'imposition de ce palier serait de 28 %, une hausse de 2,25 %. Si on tient compte de l'impôt fédéral, le taux marginal atteindrait 52,25 %.

64 ans a commencé à diminuer en 2014. Quatre des mesures suivantes visent à augmenter le taux d'emploi des personnes âgées. Si le taux d'emploi des Québécois de 60 ans et plus atteignait celui de l'Ontario, 76 000 travailleurs de plus feraient tourner l'économie.

9. Offrir un crédit d'impôt aux travailleurs de 60 à 64 ans
Un tel crédit existe déjà pour les travailleurs de 65 ans et plus.

10. Inciter les employeurs à embaucher des « vieux »

Crédit d'impôt de 600 $ par travailleur.

11. Augmenter l'âge requis pour toucher la rente de la RRQ

L'âge normal pour obtenir sa rente de la Régie des rentes du Québec passerait graduellement de 65 ans à 67 ans, comme c'est déjà le cas pour toucher la pension de la Sécurité de la vieillesse du fédéral.

12. Contrer l'âgisme

Créer une direction de la protection et de la promotion des droits des personnes âgées. Intégrée à la Commission des droits de la personne et des droits de la jeunesse, cette direction se concentrerait sur les cas de discrimination fondée sur l'âge dans le marché du travail.

13. Favoriser les horaires flexibles et le télétravail dans la fonction publique

Le but : attirer et garder des gens de talent en venant d'abord en aide aux jeunes parents, aux aidants et aux personnes âgées.

THÈME 3 : ENVIRONNEMENT

14. Instaurer un péage au kilomètre sur les autoroutes

Les péages ont disparu il y a déjà plus de 30 ans. S'il n'en tenait qu'aux jeunes, ils reviendraient en force sur tous les grands axes routiers du Québec (ceux dont le débit dépasse 10 000 passages par jour). Pas seulement sur les grands ponts, mais aussi sur les autoroutes 15, 20, 40... Les automobilistes paieraient en fonction du kilométrage parcouru, grâce à des bornes intelligentes, et les tarifs varieraient selon les heures et le type de véhicule. L'État engrangerait, à terme, jusqu'à 1,5 milliard de dollars par an.

15. Mieux mesurer la croissance (et ses effets sur l'environnement)

Le PIB, l'outil le plus utilisé pour mesurer la richesse d'une société, comporte de graves lacunes, déplorent les jeunes. Sans pour autant le bannir, ils doteraient le Québec d'un tout nouvel indicateur de croissance qui tiendrait compte, entre autres, de la dégradation de l'environnement, de l'épuisement des ressources naturelles et de la distribution de la richesse. Créer une aire protégée pourrait ainsi accroître la richesse!

16. Abolir le programme Roulez électrique

Malgré les généreux crédits d'impôt consentis pour l'achat de véhicules électriques, ceux-ci restent très chers. «Les voitures électriques sont encore des biens de luxe, et ce serait plus rentable d'utiliser l'argent de l'État pour soutenir le développement des technologies vertes», dit Isabelle Fontaine.

17. Efficacité énergétique: vive les compteurs intelligents!

Informer, en temps réel, les abonnés d'Hydro-Québec sur leur consommation d'électricité et le degré d'utilisation du réseau. «Il est temps de limiter la consommation d'énergie au Québec plutôt que de construire 25 autres barrages comme La Romaine dans le Nord», dit Maripier Isabelle. Si elle était ministre de l'Énergie, elle augmenterait les tarifs aux heures de pointe et les diminuerait aux heures creuses, pour inciter les gens à consommer quand la demande est faible. L'énergie économisée pourrait en outre être exportée. Idéalement, les compteurs dits intelligents installés par Hydro-Québec seraient adaptés pour communiquer avec les appareils domestiques et ainsi réduire automatiquement la consommation d'énergie aux heures de pointe.

18. Investir dans l'exploitation des ressources naturelles

En échange du droit d'exploiter une mine ou des ressources pétrolières ou gazières accordé à des sociétés, l'État se réserverait celui de participer aux projets en y investissant jusqu'à hauteur de 35%.

THÈME 4: SANTÉ ET ÉDUCATION
19. Créer une «épargne-santé»

Dès l'atteinte de l'équilibre budgétaire, les jeunes voudraient que l'État investisse deux milliards de dollars par année dans un fonds de réserve en vue du choc... de 2031. C'est à ce moment que le «ratio de dépendance» (le nombre de jeunes de moins de 19 ans et de personnes âgées par rapport à la population active) atteindra son sommet, de même que les dépenses en santé.

«Les gens doivent se rendre compte qu'on fonce droit vers un mur, dit Alexis Gagné. Si le gouvernement arrive à éliminer le déficit et même à enregistrer un surplus l'an prochain, on risque de se dire: wow, on a plein d'argent! C'est faux, à cause des coûts de santé qui vont bientôt exploser.»

20. Créer une commission permanente d'innovation en santé

Si la tendance se maintient, les soins de santé absorberont plus de 70% du budget du Québec en 2031. Pour empêcher la cannibalisation des autres missions de l'État, les jeunes créeraient une commission permanente d'innovation en santé. Dotée d'un budget annuel de 20 millions de dollars, cette commission partirait à la chasse au « gaspillage » en santé (surdiagnostic, surfacturation, etc.), évalué à 2,5 milliards de dollars par l'Association québécoise d'établissements de santé et de services sociaux.

21. Miser sur les « superinfirmières »

Le Québec ne compte que 250 infirmières praticiennes spécialisées. C'est 10 fois moins qu'en Ontario, où elles jouent un rôle prépondérant en première ligne. Les jeunes réduiraient les obstacles qui empêchent leur déploiement à grande échelle et leur confieraient des responsabilités plus importantes. Cette mesure libérerait des médecins, déjà surchargés, améliorerait l'accès aux soins et ferait épargner, à terme, 400 millions de dollars par an à l'État.

22. Accroître le nombre de sages-femmes

Tripler le nombre de grossesses prises en charge par les sages-femmes éviterait de coûteuses hospitalisations, car la plupart des patientes des sages-femmes accouchent dans une maison de naissance. Selon un sondage, le quart des futures mères souhaiteraient être suivies par des sages-femmes, mais seulement 2 % accouchent sous leurs soins (contre 7 % en Ontario).

23. Mettre fin à l'exercice en société des médecins

En 2007, les lois fiscales ont été modifiées pour permettre aux médecins d'exercer en société, c'est-à-dire de « s'incorporer ». Sur les 19 000 médecins actifs que compte le Québec, 10 000 ont depuis choisi de le faire, ce qui leur permet de déduire de nombreux frais et de réduire leurs impôts à long terme. Les fédérations de médecins évaluent cet avantage fiscal à plusieurs milliers de dollars par année par professionnel. Or, les médecins ne sont pas des travailleurs autonomes comme les autres : ils ont un seul client (la Régie de l'assurance maladie du Québec) et ils ne prennent pas de risques en affaires. Les jeunes mettraient fin à cette mesure, qui prive l'État de 170 millions de dollars par an.

24. Taxer les boissons sucrées

Imposer une taxe d'un cent par tranche de 30 ml de boisson sucrée rapporterait 280 millions de dollars par année. Mais cela découragerait aussi des « choix alimentaires malsains » et aiderait, à long terme, à contenir les dépenses dans le système de santé, notent les jeunes.

25. Augmenter le nombre d'élèves par classe en milieu non défavorisé

Même si l'augmentation du nombre d'élèves par classe au primaire et au secondaire décrétée par le gouvernement Couillard est vivement contestée par les syndicats d'enseignants, les jeunes adopteraient une mesure semblable. Mais seulement dans les écoles non défavorisées. « La recherche montre que la taille des classes a peu d'effet sur le taux de réussite des élèves, surtout dans les milieux non défavorisés », observe Alexis Gagné. Ses collègues et lui investiraient une partie des sommes épargnées (400 millions) dans le soutien aux élèves en difficulté.

26. Révolutionner l'éducation en ligne

Permettre aux élèves du secondaire et aux étudiants des cégeps et des universités de suivre jusqu'à 20 % de leurs cours en ligne. Investir dans les nouvelles technologies permettrait aux établissements d'enseignement d'offrir des cours de qualité sur Internet... et de générer des économies de 150 millions de dollars par an, estiment les jeunes. ◊

Recherche scientifique

12

MARYSE LASSONDE LOUISE POISSANT Dr RENALDO BATTISTA

ENTREVUE

NOURRIR LA CULTURE SCIENTIFIQUE

La science est un maillon essentiel à la compréhension du monde, mais nous ne sommes pas encore tous égaux devant le savoir. Seule une minorité de jeunes Québécois vibre à l'idée de devenir le prochain Einstein, et les femmes tirent toujours de l'arrière dans les carrières en science. Sans compter qu'avec Internet, n'importe qui peut maintenant s'approprier n'importe quel contenu, qu'il soit validé en laboratoire ou non!

Voilà quelques-uns des enjeux qui préoccupent les directeurs scientifiques des trois Fonds de recherche du Québec: Maryse Lassonde, Fonds de recherche du Québec — Nature et technologies; Louise Poissant, Fonds de recherche du Québec — Société et culture; et le Dr Renaldo Battista, Fonds de recherche du Québec — Santé.

Dans cette entrevue exclusive, ils partagent leur vision des défis à relever pour enraciner une véritable culture scientifique chez les Québécois.

PROPOS RECUEILLIS PAR ANNICK POITRAS,
journaliste indépendante et directrice de *L'état du Québec 2016*

Photos: Fonds de recherche du Québec

ESTIMEZ-VOUS QUE LES QUÉBÉCOIS ONT UNE BONNE CULTURE SCIENTIFIQUE ?

Maryse Lassonde — Oui, en général, mais des études démontrent que les jeunes se désintéressent des sciences entre le primaire et le secondaire. Et depuis cinq ans, on remarque une baisse de 7 % des étudiants inscrits à la maîtrise et au doctorat en sciences naturelles et en génie au Québec et au Canada[1]. C'est inquiétant.

Renaldo Battista — Développer une culture scientifique, particulièrement chez les jeunes, est un défi intéressant à relever. Il est capital de réfléchir avec les enseignants à ce qui peut être amélioré dans l'enseignement des sciences. Un récent rapport de la Chaire de recherche sur l'intérêt des jeunes à l'égard des sciences et de la technologie (CRIJEST)[2] indique que les jeunes apprennent mieux quand ils sont impliqués concrètement par le raisonnement ou l'expérimentation, loin du « par cœur » et des formules… L'adolescence, c'est l'époque de la vie où les gens sont ouverts à la nouveauté et à l'innovation. Ils deviennent aussi conscients des grandes questions planétaires: l'environnement, la faim dans le monde, les iniquités sociales, la gouvernance… Ils doivent prendre conscience du fait que la science et la technologie sont des instruments importants pour trouver des solutions. Qui ne souhaiterait pas travailler sur la voiture électrique ou en robotique, par exemple?

Louise Poissant — En effet, dans ce même rapport, on indique que plus de 75 % des élèves québécois croient que la science est utile au quotidien et qu'il y a un intérêt à étudier la science, bien que seulement la moitié envisagent de poursuivre des études dans des domaines scientifiques. Les jeunes doivent se sentir investis comme des éléments de la solution pour l'avenir de la planète, qui les préoccupe beaucoup. Je pense que nos efforts doivent beaucoup passer par la vulgarisation scientifique. Par exemple, je connais un professeur de chimie qui, au premier cours, amène ses étudiants dans une quincaillerie et leur dit: « Dans mon cours, vous allez étudier tout ce dont ces matériaux-là sont faits… » C'est simple, mais ça permet d'incarner la chimie, qui est l'une des matières les moins populaires auprès des élèves.

EST-CE QUE LE FAIT D'AVOIR DES MODÈLES EST IMPORTANT POUR DÉVELOPPER UNE CULTURE SCIENTIFIQUE CHEZ LES JEUNES ?

Maryse Lassonde — Oui, et justement, il n'y en a pas suffisamment. À la télévision, des émissions grand public mettent en vedette des médecins et des enseignants, entre autres, mais on voit peu de scientifiques. Alors qu'une carrière en sciences ou comme chercheur peut être vraiment passionnante !

Renaldo Battista — Outre l'astronaute Julie Payette, qui a un parcours exceptionnel et pour qui les jeunes filles sont pleines d'admiration, on a une constellation de « chercheurs étoiles » au Québec qui devraient avoir plus de visibilité dans le cadre d'une stratégie de communication avec les jeunes. Beaucoup de scientifiques ont aussi des histoires exceptionnelles à raconter et il faut les mobiliser. Julie Payette s'adressait aux jeunes en direct de l'espace, pourquoi on ne ferait pas la même chose avec un chercheur en génomique dans son laboratoire, par exemple?

Y A-T-IL UN TRAVAIL PARTICULIER À FAIRE AUPRÈS DES FILLES ET DES FEMMES?

Maryse Lassonde – De toute évidence, oui. Et c'est le cas presque partout dans le monde. Au baccalauréat, on retrouve la même proportion de garçons et de filles. Mais par la suite, à la maîtrise et au doctorat, il y a beaucoup plus d'inscriptions chez les hommes que chez les femmes. C'est ce qu'on appelle l'«effet ciseaux», qui se répercute ensuite dans les carrières universitaires: au Canada, il y a seulement 9% de femmes parmi les professeurs titulaires en génie. Or, on n'est plus dans les années 1970, quand il n'y avait pas de femmes à l'université! En 2015, c'est totalement anormal. Au Québec, on nage dans les mêmes eaux. Cherchez les femmes professeures titulaires à l'École polytechnique, par exemple... Le problème se pose aussi dans le domaine de la santé. Même si les femmes forment 70% des classes de médecine[3], peu vont au doctorat et elles font donc moins de recherche que les hommes. L'une des raisons est peut-être qu'elles s'investissent plus dans la famille et que c'est un frein pour leur carrière.

LES SCIENTIFIQUES ONT-ILS LE RESPECT ET LA CONFIANCE DES QUÉBÉCOIS?

Renaldo Battista – Ces dernières années, il y a eu des controverses très médiatisées qui ont atteint un peu la confiance du public envers les scientifiques. On pense à la controverse autour des vaccins et de l'autisme, à tout le débat sur les OGM (les organismes génétiquement modifiés), aux climatosceptiques, etc. Il faut dire que les gens sont bombardés d'informations souvent contradictoires, en santé, entre autres. Pour nous, les chercheurs, c'est un effet qui fait partie du processus de recherche scientifique. Mais pour la population, ça peut être désarçonnant. D'autant plus qu'avec les médias sociaux les gens peuvent chercher eux-mêmes de l'information sur un tas de sujets et peuvent mettre en doute ce qui leur est communiqué par des spécialistes, notamment les médecins, qui sont de plus en plus remis en question par leurs patients. Il est donc certain que cette circulation de l'information affecte la confiance que les gens peuvent avoir envers les professionnels et les scientifiques.

Maryse Lassonde – Sans compter qu'il y a tellement de contenus de toutes sortes sur Internet! Il faut que les jeunes soient entraînés à discriminer un contenu scientifiquement valide et un contenu qui ne l'est pas. On n'enseigne pas suffisamment la démarche scientifique, et ça, c'est inquiétant.

Louise Poissant – Oui, on est dans une société qui valorise de plus en plus la responsabilisation des individus, le fait qu'ils puissent se prendre en charge et se documenter seuls. Mais sur Internet, il est difficile de démêler le vrai du faux et de distinguer les positions idéologiques des arguments scientifiques. Mais on travaille là-dessus. Le scientifique en chef souhaite que la connaissance financée par les Fonds de recherche du Québec soit diffusée auprès d'un public plus large.

EST-CE QUE NOS DÉCIDEURS ONT UNE BONNE CULTURE SCIENTIFIQUE ?

Louise Poissant — Sensibiliser les députés au travail des chercheurs, c'est un travail d'apostolat ! Car ils sont en général peu au fait de ces réalités, qui peuvent pourtant leur être utiles. Par exemple, savoir que, dans leur région, telle ou telle recherche est menée sur tel enjeu peut leur permettre de faire avancer des dossiers. Ils peuvent ensuite être porteurs de ce dossier.

Maryse Lassonde — En sciences naturelles et en génie, un secteur qui génère beaucoup d'innovation, les ministères ont un grand intérêt pour la recherche et les chercheurs, et ils font beaucoup de partenariats avec eux. On voit qu'il y a un intérêt de la part des décideurs. Je dirais même que les décideurs veulent pouvoir appuyer leurs décisions sur des faits validés par la science. Des ministères nous demandent de les aider, de mener telle ou telle recherche, par exemple sur les produits utilisés en agriculture qui contaminent le lac Saint-Pierre et qui affectent la population de perchaudes.

Renaldo Battista — Dans le domaine de la santé, s'appuyer sur des données probantes pour éclairer les décisions politiques est une pratique bien implantée dans la province. Cette culture évolue depuis la fin des années 1980 au Québec, qui a été la première province canadienne à se doter d'un conseil d'évaluation des technologies de la santé. Ce conseil avait été créé pour synthétiser des informations scientifiques et les présenter à ceux qui prennent des décisions. Ce conseil est aujourd'hui l'Institut national d'excellence en santé et en services sociaux (INESSS), avec qui nous travaillons étroitement.

COMMENT TOUCHER LES ADULTES QUI N'ONT PAS ENCORE ACQUIS UNE CULTURE SCIENTIFIQUE ?

Louise Poissant — Il faut que tout le monde, les jeunes, les adultes, les décideurs, soit exposé aux contenus et aux enjeux scientifiques par le biais des grands médias. Pensons à l'émission *Découverte*, diffusée à une heure de grande écoute, qui est aussi passionnante qu'un film d'aventures et qui obtient des cotes d'écoute remarquables ! C'est fabuleux ! Parce que beaucoup de carrières scientifiques peuvent naître de l'émerveillement. Je serais curieuse de savoir ce qui a incité des scientifiques à se lancer dans cette voie professionnelle. Qu'est-ce qui a été la bougie d'allumage ? Un reportage bien fait sur la maladie d'Alzheimer ? Pourquoi pas ! Il s'agit d'infiltrer les médias populaires, les réseaux sociaux et les YouTube de ce monde avec des contenus accrocheurs.

Maryse Lassonde — Il y a un intérêt de la population pour les questions scientifiques. Les demandes faites aux journalistes en ce sens sont nombreuses, nous dit-on. Pourquoi ne pas en inclure davantage dans les émissions grand public, par exemple démystifier les trois bêtises scientifiques de la semaine ? Remettre en question une idée reçue, une rumeur ou une fausse piste en se basant sur des données scientifiques serait profitable pour tous.

Renaldo Battista — Sur le plan de l'offre médiatique, nous avons du retard. Aux États-Unis, il y a des chaînes de télé spécialisées en sciences et des médias Web gratuits, comme SciShow, qui sont très populaires. Je crois que la clé du succès, c'est toujours d'arrimer ce qui préoccupe les gens avec l'information scientifique. Par exemple, tout le monde s'intéresse à l'automobile. On le voit avec le scandale de Volkswagen. Voilà une occasion de communiquer sur les technologies antipollution, la façon dont on peut construire des voitures plus efficientes, etc.

En conclusion, soulignons qu'on est à une époque où il y a une certaine dose de désabusement par rapport à la société et à l'avenir de la planète, poursuit-il. On peut être porté à basculer du côté sombre en pensant à l'avenir. Il faut donc présenter la science comme l'antidote au désabusement. Parce qu'avec la science il est permis de basculer du côté de l'émerveillement, voire de l'enchantement face à notre monde. Et ça, tant les jeunes que les adultes peuvent le découvrir ! ¶

Notes et sources, p. 284

DES MILLIONS POUR SOUTENIR LA RECHERCHE

Sous la direction du scientifique en chef du Québec, Rémi Quirion, les trois Fonds de recherche du Québec (FRQ) — Nature et technologies, Santé, Société et culture — ont pour mission de promouvoir et de soutenir financièrement la recherche, la mobilisation des connaissances et la formation des chercheurs au Québec. Les Fonds de recherche du Québec octroient chaque année 200 millions de dollars en subventions de recherche et en bourses aux étudiants de maîtrise et de doctorat et à des stagiaires postdoctoraux. Ces fonds publics sont attribués aux étudiants, chercheurs et regroupements de chercheurs par la voie de concours arbitrés par des comités de pairs indépendants qui évaluent les propositions selon des critères d'excellence en recherche. De plus, les FRQ se sont dotés d'une stratégie de mobilisation des connaissances qui vise à ce que les résultats des recherches qu'ils soutiennent soient davantage utilisés dans les ministères, les entreprises, les centres hospitaliers, les écoles et les organismes communautaires.

Source : Fonds de recherche du Québec, www.frq.gouv.qc.ca.

Politique provinciale

LE GOUVERNEMENT COUILLARD TIENT DAVANTAGE SES PROMESSES QUE SES PRÉDÉCESSEURS

Comme Jean Charest en 2003, Philippe Couillard a fait le pari d'assainir les finances publiques rapidement pour mieux relancer l'économie et l'emploi. Pour atteindre son objectif, il dispose de certains atouts qui faisaient défaut à ses prédécesseurs.

FRANÇOIS PÉTRY
Professeur contractuel et directeur par intérim
du Centre d'analyse des politiques publiques, Université Laval

LISA BIRCH
Professeure, collège Champlain-St. Lawrence, et directrice générale
du Centre d'analyse des politiques publiques, Université Laval

JULIE MARTEL
Étudiante à la maîtrise en études internationales, Université Laval

FÉLIX PARENT
Étudiant à la maîtrise en science politique, Université Laval

Aux élections d'avril 2014, le Parti libéral du Québec (PLQ) a présenté ses promesses sous le slogan «Ensemble, on s'occupe des vraies affaires[1]». Pour les libéraux, les «vraies affaires» sont le développement de l'économie et la création d'emplois à long terme. Le slogan prenait le contre-pied de ceux du Parti québécois (PQ), centrés sur la question nationale et la Charte des valeurs. Pour s'assurer d'atteindre ces objectifs, dès son premier budget, le gouvernement Couillard a mis en œuvre un train de mesures destinées à diminuer la taille de l'État et à rationaliser les dépenses publiques, ce qui a pris bien des gens par surprise[2].

Après 18 mois de gouvernement libéral, quel est l'état de réalisation de ses promesses électorales? Et comment ce gouvernement se compare-t-il à ceux qui l'ont précédé, en particulier au gouvernement majoritaire de Jean Charest élu en 2003, qui essaya lui aussi (mais en vain) d'alléger et de restructurer l'État québécois?

DES PROMESSES DÉJÀ À MOITIÉ RÉALISÉES

Selon les données du Polimètre mises à jour le 1er octobre 2015[3], le gouvernement Couillard comptait à cette date 82 promesses réalisées ou en voie de l'être sur 158 (52%), 12 promesses rompues (8%) et 64 promesses en suspens (40%). Depuis le verdict du Polimètre de mars 2015 publié dans *L'état du Québec 2015*, 18 promesses précédemment classées «en suspens» ont été réalisées en tout ou en partie. Il s'agit, entre autres, de l'élimination progressive de la taxe santé à compter de 2017, de la mise en place d'un plan d'action contre l'intimidation, de la création d'un crédit d'impôt remboursable aux personnes âgées pour activités physiques et culturelles et, plus récemment, de l'accord sur le pacte fiscal avec les municipalités visant à augmenter l'autonomie municipale dès 2016.

Cinq autres promesses précédemment en suspens sont maintenant déclarées rompues, notamment le programme de création d'emplois en forêt et l'investissement dans le développement des soins de santé à domicile. Le gouvernement a rompu ces promesses sous prétexte que leur réalisation aurait compromis l'atteinte de l'équilibre budgétaire en 2015-2016 et la réduction du fardeau fiscal des Québécois. Pour cette même raison, d'autres promesses, par exemple étendre l'aide aux devoirs, augmenter la qualité de l'enseignement, introduire un crédit d'impôt pour les proches aidants ou créer 2 000 postes d'infirmières spécialisées, demeurent encore en suspens.

PHILIPPE COUILLARD DEVANCE JEAN CHAREST ET PAULINE MAROIS

L'équipe du Polimètre a colligé les données sur les promesses des gouvernements québécois depuis 2003. Pour les comparer avec celles du gouvernement de Philippe Couillard, le tableau donne le nombre de promesses réalisées en tout ou en partie par chaque gouvernement

après 24 mois de mandat (18 mois pour les gouvernements minoritaires élus en 2007 et en 2012). Ainsi, Jean Charest a rempli 49 promesses pendant les 24 premiers mois de son premier gouvernement, élu en 2003, 54 pendant les 18 mois de son gouvernement minoritaire élu en 2007, et 16 pendant les 24 premiers mois de son troisième gouvernement, élu en 2008. Le gouvernement minoritaire de Pauline Marois, élu en 2012, a de son côté rempli 57 promesses en 18 mois.

Un constat s'impose : avec 82 promesses réalisées en tout ou en partie après 18 mois au pouvoir, le gouvernement de Philippe Couillard se démarque nettement de ses prédécesseurs au même stade d'avancement dans leur mandat. Cette différence mérite cependant d'être expliquée[4]. En effet, si certains obstacles avaient gêné la réalisation des promesses des gouvernements précédents, ce n'est pas le cas pour le gouvernement de Philippe Couillard, qui profite de trois avantages.

Promesses réalisées entièrement ou partiellement dans la première partie du mandat

Gouvernement	Réalisées dans les 24 premiers mois	Total des promesses dans le programme
PLQ 2003 Jean Charest	49	106
PLQ 2007 Jean Charest*	54	98
PLQ 2008 Jean Charest	16	62
PQ 2012 Pauline Marois*	57	113
PLQ 2014 Philippe Couillard*	82	158

* Promesses réalisées après 18 mois

Source: Polimètre.

PREMIER AVANTAGE :
UN GOUVERNEMENT MAJORITAIRE

Contrairement au gouvernement de Pauline Marois élu en 2012 et à celui de Jean Charest élu en 2007, le gouvernement de Philippe Couillard est majoritaire. Ce statut lui évite de dépendre de l'appui de l'opposition pour réaliser ses promesses. Plusieurs promesses du gouvernement minoritaire de Pauline Marois (Charte des valeurs québécoises, interdiction des « écoles passerelles ») n'ont pas été remplies parce qu'elles n'étaient pas semblée nationale en mars 2014, 30 mois avant la date prévue, en octobre 2016.

Réélu à la tête d'un gouvernement minoritaire en 2007, Jean Charest a vite renoncé à des promesses ambitieuses qui n'avaient pas l'appui de l'opposition et a réajusté le tir en s'attelant à des promesses facilement réalisables à court terme, qui reprenaient soit des initiatives déjà en voie de réalisation (redevance sur les hydrocarbures, ouverture de cliniques privées affiliées au réseau public), soit des promesses

> Avec 82 promesses réalisées en tout ou en partie après 18 mois, le gouvernement de Philippe Couillard se démarque de ses prédécesseurs.

appuyées par l'opposition. De plus, un gouvernement minoritaire tombe à la première motion de censure, ou démissionne avant, et a donc moins de temps pour remplir ses promesses qu'un gouvernement majoritaire. En démissionnant pour éviter une motion de censure annoncée, le gouvernement Marois a mis fin à son projet de loi sur les soins en fin de vie, obligeant ainsi le Polimètre à déplacer cette promesse de « en voie de réalisation » à « rompue[5] ». La promesse sur les élections à date fixe, déclarée réalisée après son adoption par l'Assemblée nationale en juin 2013, a aussi été reclassée comme « rompue » après que Pauline Marois a demandé la dissolution de l'As-

de l'opposition (dégel des frais de scolarité, bulletins chiffrés dans les écoles)[6].

DEUXIÈME AVANTAGE :
UNE ÉCONOMIE EN CROISSANCE

Les recherches ont montré les effets négatifs d'une récession économique sur la tenue des promesses des partis au Canada[7] et dans d'autres pays[8]. En règle générale, une récession diminue les ressources budgétaires utilisables par un gouvernement pour remplir ses promesses, en particulier celles dont la réalisation augmenterait les dépenses publiques. Ainsi, le troisième gouvernement Charest, majoritaire, en 2008, a été atteint de plein fouet par une récession qui l'a forcé à renier sa promesse de maintenir l'équilibre budgétaire, et ce, afin de mettre en place un plan de relance économique. Il a aussi augmenté la TVQ et les frais de scolarité universitaires et a introduit la contribution santé, en contradiction avec ce qu'il avait promis. L'effet de la récession sur le gouvernement Charest élu en 2008 se reflète clairement dans le verdict du Polimètre, qui a répertorié seulement 16 promesses tenues en tout ou en partie après 24 mois au pouvoir.

À l'inverse, la croissance économique facilite le respect des promesses en libérant des ressources budgétaires utilisables par le gouvernement. Or, au Québec, la croissance du PIB réel s'est établie à 2 % en 2015, selon les données de la Banque royale[9], contre -1 % en 2009. Jusqu'ici, le gouvernement Couillard a donc été avantagé sur le plan de la croissance économique, au moins par comparaison avec le gouvernement Charest en 2009.

TROISIÈME AVANTAGE : UNE DÉTERMINATION À RESPECTER SON PROGRAMME

Après deux ans au pouvoir, le gouvernement Charest élu en 2003 n'avait réalisé en tout ou en partie que 49 promesses, sensiblement moins que les 82 promesses réalisées en tout ou partie en 18 mois par le gouvernement de Philippe Couillard. Jean Charest était pourtant à la tête d'un gouvernement majoritaire et l'économie était en croissance. Alors, comment expliquer qu'il ait rempli si peu de promesses ? La comparaison avec le gouvernement

Couillard est particulièrement pertinente parce que, comme lui, Jean Charest avait promis en 2003 de « réinventer le rôle de l'État » en vue d'offrir de meilleurs services à moindre coût et de réduire les impôts[10]. Mais le gouvernement Charest n'a pas été très résolu dans la réalisation de ses promesses : il a en grande partie abandonné son projet de restructuration de l'État, ce qui l'a empêché de procéder aux réductions d'impôts promises, dont la réalisation était conditionnelle à la restructuration de l'État[11].

Philippe Couillard a mieux rempli ses promesses en partie parce qu'il bénéficie des leçons de l'expérience manquée de Jean Charest. Son gouvernement a adopté une stratégie différente de mise en œuvre du programme, plus propice à l'atteinte des objectifs fixés : il a entrepris de rééquilibrer le budget très rapidement et a mis en marche 56 promesses relatives à l'économie et à la réinvention de l'État dès les trois premiers mois de son mandat, sans trop se soucier des critiques.

Les compressions budgétaires de Philippe Couillard se heurtent à l'opposition des syndicats de travailleurs, des associations étudiantes et des groupes sociaux, mais cette opposition ne semble pas aussi intense que celle subie par Jean Charest dès 2004. L'insatisfaction du public face aux compressions du gouvernement Couillard est palpable, mais elle n'est pas aussi viscérale que sous le règne Charest. Par exemple, les sondages indiquent que les Québécois ne sont pas défavorables à toutes les mesures de compression budgétaire mises en œuvre par le président du Conseil du Trésor, Martin Coiteux[12].

Enfin, l'absence de stratégie d'opposition concertée entre le Parti québécois et la Coalition Avenir Québec (CAQ) permet aux libéraux d'espérer attirer une partie des électeurs de cette dernière, dont le programme ressemble en plusieurs points à celui du PLQ, tout en laissant au PQ et

EN CONCLUSION

Le gouvernement de Philippe Couillard a rempli plus de promesses que ses prédécesseurs à un stade comparable de leur mandat. La majorité parlementaire sur laquelle il s'appuie et une croissance économique assez soutenue ont facilité la mise en œuvre de la stratégie prévue sans qu'il doive trop se soucier de l'oppo-

> Jusqu'ici, le gouvernement Couillard a été avantagé sur le plan de la croissance économique, au moins par comparaison avec le gouvernement Charest en 2009.

à Québec solidaire le soin de courtiser les autres électeurs. Lors des prochaines élections, en 2018, ces mouvements potentiels au sein de l'électorat pourraient diminuer les dommages causés par l'insatisfaction dans l'opinion publique face aux compressions budgétaires, surtout si les baisses d'impôt promises arrivent avant la fin du mandat du gouvernement Couillard. C'est sans doute l'hypothèse que fait le gouvernement Couillard. Reste à savoir si elle se matérialisera.

sition des groupes sociaux et des syndicats. Surtout, le premier ministre actuel se montre plus résolu que Jean Charest à réaliser son programme de compressions budgétaires et de restructuration de l'État. En outre, le climat politique et social, sans être au beau fixe, lui est apparemment plus favorable qu'il ne l'était à Jean Charest. ◊

Notes et sources, p. 284

LE CONSERVATISME BUDGÉTAIRE : UNE TENDANCE À LA HAUSSE CHEZ NOS PREMIERS MINISTRES

Depuis une quarantaine d'années, les premiers ministres québécois parlent davantage comme des « gardiens du Trésor » public que comme des défenseurs des programmes sociaux : leurs discours du trône reflètent souvent une idéologie de conservatisme budgétaire. Ô surprise : le libéral Philippe Couillard serait le moins conservateur de tous !

LOUIS M. IMBEAU
Professeur, Département de science politique,
Université Laval

ANTHONY WEBER
Doctorant, Département de science politique,
Université Laval

Selon le politologue américain Aaron Wildavsky, qui a été le premier à publier des travaux sur le processus budgétaire[1], et conformément au principe voulant que le fauteuil que l'on occupe dicte la position que l'on défend, les participants au processus budgétaire des États jouent deux rôles principaux. Les *gardiens du Trésor*, à la tête du ministère des Finances ou du Conseil du Trésor, veillent à la position financière du gouvernement en se préoccupant particulièrement du solde budgétaire et de la dette. Les *promoteurs de programmes* sont pour leur part des demandeurs de financement pour les programmes qu'ils supervisent, principalement dans les domaines de la santé et de l'éducation, qui sont sous la gouverne des élus provinciaux au Canada. *Gardiens* ou *dépensiers*, pour reprendre les termes de Wildavsky.

Mais qu'en est-il des premiers ministres québécois? Sont-ils plutôt gardiens ou dépensiers? Les travaux de Wildavsky ne nous donnent aucune piste pour répondre. Pour le savoir, nous avons comparé les discours d'ouverture (autrefois appelés «discours du trône») des premiers ministres pour la période 1971-2015 aux discours du budget des ministres des Finances et aux remarques préliminaires relatives au budget des ministres de l'Éducation et de la Santé. Cette analyse montre que les premiers ministres québécois parlent de plus en plus comme des gardiens du Trésor.

Avant de présenter nos résultats, nous formulons quelques considérations générales sur les discours politiques et leur analyse.

L'ANALYSE DES DISCOURS POLITIQUES

C'est à l'occasion d'une nouvelle session parlementaire que le premier ministre du Québec prononce le discours d'ouverture afin de présenter le programme législatif de son gouvernement. Il vise alors trois publics cibles potentiels: le grand public, les partisans et les proches collaborateurs. Quel message le premier ministre veut-il transmettre? S'adresse-t-il d'abord à un large auditoire pour préparer l'opinion publique à une mesure future ou pour défendre une décision passée? Cible-t-il plutôt ses partisans pour les mobiliser et les fidéliser en montrant, par exemple, en quoi le programme du gouvernement correspond à la plate-forme électorale du parti? Ou vise-t-il plutôt son cabinet et ses collaborateurs pour dicter la ligne de conduite qu'il souhaite les voir suivre? Le plus souvent, le discours d'ouverture s'adresse à ces trois publics en même temps. La tâche de l'analyste consiste à

empiriques montrent que la dichotomie gauche-droite explique en partie les choix budgétaires sous certaines conditions[2], et qu'elle peut être utile pour caractériser le discours[3]. En revanche, lorsqu'il s'agit d'expliquer le déficit ou la dette, les résultats sont paradoxaux: on ne trouve généralement aucune relation significative entre l'orientation idéologique du gouvernement et le solde budgétaire ou la dette; et, lorsqu'on en trouve une, étrangement, c'est la droite qui est systématiquement associée à un déficit plus élevé[4].

Les premiers ministres alignent de plus en plus leur discours sur celui de leur ministre des Finances.

associer les contenus manifestes à des cibles particulières pour ainsi décoder l'objectif poursuivi par le premier ministre.

Mais un discours ne s'analyse pas seulement dans son contenu manifeste. On peut aussi analyser son contenu latent, c'est-à-dire ce qu'il dévoile des valeurs qui inspirent l'orateur. Par exemple, quelle est l'idéologie budgétaire du premier ministre?

L'axe gauche-droite est la dimension idéologique la plus utilisée pour décrire les politiques publiques, la gauche soutenant une plus grande intervention gouvernementale, plus d'impôts et de dépenses publiques, la droite moins. C'est un premier niveau d'analyse pour caractériser la politique budgétaire. Les travaux

Il y a donc une seconde dimension idéologique à prendre en compte pour caractériser la politique budgétaire: l'axe conservatisme-libéralisme. Alors que le conservatisme budgétaire priorise le solde budgétaire du gouvernement au détriment du maintien ou du développement des programmes, le libéralisme budgétaire fait l'inverse. C'est sur ce deuxième axe que nous avons cherché à situer les premiers ministres québécois des 45 dernières années.

MESURER LE CONSERVATISME BUDGÉTAIRE

Nous postulons que la position institutionnelle des ministres d'un cabinet dictera en grande partie le contenu de leur discours. Dans leur rôle de promoteurs de

Indice de conservatisme budgétaire (ICB) des premiers ministres québécois, 1971-2015

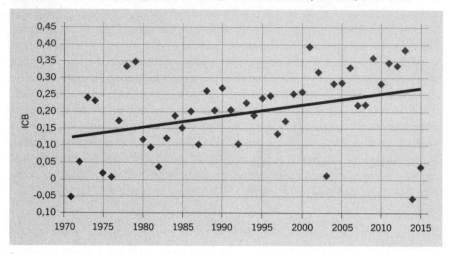

Source: www.poltext.org

programmes, les ministres de l'Éducation et de la Santé, par exemple, insisteront sur le maintien ou l'amélioration de la qualité des services dont ils sont responsables. C'est une posture de libéralisme budgétaire. À l'opposé, le ministre des Finances aura plutôt tendance à insister sur les ressources limitées du gouvernement et sur l'état des finances publiques, une posture de conservatisme budgétaire. La question est donc la suivante : où se situe le premier ministre sur cet axe idéologique ? Plus précisément, le premier ministre parle-t-il plutôt comme son ministre des Finances ou comme ses ministres de l'Éducation et de la Santé ? Nous proposons une réponse fondée sur une analyse automatisée du contenu des discours d'ouverture à l'aide

de la méthode Wordscore (voir l'encadré à la page suivante). Les résultats sont présentés dans le graphique ci-dessus.

BERNARD LANDRY ET PHILIPPE COUILLARD, DEUX OPPOSÉS

Il ressort de notre analyse que tous les scores, sauf deux (Bourassa en 1971 et Couillard en 2014), sont positifs, ce qui montre que, depuis 1971, le vocabulaire utilisé dans le discours d'ouverture de la session parlementaire s'apparente plus souvent à celui du discours du budget qu'à celui des discours des ministres de la Santé ou de l'Éducation. Les premiers ministres québécois manifesteraient donc une idéologie de conservatisme budgétaire dans leur discours.

De plus, à mesure que nous avançons dans la période 1971-2015, les premiers ministres alignent de plus en plus leur discours sur celui de leur ministre des Finances, ce qui indique une tendance à la hausse du conservatisme budgétaire.

Par ailleurs, malgré cette tendance, des différences importantes subsistent d'un premier ministre à l'autre. Le plus conservateur fut Bernard Landry (2001), suivi de Pauline Marois (2012-2013), Jean Charest (2002-2011), Jacques Parizeau (1995), Lucien Bouchard (1996-2000), Robert Bourassa (1986-1994), René Lévesque (1977-1984) et encore Robert Bourassa (1971-1976). Philippe Couillard est le premier ministre qui a manifesté le plus faible degré de conservatisme budgétaire dans son discours, avec un score moyen de - 0,01.

Enfin, une analyse statistique sommaire révèle trois résultats importants concernant l'indice de conservatisme budgétaire (ICB) : l'ICB est significativement plus faible lorsqu'une élection approche (l'indice suit le cycle électoral) ; les premiers ministres du Parti québécois (PQ) manifestent significativement plus de conservatisme budgétaire que ceux du Parti libéral (PLQ), contrairement à ce à quoi on se serait attendu étant donné que le PQ est généralement considéré comme étant à la gauche du PLQ (l'ICB ne correspond pas au cycle partisan) ; il n'y a pas de relation significative entre l'ICB et les périodes de récession au Québec (l'indice ne répond pas au cycle économique).

CONCLUSION

La recherche empirique a largement démontré que les politiques publiques varient en fonction des élections (c'est le cycle électoral) et parfois en fonction de

LA MÉTHODE WORDSCORE

La méthode Wordscore a été élaborée par des politologues européens il y a une quinzaine d'années[1]. Wordscore compare le vocabulaire d'un discours dont on veut établir la position idéologique — ici le discours d'ouverture du premier ministre — avec le vocabulaire de deux discours de référence, chacun représentant les positions extrêmes de l'axe idéologique visé — ici, le discours du budget pour l'extrémité «conservatisme budgétaire» de l'axe, et les remarques préliminaires des ministres de la Santé et de l'Éducation prononcées lors de leur comparution en commission parlementaire pour l'extrémité «libéralisme budgétaire». En attribuant arbitrairement un score de -1 au vocabulaire de la Santé et de l'Éducation et un score de 1 au vocabulaire du discours du budget, Wordscore calcule un indice variant entre -1 et 1 qu'il attribue au discours d'ouverture sur la base du vocabulaire utilisé.

1. Michael Laver, Kenneth Benoit et John Garry, «Extracting Policy Positions from Political Texts Using Words as Data», *American Political Science Review*, vol. 97, n° 2, 2003, p. 311-331.

l'idéologie du parti au pouvoir, les partis de gauche dépensant plus que les partis de droite (c'est le cycle partisan). Cependant, la théorie du cycle partisan a été invalidée dans le cas du solde budgétaire : ce sont en effet les gouvernements de droite qui font systématiquement des déficits, et non les gouvernements de gauche. Nos résultats pour le Québec semblent confirmer ces deux hypothèses.

Mais d'autres résultats sont plus surprenants. Pourquoi, par exemple, notre indice montre-t-il que Philippe Couillard

stratégique – le discours cherche à tromper l'électeur quant à la politique budgétaire réelle ? Il se pourrait, par exemple, qu'un premier ministre manifeste stratégiquement une idéologie de libéralisme budgétaire dans son discours et une idéologie de conservatisme budgétaire dans sa politique budgétaire, pour ainsi tromper l'électeur sur ce qu'il est réellement en train de faire[5].

Finalement, notre mesure ne tient pas compte de la possibilité que la distance idéologique entre les ministres *gardiens*

Ce sont les gouvernements de droite qui font systématiquement des déficits, et non les gouvernements de gauche.

a manifesté l'idéologie budgétaire la moins conservatrice alors qu'il s'est fait l'avocat d'importantes diminutions des dépenses dans sa politique budgétaire, comme Lucien Bouchard l'avait fait avant lui ? Ne faudrait-il pas alors distinguer deux conceptions du discours politique : une conception bienveillante – le discours vise à informer l'électeur sur la politique budgétaire – et une conception

du Trésor et les ministres *promoteurs de programmes* se soit amenuisée au cours des 45 dernières années, comme le suggère la concentration croissante du pouvoir au bureau du premier ministre. Si tel est le cas, il faudrait revoir nos conclusions, ce que ce texte ne nous a pas permis de faire. ◊

Notes et sources, p. 284

Les promesses électorales : souvent de fausses perceptions

FRANÇOIS PÉTRY
Professeur contractuel et directeur par intérim du Centre d'analyse
des politiques publiques, Université Laval

DOMINIC DUVAL
Doctorant, Département de science politique, Université Laval

**Les Québécois jugent-ils correctement si leurs élus tiennent leurs promesses ?
Cela dépend du contenu de la promesse, de son traitement médiatique
et de la capacité de jugement de chaque électeur.**

Ce que pensent les Québécois de la réalisation des engagements pris par leurs dirigeants politiques a longtemps été un mystère. Grâce au Polimètre, une application en ligne qui analyse les promesses des partis politiques québécois et fédéraux (voir p. 201), nous pouvons maintenant poser un diagnostic sur la capacité de la population à jauger si oui ou non ses élus tiennent leurs promesses.

Alors, qu'en est-il ? Ce complément rapporte les résultats d'une enquête en ligne réalisée au lendemain de l'élection québécoise d'avril 2014 par la firme VoxPop auprès de plus de 11 000 Québécois en âge de voter[1]. L'enquête, réalisée pour le compte du Polimètre, demandait aux répondants de déclarer si, à leur avis, le gouvernement minoritaire de Pauline Marois, élu en 2012, avait tenu entièrement ou en partie les six promesses ci-dessous, ou s'il les avait rompues. Les indécis pouvaient aussi déclarer qu'ils ne connaissaient pas la réponse. Les évaluations des répondants ont ensuite été comparées au verdict des experts du Polimètre Marois[2].

SIX PROMESSES :
TENUES OU ROMPUES ?

- Offrir un crédit d'impôt aux familles qui inscrivent leurs enfants à l'apprentissage des arts. Cette promesse a été remplie dans le budget 2013-2014.
- Limiter le don annuel d'un électeur à un parti politique à 100 $. Cette promesse a été réalisée par le projet de loi 2 modifiant la Loi électorale, adopté le 6 décembre 2012.
- Abolir la hausse des frais de scolarité. Cette promesse a été remplie dès l'élection du gouvernement de Pauline Marois, mais avec une nuance (voir plus bas).
- Créer une assurance autonomie afin d'augmenter les services aux aînés en perte d'autonomie. Le projet de loi sur l'assurance autonomie présenté à l'Assemblée nationale par le ministre de la Santé en décembre 2013 n'a pas été adopté. La promesse a donc été rompue.
- Interdire le recours aux écoles passerelles comme moyen d'accéder à l'école publique de langue anglaise. Il n'y a eu aucune action gouvernementale à ce sujet. Cette promesse a donc été rompue.
- Interdire au personnel de l'État le port de symboles religieux ostentatoires. Le projet de loi sur la Charte affirmant les valeurs de laïcité et de neutralité religieuse de l'État présenté à l'Assemblée nationale en novembre 2013 n'a pas été adopté. La promesse est donc rompue.

DE FAUSSES PERCEPTIONS

Les Québécois perçoivent-ils ces promesses comme tenues ou rompues ? Premier constat : l'exactitude des évaluations varie beaucoup. Seulement deux promesses sur six sont évaluées correctement par une majorité de gens : celle de limiter le don annuel à un parti

Limiter les dons (tenue)

% des répondants

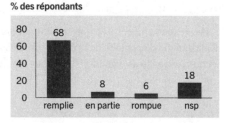

Crédit d'impôt aux familles (tenue)

% des répondants

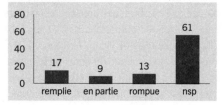

Gel des droits de scolarité (tenue)

% des répondants

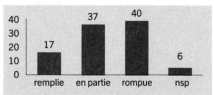

Interdire les symboles religieux (rompue)

% des répondants

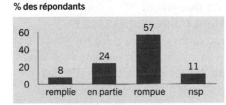

Assurance autonomie (rompue)

% des répondants

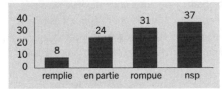

Écoles passerelles (rompue)

% des répondants

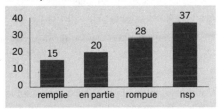

politique, jugée remplie (correctement) par 68 % des répondants, et celle d'interdire les symboles religieux, jugée rompue (correctement) par 57 % des répondants.

Pour les quatre autres promesses, les pourcentages d'évaluation juste sont en dessous de 50 %. Soulignons le faible pourcentage de 17 % pour les promesses visant le

crédit d'impôt aux familles et le gel des droits de scolarité, des sujets pourtant largement débattus dans l'espace public.

LES QUÉBÉCOIS SOUVENT INDÉCIS

Second constat: le nombre de répondants qui s'abstiennent d'évaluer les promesses varie fortement. Alors que seulement 6 % des répondants s'abstiennent de répondre dans le cas du gel des droits de scolarité, ils sont plus hésitants à évaluer les promesses d'interdire les symboles religieux (11 %) et de limiter le don annuel à un parti (18 %). Ils hésitent aussi beaucoup plus quand vient le moment d'évaluer les promesses d'introduire une assurance autonomie et d'interdire les écoles passerelles (37 % dans les deux cas), et d'établir un crédit d'impôt pour l'apprentissage des arts (62 %).

D'ailleurs, les trois promesses que les Québécois hésitent le plus à évaluer (taux d'abstention élevés) donnent lieu à des évaluations incorrectes. À l'opposé, les deux promesses qu'une majorité de Québécois évaluent correctement correspondent à des taux d'abstention faibles. Ce lien s'explique en grande partie par la variation dans la couverture médiatique des promesses. Les promesses sur lesquelles les Québécois n'hésitent pas à se prononcer et qu'ils évaluent correctement ont été sujettes à une couverture médiatique intense pendant et après la campagne électorale de 2012. Par exemple, la promesse d'interdire aux fonctionnaires de porter des symboles religieux ostentatoires a

QU'EST-CE QUI INFLUENCE LA CAPACITÉ DU PUBLIC
À JUGER SI LES PARTIS TIENNENT OU NON LEURS PROMESSES ?

Notre analyse statistique montre que les répondants plus âgés, de sexe masculin, éduqués ou dont la langue maternelle est le français ont mieux évalué le degré de réalisation des promesses du Parti québécois que les répondants jeunes, de sexe féminin, moins éduqués ou dont la langue maternelle n'est pas le français. Une plus grande exposition aux médias est aussi associée à des évaluations plus justes.

En outre, les répondants qui ont une connaissance personnelle des enjeux sur lesquels portent les promesses tendent à donner des réponses correctes plus souvent. Par exemple, les parents d'enfants de 15 ans et moins évaluent mieux la réalisation de la promesse d'offrir un crédit d'impôt aux familles pour l'apprentissage des arts, et les répondants qui ont fait un don à un parti politique dans les cinq dernières années évaluent plus exactement la promesse de limiter les dons aux partis politiques.

Enfin, l'identification partisane des répondants joue aussi un rôle: les répondants qui soutiennent le Parti québécois évaluent plus exactement la réalisation des promesses du gouvernement Marois que ceux qui soutiennent le Parti libéral. Une explication possible est que, dans l'ensemble, les répondants ont une meilleure connaissance des promesses du parti qu'ils soutiennent que de celles des partis qu'ils n'appuient pas.

occupé le devant de là scène politique pendant une bonne partie du mandat de Pauline Marois, comme celle de limiter les dons aux candidats. Ces deux promesses ont été évaluées correctement par une majorité de Québécois.

À ce propos, le fait que seulement 17 % des Québécois évaluent correctement la promesse de geler les droits de scolarité est une anomalie. En effet, cette promesse a été l'objet d'une couverture médiatique importante.

L'anomalie reflète la confusion entourant le verbe *geler*, que le public tend à interpréter de manière littérale, alors que dans l'esprit du Parti québécois, le gel peut s'accompagner d'une augmentation annuelle reflétant l'augmentation du coût de la vie.

À l'inverse, les Québécois hésitent à évaluer et ont tendance à juger incorrectement les promesses qui n'ont pas été au centre des débats publics. C'est le cas de la promesse d'offrir un crédit d'impôt pour l'enseignement des arts aux enfants, sur laquelle pas moins de 61 % des Québécois refusent de se prononcer.

LE STÉRÉOTYPE DU « POLITICIEN MENTEUR »

Troisième constat: les Québécois sous-estiment le degré de réalisation des promesses par rapport au verdict des experts. En moyenne, et en faisant abstraction des abstentions, les répondants déclarent que 29 % des promesses sont rompues, que 20 % sont remplies en partie et que 22 % sont entièrement remplies, alors que selon les experts il y a un nombre égal de promesses rompues et de promesses remplies dans l'échantillon à l'étude. La sous-estimation de la réalisation des promesses des partis correspond à la tendance observée par d'autres chercheurs en Grande-Bretagne, en Suède et en Irlande[3]. Soulignons toutefois que dans deux cas, celui de l'assurance autonomie et celui des écoles passerelles, les répondants évaluent la réali-sation de la promesse de manière plus positive que le verdict des experts.

Les Québécois sont-ils capables de juger si leurs dirigeants élus tiennent leurs promesses? Cette question est au centre du débat sur la gouvernance démocratique: la meilleure façon de s'assurer qu'un parti remplisse les promesses pour lesquelles il a été élu est de surveiller l'adoption de politiques qui coïncident avec ces promesses.

En théorie, cette surveillance donne un levier crédible aux électeurs s'ils souhaitent pénaliser, à l'élection suivante, un parti qui ne tient pas ses promesses. En réalité, les résultats sont plutôt mitigés.

D'un côté, notre analyse montre que les Québécois semblent capables jusqu'à un certain point de juger si leurs dirigeants politiques tiennent leurs promesses. Elle montre aussi que la capacité de jugement des Québécois ne varie pas au hasard; elle dépend du contenu des promesses, de l'intensité de la couverture médiatique dont elles font l'objet et des

QU'EST-CE QUE LE POLIMÈTRE ?

Le Polimètre est une application en ligne hébergée par le Centre d'analyse des politiques publiques de l'Université Laval et qui permet de suivre à la trace les promesses des partis politiques aux élections québécoises et fédérales. La mise à jour est faite chaque mois par une équipe de veille composée de chercheurs, d'assistants et de stagiaires. Les membres de l'équipe sont politiquement indépendants. Le projet est financé par le Fonds de recherche du Québec — Société et culture.

Pour suivre le Polimètre Couillard: www.poltext.org/fr/polimetre-couillard.

caractéristiques individuelles des répondants (voir l'encadré à la page 200).

D'un autre côté, les Québécois font souvent des évaluations incorrectes, démontrent une grande indécision; et plus il y a d'indécision, plus l'évaluation risque d'être incorrecte. Ils sous-estiment plus souvent le niveau de réalisation des promesses que l'inverse.

À l'opposé, les citoyens possèdent rarement l'information et la connaissance des enjeux nécessaires pour établir des distinctions fines sur ce que les partis promettent, et sur le moment auquel une promesse peut être jugée réalisée. Pour cette raison, ils prennent des «raccourcis d'information[4]» pour parvenir à interpréter et à évaluer le

Les Québécois font souvent des évaluations incorrectes, démontrent une grande indécision; et plus il y a d'indécision, plus l'évaluation risque d'être incorrecte.

Ce phénomène révèle la présence d'un stéréotype du «politicien menteur» dans le jugement des Québécois.

À ce propos, il convient de noter que les experts et les citoyens utilisent des critères différents pour juger si les dirigeants politiques tiennent leurs promesses. Les experts concentrent leurs analyses sur un corpus défini d'informations rattachées à des promesses particulières. Cela leur permet d'établir des distinctions précises sur la nature, l'objectif et le niveau de réalisation de chaque promesse.

degré de réalisation des promesses, plutôt que d'employer l'information politique limitée dont ils disposent. Le recours à ces raccourcis d'information permet parfois aux citoyens de juger correctement le niveau de réalisation des promesses des partis, mais pas toujours. Pour tenter de combler cette lacune, le Polimètre cherche à améliorer la qualité de l'information accessible aux citoyens et aux journalistes au sujet des promesses électorales et de leur réalisation telle que diagnostiquée par les experts. ¶

Notes et sources, p. 284

Souveraineté

LA SOUVERAINETÉ EN MIETTES

Au Québec, la baisse de popularité de la souveraineté tient à l'incapacité
des chefs politiques à rassembler des citoyens de diverses obédiences autour
d'un objectif commun, comme cela avait été le cas lors du référendum de 1995.
Vingt ans plus tard, que reste-t-il du rêve d'indépendance?

JEAN-PHILIPPE WARREN
Professeur, Département de sociologie et d'anthropologie,
Université Concordia

La campagne référendaire de 1995 fut avant tout marquée par sa synthèse idéologique originale et par le tour de force de faire communier à un même objectif souverainiste les trois grandes générations d'électeurs francophones d'alors : les Canadiens français qui sont parvenus à la maturité avant la Révolution tranquille, les baby-boomers et les membres de la génération X (nés entre 1960 et 1977). Le triumvirat formé par Jacques Parizeau (le grand bourgeois montréalais né en 1930), Lucien Bouchard (l'avocat né en 1938 dans une famille modeste du Lac-Saint-Jean) et Mario Dumont (le diplômé de Concordia né en 1970 à Saint-Georges-de-Cacouna) illustre cette improbable alliance qui a résulté en un vote final extrêmement serré, le Non arrachant la victoire avec à peine 50,58 % des voix.

Même si moins de 40 % des 55 ans et plus ont voté Oui, il reste que les personnes plus âgées n'ont pas, du point de vue des souverainistes, plombé le résultat référendaire autant qu'en 1980, lorsque le Oui avait été défait avec 40,44 % des voix.

C'était comme si chacune des cohortes y avait trouvé son compte : les altermondialistes votèrent pour un pays écologique, ouvert et pacifiste ; les sociaux-démocrates crurent voir dans le référendum l'aboutissement de la construction de l'État-providence provincial ; tandis que les disciples de Lionel Groulx pensèrent qu'il était temps de prendre leur revanche sur les descendants du général Wolfe. Il y en avait pour tous les goûts, de sorte que l'on pouvait promettre l'indépendance tout en affirmant vouloir conserver le dollar, l'armée et le passeport canadiens[1].

UN GLACIER QUI FOND ET SE FRACTURE

Depuis, la clarté de la démarche souverainiste s'est perdue en chemin, et l'on peine à discerner des éléments de convergence dans le brouillard du discours nationaliste actuel. La gouvernance du Parti québécois (PQ) de 2012 à 2014 et sa dernière campagne électorale en 2014 sont exemplaires à cet égard. Les palinodies abracadabrantes qui ont suivi l'arrivée de ce gouvernement minoritaire – il proposait la laïcité tout en maintenant le crucifix à l'Assemblée nationale, il faisait la promotion de la protection de l'environnement tout en investissant dans le pétrole, il votait une loi sur les élections à date fixe mais décidait de déclencher une élection à la première embellie dans les sondages, etc. – ont eu pour effet que plus personne ne savait où se situait la ligne idéologique d'un parti qui ressemblait de plus en plus à une simple machine à gagner des élections.

Le clou a été enfoncé quand ce parti indépendantiste a invité les électeurs qui crédible, mais plutôt que ses multiples dimensions ne soient plus, comme elles l'ont été fugitivement il y a 20 ans, canalisées dans une même alliance politique, ce qui explique que le Parti québécois peine à reproduire la magie circonstancielle de 1995 dont il avait été l'investigateur (mais non le seul vecteur). Pendant la campagne de 1995, le premier ministre du Québec, le chef du Bloc québécois et celui de l'ADQ entretenaient des rapports de méfiance qui se sont révélés féconds une fois conclue l'«entente du 12 juin» qui prévoyait un an de négociation avec

Il arrive trop souvent que les motifs de faire l'indépendance proposés par les uns représentent une bonne raison pour les autres de s'y opposer.

ne souhaitaient pas de référendum à voter pour lui. Lors d'une conférence de presse, la chef Pauline Marois a été jusqu'à déclarer: «J'ai été très claire sur ça. Je dis: je n'en veux pas, de référendum[2].» Qu'on ne s'étonne pas que certains électeurs qui avaient accordé leurs suffrages au PQ en 2012 aient déserté ce parti deux ans plus tard pour rejoindre la Coalition Avenir Québec (CAQ) (19 %), Québec solidaire (11 %) et, dans une moindre proportion, le Parti libéral (PLQ) (7 %)[3]. Un grand nombre d'électeurs a simplement boudé les urnes.

Le problème, ce n'est pas que la souveraineté ne soit plus en soi un projet le Canada avant de déclarer l'indépendance. C'est, par conséquent, dans la rencontre de mouvements en tension qu'il faut chercher la clé du succès relatif de ce moment historique. On se souviendra en effet que, tout seul, aux élections de 1994, le PQ n'avait pu faire mieux que le PLQ et avait récolté le même nombre de voix, à des poussières près.

La dissolution de l'alliance précaire de 1995 explique qu'il y ait, depuis ce jour, une désaffection par rapport au parti de René Lévesque, qui n'en finit plus de se déchirer autour d'une kyrielle d'enjeux fondamentaux: virage à gauche ou virage à droite, indépendantisme «pur et dur» ou «beau risque», renforcement de la loi 101 ou assouplissement de ses «irritants». Le charisme de René Lévesque a longtemps tenu en bride ces dissensions, puis, après une période houleuse qui s'est soldée par le départ de Pierre Marc Johnson, la saga du lac Meech (1987-1990) a favorisé, comme lors de toute crise, un resserrement des troupes. Depuis le référendum, le PQ ne retrouve plus son équilibre et perd progressivement son emprise, morceau par morceau, comme un glacier qui fond et se fracture. Signe de cette désorientation, en 16 ans, le PQ a perdu 18 % d'appuis – dégringolant de 43 % à 25 % entre 1998 et 2014. Ce déclin est d'autant plus impressionnant que la CAQ, une fois refermée la parenthèse de 2007-2008, n'a pas réussi à s'imposer comme solution de remplacement.

LA POLITIQUE DE LA DIVISION

Plusieurs facteurs explicatifs entrent en ligne de compte. Le combat souverainiste est en bonne partie celui de générations nées entre 1940 et 1980. Les jeunes de 18-34 ans sont désormais plus prompts que leurs aînés à confier qu'ils voteraient contre la souveraineté advenant un référendum. Il y a aussi, comme le notaient Gilles Gagné et Simon Langlois dans leur ouvrage *Les raisons fortes*, que le « groupe porteur » du projet souverainiste, les francophones actifs de moins de 65 ans, ne se sentirait interpellé par la souveraineté que lorsque celle-ci apparaît comme une option réelle, concrète, et non comme une idée hypothétique. Tant que la souverai-

neté est affaire de sondages et de lettres aux journaux, on s'en désintéresse[4].

D'autant plus qu'aujourd'hui, d'autres combats, non nationalistes, captivent davantage l'opinion publique, dont ceux de l'environnement, de la mondialisation économique et des nouvelles technologies, et que les débats des années 1970 autour de la langue, de la culture et de la place des francophones dans l'économie nationale semblent avoir été résolus à la satisfaction, au moins partielle, des francophones.

Cependant, on n'insiste pas assez sur le fait que le thème de la souveraineté n'arrive plus à fédérer les groupes qui pourraient éventuellement voter Oui. Il arrive trop souvent que les motifs de faire l'indépendance proposés par les uns représentent une bonne raison pour les autres de s'y opposer, les justifications avancées en faveur d'un tel projet faisant entendre dans une belle cacophonie les Mathieu Bock-Côté, Gérard Bouchard, Michel Seymour, Gabriel Nadeau-Dubois ou Andrée Ferretti. Le PQ, qui aspire au pouvoir, est l'otage de cette dynamique qui l'oblige à des contorsions plus ou moins habiles.

Les adversaires du projet souverainiste l'ont compris, eux qui jouent aujourd'hui à plein la stratégie dite des points de clivage (*wedge issues*), une tactique qui consiste à exploiter les fractures idéologiques au sein du camp opposé. Cette approche répandue depuis longtemps aux États-Unis et en Australie est devenue réellement populaire au Canada depuis une quinzaine d'années. Pour les adeptes de la politique de la division (*wedge politics*), il s'agit moins d'unir leurs propres troupes que de semer la zizanie chez leurs adversaires.

C'est ainsi que, au Québec, la coalition « arc-en-ciel » que les stratèges péquistes doivent rassembler afin de cristalliser une majorité effective en faveur de la souveraineté est fragilisée par les questions répétées des fédéralistes de droite, regroupés sans complexe et sans ambiguïté au sein du Parti libéral. Contrairement à ce dernier, en effet, le Parti québécois réunit des tendances de droite et de gauche, des partisans du fédéralisme renouvelé et des militants de l'indépendance pure et simple. Il s'ensuit pour les leaders péquistes une tentative éperdue de conserver en un bloc unique les électeurs pro-syndicats et pro-patronat, les nationalistes plutôt ethniques et les nationalistes plutôt civiques, les indépendantistes et les autonomistes, tentative qui s'est soldée par un méli-mélo sans précédent qui embrouille leurs priorités réelles. Depuis 20 ans, les signaux contradictoires s'accumulent autour du programme du PQ, et l'on peut presque dire que la question « *What does Quebec want?* » est maintenant remplacée, dans l'esprit de bien des gens, par : « *What does the PQ want?* »

UN MOUVEMENT QUI SE CHERCHE

Pas étonnant, dans ce contexte, que les membres du Parti québécois aient la réputation de dévorer leurs chefs, ceux-ci ayant été aussi nombreux à être terrassés par le faible résultat des urnes qu'à être minés par la grogne au sein de leur propre formation. Pendant sa carrière à l'ADQ (1994-2008),

Mario Dumont a vu défiler pas moins de six visages à la tête du PQ, lui-même restant bien en selle à la tête de son organisation et se retirant de la vie politique sans que ses militants lui aient montré la sortie. Jean Charest a fait face, pour sa part, à quatre adversaires péquistes différents au cours de sa carrière sur la scène provinciale.

Au moment du couronnement de Pierre Karl Péladeau en 2015, six anciens chefs du PQ étaient toujours vivants, contre seulement deux pour le Parti libéral ; et pourtant, seul Bernard Landry est venu donner l'accolade à l'ancien président de Québecor, ce qui contraste avec la présence de Jean Charest et de Daniel Johnson à la convention du Parti libéral lors de laquelle a été élu Philippe Couillard.

Ce tourbillon reflète les tiraillements et conflits à l'intérieur du mouvement péquiste, qui ne sait plus à quel saint se vouer pour définir un projet rassembleur. À tel point que, au début de 2015, près de 45 % des électeurs du PQ ne souhaitaient pas que ce parti tienne un référendum sur la souveraineté s'il était élu aux élections d'avril[5].

Au-delà du PQ, c'est l'ensemble du mouvement souverainiste qui ressemble à une poule sans tête, et il en est qui refusent de s'épuiser à tournoyer en vain. Deux anciens éminents représentants du camp du Oui donnent la mesure de cette réticence. En 2010, Lucien Bouchard déclarait que la souveraineté ne survivait plus qu'à l'« état de rêve » et qu'« on a autre chose à faire que d'attendre quelque chose qui vient pas vite[6] », pendant que Mario Dumont proposait, avant de quitter la scène politique, un moratoire sur la «question constitutionnelle». Ces deux retournements ne sont pas banals, et l'on n'en parle pas assez quand on fait l'éloge funèbre d'un Jacques Parizeau, mort sans avoir changé un iota de ses convictions.

À l'évidence, les jeunes sont plus susceptibles de se demander : «L'indépendance, qu'ossa donne?» – pour paraphraser le célèbre monologue d'Yvon Deschamps –, eux qui n'ont connu aucune crise comme celles de la Commission sur le bilinguisme et le biculturalisme, du référendum de 1980, du rapatriement de la Constitution, de l'accord du lac Meech, du référendum de 1995 ou du scandale des commandites. Ils cultivent un désabusement élevé et arrivent à la maturité politique à un moment de brouillage idéologique considérable. Néanmoins, la baisse de l'appui à la souveraineté est généralisée dans l'ensemble des groupes d'âge.

RÉSOUDRE
LA QUADRATURE DU CERCLE

En 1995, le projet souverainiste avait une consistance forte qui lui venait d'une recomposition passagère des cartes électorales : Jacques Parizeau était revenu au Parti québécois en 1988 après en avoir démissionné avec fracas en 1984 ; Lucien Bouchard avait rompu avec le Parti conservateur et fondé le Bloc québécois en 1991 ; et Mario Dumont avait claqué la porte du Parti libéral pour se faire élire, en 1994, sous la bannière de l'ADQ. Ces trois dissidents ont formé une alliance qui réussissait à résoudre la quadrature du cercle. Les partisans d'un fédé-

ralisme renouvelé, les désespérés du beau risque et les indépendantistes purs et durs ont pu se reconnaître dans l'une de ses trois figures et croire ainsi que le résultat du référendum serait à l'image de leurs croyances et de leurs aspirations.

Vingt ans plus tard, le mouvement souverainiste oscille entre différentes options partisanes, le PQ paraissant trop cosmopolite ou syndicaliste pour les uns, et trop ethniciste ou néolibéral pour les autres. Dans certains sondages récents, une majorité de ceux et celles qui se disent souverainistes se rangent même derrière une autre formation que le PQ, dont, principalement, Québec solidaire et la CAQ. Il s'ensuit qu'il est difficile pour les militants d'imaginer comment refaire le bel unanimisme (fût-il de façade) qu'avait permis la coalition de 1995.

Il n'est pas dit que le déclenchement d'un autre référendum dans un horizon rapproché ne produirait pas à terme, dans la dynamique même de la campagne, un consensus fort. La politique existe parce que nul n'est capable de prédire l'avenir. Faire se tenir sur une même tribune Pierre Karl Péladeau, Françoise David et un jeune dissident charismatique du Parti libéral aurait un effet d'entraînement certain. Toutefois, à vue de nez, une telle conjoncture paraît improbable. Et c'est pourquoi la souveraineté n'arrive plus à se retrouver un centre. Elle est aujourd'hui en fragments, en miettes, et rien n'indique qu'un parti, un mouvement ou un leader puisse en recoller rapidement les morceaux. ◊

Notes et sources, p. 284

LA MUTATION TRANQUILLE DU PARTI QUÉBÉCOIS

Tant le Parti québécois que son « frère siamois », le Bloc québécois,
ont atteint des creux historiques ces derniers mois en fait de soutien électoral.
Le PQ doit-il s'éloigner du souverainisme pour mieux se camper
dans une posture nationaliste ? La question mérite d'être posée.

JEAN-HERMAN GUAY
Professeur de sciences politiques,
École de politique appliquée,
Université de Sherbrooke

Dans la vie des partis comme dans celle des individus, il y a des années au cours desquelles s'installent doucement, presque subrepticement, des apprentissages qui vont orienter l'avenir. Alors que le Parti québécois (PQ) est à quelques années de souffler ses 50 bougies, les 12 derniers mois figureront peut-être dans sa trajectoire comme une séquence lui permettant de se redéfinir.

Trois éléments sont à retenir pour comprendre les mutations qui attendent le PQ : le nouveau leadership, les difficultés du Bloc québécois (BQ) et l'éternelle ambivalence des Québécois quant à leur avenir au sein du Canada, ou hors de celui-ci. Voyons-les en détail.

LE NOUVEAU CHEF

Pour plusieurs partisans, la volonté de Pierre Karl Péladeau de remplacer Pauline Marois a agi comme un baume : implicitement, c'était signe que le PQ « en vaut encore la peine ». Que ce magnat des médias, incarnation du capitalisme québécois, « investisse » dans le PQ laissait croire qu'il y aurait de nouveau des victoires. C'est l'homme de la dernière chance, en quelque sorte.

Sa posture idéologique – à l'endroit des syndicats, notamment – tranche indéniablement avec celle de ses prédécesseurs. Mais pour les indépendantistes les plus farouches, sa détermination affichée en faveur de la souveraineté – avec son fameux poing levé lors de la campagne électorale du printemps 2014, par exemple – compense largement ses écarts sur les questions sociales. En mai 2015, le chanteur Paul Piché, environnementaliste, homme de gauche engagé dans le projet indépendantiste, a d'ailleurs écrit à son sujet : « Pierre Karl Péladeau est, à cet égard, celui qui a le plus de chance [*sic*] de réussir ce travail. Surtout, on ne doute pas qu'il s'y consacrera en totalité. Alors, je me joins à lui et je dis comme lui, faisons du Québec un pays. On verra bien après, les pas qu'on fera devant, derrière, à gauche ou à droite. La beauté de la chose, si on réussit, c'est que ce seront enfin nos choix[1]. »

Tout au long de 2015, on aurait pu s'attendre à ce que le PQ et son nouveau chef s'installent confortablement en tête des sondages. Profitant de la visibilité médiatique donnée par la course à la chefferie et des tensions politiques nourries par les nombreuses mesures d'austérité mises de l'avant par le Parti libéral du Québec (PLQ), Péladeau aurait dû devancer le pre-

nouveau chef a porté fruit. Les faits ne tendent pas à corroborer cette hypothèse. La remontée du PQ est plutôt le résultat de la chute de la Coalition Avenir Québec (CAQ) de François Legault. Démissions étonnantes, défections en faveur des libéraux : la CAQ semble avoir perdu sa raison d'être, et son chef l'a avoué à demi-mots à l'été 2015[2]. À l'Assemblée nationale, celui-ci se trouve souvent en porte-à-faux puisque le gouvernement libéral met en œuvre le pro-

> Pendant presque 20 ans, le PQ et le BQ ont suivi la même pente. Aujourd'hui les deux partis sont toujours liés par le même destin, mais cette fois au bas de l'échelle.

micr ministre Couillard. Selon la maison de sondage Léger, le PQ a bien enregistré une hausse de février à mai 2015, passant de 25 % à 34 % des intentions de vote et devançant le PLQ. Mais un mois plus tard, le PQ était de nouveau deuxième. Reste qu'au total le PQ se trouvait à l'automne 2015 dans une bien meilleure position qu'au lendemain de la défaite d'avril 2014. L'écart de presque 20 points entre libéraux et péquistes s'est considérablement amenuisé.

On pourrait en déduire que les Québécois ont renoué avec la question nationale, que l'on parle de nouveau de souveraineté et que la détermination affichée par le

gramme de la CAQ, notamment en effectuant des compressions budgétaires et en investissant dans la revitalisation économique du Saint-Laurent, un projet cher à François Legault. Les chiffres laissent peu de place au doute : la remontée du PQ et la chute de la CAQ sont étroitement corrélées. C'est une bonne nouvelle pour le PQ, mais Péladeau sait bien que ses gains aux dépens de la CAQ ne constituent en rien des votes futurs pour l'indépendance.

LA PERFORMANCE DU BLOC QUÉBÉCOIS

Le deuxième point qui alimente la réflexion vise le Bloc québécois, souvent traité par le PQ comme son « parti frère » – quasi comme son « petit frère », et cela chaleureusement. Les deux se sont toujours échangé les idées, les ressources et les militants. Lors des campagnes provinciales, les gens du Bloc prêtaient main-forte à leurs alliés naturels, et inversement. Fin juillet 2015, Pierre Karl Péladeau poussait la métaphore un peu plus loin : ce sont dorénavant des « frères siamois[3] ».

Pendant presque 20 ans, le PQ et le BQ ont suivi la même pente. Après l'échec de

Justin Trudeau, avait précédemment remis en question la règle du « 50 % plus un » lors d'un éventuel référendum. Ce qui aurait dû en choquer plusieurs a au contraire été avalisé, du moins implicitement.

La performance du BQ est donc révélatrice d'une forte contraction de l'appui à la souveraineté. Personne ne peut en imputer la responsabilité au chef des troupes bloquistes durant la campagne électorale, puisque Gilles Duceppe avait accumulé les victoires de 1997 à 2008. Pire, le

Le nationalisme québécois serait-il en train de se transformer ?

l'accord du lac Meech, en 1990, les deux partis caracolaient en tête des intentions de vote. Lors des scrutins fédéral, en 1993, et provincial, l'année suivante, le BQ et le PQ obtenaient respectivement 49 % et 45 % des voix. Aujourd'hui les deux partis sont toujours liés par le même destin, mais cette fois au bas de l'échelle. Lors des élections québécoises de 2014, le PQ a perdu le pouvoir et récolté un maigre 25 % des suffrages. Quant au Bloc, s'il a obtenu à l'automne 2015 davantage de sièges que lors du précédent scrutin fédéral, en 2011, le pourcentage de votes en sa faveur a baissé de 4 points, passant de 23 à 19 %. C'était le pire score jamais enregistré par un parti souverainiste. Une performance d'autant plus stupéfiante pour les souverainistes que le vainqueur de l'élection, le libéral

déroulement de la campagne montre que si l'« affaire du niqab » n'avait pas eu lieu, le BQ aurait probablement récolté encore moins de votes. Dans les sondages, le Bloc a en effet gagné quelques points lorsqu'il a plaidé avec véhémence pour que le serment de citoyenneté canadienne se fasse à visage découvert.

À l'évidence, les difficultés du « frère siamois » toucheront immanquablement le PQ.

L'APPUI À LA SOUVERAINETÉ

Reste une constante, essentielle pour résoudre l'équation. Depuis une dizaine d'années, les sondages permettent de repérer un appui à la souveraineté proche de 40 %. Bon nombre d'observateurs s'expliquent mal pourquoi le projet phare du PQ et du BQ « performe » beaucoup mieux dans les sondages que les deux partis sou-verainistes lors des derniers scrutins.

On peut bien sûr qualifier d'incohérents les électeurs et ceux qui répondent aux sondages. On peut cependant croire que le problème découle d'un phénomène plus fondamental : l'option souverainiste, si elle est pour une bonne proportion de fran-cophones encore préférée au fédéralisme canadien, se trouve marginalisée dès que d'autres enjeux s'imposent – l'économie, l'environnement ou la santé –, comme c'est le cas lors d'un scrutin fédéral ou pro-vincial. Elle n'apparaît plus comme une solution aux problèmes discutés, ni même comme une clé pour les comprendre.

Ce paradoxe nourrit deux réactions. L'appui général à la souveraineté conti-nue de susciter un certain optimisme chez les souverainistes. Inversement, fatigués des défaites électorales, les mêmes souve-

pour reprendre les termes de l'historien Fernand Braudel.

LA RECONFIGURATION

Le nationalisme québécois serait-il en train de se transformer ? Quand on com-bine ces différents éléments, on peut aisé-ment envisager cette possibilité.

Depuis longtemps, le système poli-tique québécois est marqué par un affron-tement entre les rouges et les bleus, ou plus simplement entre fédéralistes et nationalistes, et ce, même si les deux ensembles ne sont pas exclusifs. Le PLQ joue pratiquement toujours le premier rôle. Et depuis 80 ans, le second rôle a été joué par l'Union nationale, puis par le Parti québécois. Épisodiquement, d'autres formations se sont ajoutées du côté natio-naliste : c'est le cas de la CAQ et de Québec solidaire dans l'actuelle représentation

Pierre Karl Péladeau est peut-être le mieux placé pour opérer cette reconfiguration.

rainistes peuvent tristement imaginer sa mise au rancart. S'ils refusent cette dicho-tomie, il leur est aussi permis de croire que le projet est latent, attaché à l'ambivalence du nationalisme québécois, si bien décrite par le politologue Louis Balthazar[4]. Le projet serait présent dans un rythme qui n'est plus celui des partis et des élections – la courte durée –, mais peut-être plu-tôt celui de l'histoire – la longue durée,

parlementaire. Chacun donne une couleur particulière au nationalisme, allant par-fois jusqu'au souverainisme. La question est dès lors celle-ci : au vu des tendances du passé, le PQ devrait-il se positionner davantage comme un parti nationaliste que souverainiste, puisque le nationa-lisme est indéniablement plus stable que le souverainisme ? Ne serait-ce pas là une position de repli envisageable ?

Pour reprendre le pouvoir, le PQ doit trouver une façon de concilier le nationalisme défensif avec le maintien de l'idée de souveraineté. Cependant, il doit s'engager à ne pas tenir de référendum, tandis que la souveraineté ne doit pas être liée au vote d'une manière ou d'une autre. Elle ne doit pas même constituer un thème dominant de son discours. Ce syncrétisme, à première vue difficile, n'est pas impossible.

l'amène peut-être déjà à doser autrement sa rhétorique. Du même coup, il pourrait continuer de gruger dans le vote de la CAQ.

Progressivement, le PQ pourrait cesser de presser le nationalisme pour tenter d'en extraire le souverainisme. Ce dernier continue d'exister dans les consciences, mais les événements de la dernière année nous montrent plus que jamais qu'il est davantage un souhait qu'un projet, davan-

> Le PQ pourrait enfin accepter d'être la solution de rechange aux libéraux sans aspirer à davantage, du moins sans s'acharner à promouvoir dans l'immédiat un projet qui s'abîme dans cette insistance.

Paradoxalement, Pierre Karl Péladeau est peut-être le mieux placé pour opérer cette reconfiguration. *Primo*, les partisans les plus radicaux ne peuvent douter de ses convictions. *Secundo*, lors de la course au leadership, il a été pratiquement le seul candidat à refuser de fixer un calendrier pour la tenue d'un éventuel référendum. *Tertio*, par le discours qu'il tient depuis son arrivée à la tête du PQ, il a plus l'allure d'un bon chef de l'opposition que d'un tribun qui n'a que le mot *souveraineté* à la bouche. Son pragmatisme d'affaires

tage une préférence qu'un engagement, ou davantage un idéal qu'un objectif qui appelle des votes conséquents. Le PQ pourrait enfin accepter d'être la solution de rechange aux libéraux sans aspirer à davantage, du moins sans s'acharner à promouvoir dans l'immédiat un projet qui s'abîme dans cette insistance. Il pourrait enfin accepter l'ambivalence des Québécois. Bref, il pourrait « départisaner » la souveraineté. ◊

Notes et sources, p. 284

Référendum de 1995 : chronique de la défaite du « camp du changement »

MICHEL VENNE
Directeur général, Institut du Nouveau Monde*

**Le premier référendum sur l'indépendance du Québec, en 1980, avait été celui
de René Lévesque et de l'affirmation de l'identité québécoise. Le second,
en 1995, fut celui de Jacques Parizeau, du « changement social »
et d'une volonté de s'ouvrir sur le monde.**

Lundi soir, 30 octobre 1995. Le premier ministre du Québec, Jacques Parizeau, entre au palais des congrès de Montréal. Il croit la victoire dans la poche. Avant qu'il aille se réfugier dans une suite privée, d'où il peut apercevoir par une baie vitrée les partisans souverainistes rassemblés dans l'enceinte, un conseiller lui a prédit une victoire du Oui par 52 %. Il est nerveux. Il est revenu en politique, en 1988, à la tête du Parti québécois, dans l'unique but de vivre ce moment-là. Le matin, il a oublié de se munir de son bulletin de vote en entrant dans l'isoloir. Il a craint de faire son X dans la mauvaise case.

Durant les deux mois précédant le scrutin, l'appui à l'option souverainiste, après avoir perdu de la force, n'avait cessé de croître grâce à un argumentaire se déclinant en trois points : la souveraineté du Québec permet-

trait aux Québécois de se donner une société plus juste ; elle donnerait aux francophones, enfin majoritaires dans leur pays, le contrôle de leurs institutions, de leurs lois, de leurs impôts et de leurs traités avec des pays étrangers ; et puisqu'une offre de partenariat serait négociée avec le Canada, l'indépendance politique n'engendrerait pas de rupture avec le reste du pays. Le rôle joué durant la campagne par le chef du Bloc québécois, Lucien Bouchard, perçu comme un homme modéré, avait donné aux électeurs l'assurance du caractère sérieux de cette offre.

Les souverainistes étaient pourtant partis avec du retard. Même des sociologues souverainistes prédisaient la défaite du Oui. Le camp du Non avait pris ses adversaires de vitesse en lançant une campagne publicitaire agressive rejetant la « séparation » du Québec. Les ténors fédéralistes avaient fait valoir avec un certain succès le caractère irréalisable du partenariat avec le Canada. L'une des images fortes de la campagne est celle du chef conservateur de l'époque et futur premier ministre du Québec, le Québécois Jean Charest, brandissant le passeport canadien en promettant qu'il ne laisserait pas Jacques Parizeau le lui enlever. D'ailleurs, le jour du scrutin, des dames du West Island, à Montréal, tenaient fermement leur passeport dans leurs mains au moment d'aller voter.

CONTRE « LES MILLIARDAIRES QUI CRACHENT DANS LA SOUPE »

Au départ, le camp du Oui avait amorcé les débats en dévoilant la *Déclaration de souveraineté*, document destiné à servir de préambule à la Loi sur l'avenir du Québec. Ce texte

Mais la question identitaire avait été peu évoquée par la suite. Les pancartes du Oui, ornées du slogan *Oui, et ça devient possible*, sont de couleur jaune, verte ou rouge, plutôt que du traditionnel bleu fleurdelysé, et parlent de travail, d'ouverture sur le monde et de protection de l'environnement. Le camp du Oui se transforme en «camp du changement», plus précisément en camp du changement social. Et le combat devient celui de la classe moyenne, des pauvres et des exclus contre ces «milliardaires qui crachent dans la soupe», comme le dit Jacques Parizeau durant la campagne.

Le camp du Non a mobilisé derrière lui les hommes d'affaires les plus en vue du Québec, pour dire aux Québécois que les «créateurs d'emplois» votent Non. Laurent Beaudoin laisse d'ailleurs entendre que l'avionneur Bombardier pourrait déménager ses usines

Les Québécois ne feraient pas la souveraineté pour un drapeau. Il fallait que celle-ci change la vie, en mieux.

lyrique, dont le poète Gilles Vigneault et la romancière Marie Laberge comptaient parmi les auteurs, puisait dans l'amertume laissée par la Conquête britannique de 1760 et dans le sentiment d'appartenance au terroir et à la langue française, célébrant le cœur à l'ouvrage des Québécois.

advenant une victoire du Oui. Claude Garcia, président de la compagnie d'assurance Standard Life, invite les fédéralistes à «écraser» les séparatistes. Le ministre fédéral des Finances, Paul Martin, prédit quant à lui la perte d'un million d'emplois au Québec advenant un Oui majoritaire.

Les souverainistes répliquent en présentant la souveraineté comme l'unique moyen de résister au vent froid de la droite qui souffle sur l'Amérique du Nord. Jacques Parizeau donne en exemple la réforme de l'assurance emploi et du régime des pensions de vieil-

cours durant la campagne, constate, grâce à des sondages internes, que le Non est en difficulté. Il multiplie alors les entrevues, prononce quatre discours dans la même semaine, s'adresse à la nation sur les ondes de Radio-Canada afin de dramatiser l'enjeu et promet

Trois jours avant le vote, des milliers de Canadiens convergent vers Montréal pour tenir une manifestation monstre dite « d'amour » envers les Québécois.

lesse du fédéral qui frappe de plein fouet les plus démunis. Des organisations caritatives, communautaires, religieuses et féministes s'allient au «camp du changement», font campagne en périphérie, et arrachent des votes un à un dans des assemblées de cuisine réunissant des personnes en situation précaire. Les commissions régionales sur l'avenir du Québec, qui avaient siégé pendant l'hiver et auxquelles 50 000 personnes avaient participé, avaient démontré que les Québécois ne feraient pas la souveraineté pour un drapeau. Il fallait que celle-ci change la vie, en mieux.

SAUVER LE CANADA

À deux semaines du référendum, le premier ministre du Canada, Jean Chrétien, qui avait annoncé qu'il ne prononcerait que trois dis-

la reconnaissance du Québec comme société distincte. Il demande aux Québécois de ne pas penser qu'à eux. «La dissolution du Canada serait l'échec d'un rêve [...], le démembrement d'un pays qui représente l'une des grandes puissances industrielles les plus avancées du monde moderne [...]. Le Canada est ce qu'il est aujourd'hui parce que le Québec y tient une place unique.»

Trois jours avant le vote, le 27 octobre, des milliers de Canadiens font écho à ce discours et convergent vers Montréal, profitant de rabais offerts par des compagnies d'aviation et par Via Rail, pour tenir une manifestation monstre à la Place du Canada, au centre-ville. Cette manifestation, dite «d'amour» envers les Québécois, aurait rassemblé entre 40 000 et 100 000 personnes selon les évaluations.

Le 30 octobre, avec un taux de participation sans précédent de 94 % aux bureaux de scrutin, le référendum donne la victoire aux fédéralistes par une faible marge de 45 000 voix: 49,4 % pour le Oui, 50,6 % pour le Non. Presque un match nul.

Ce soir-là, au palais des congrès, Jacques Parizeau fulmine. «C'est vrai qu'on a été battus, déclare-t-il, au fond par quoi? Par l'argent et des votes ethniques.» Il promet une «revanche» aux francophones qui, la prochaine fois, prévoit-il, voteront «à 63 ou 64 %» en faveur de la souveraineté pour faire en sorte de gagner. Le lendemain, Jacques Parizeau démissionnait. ¶

Ce texte est un résumé du chapitre «Le déroulement de la campagne», rédigé par Michel Venne, alors correspondant à l'Assemblée nationale pour Le Devoir. Ce chapitre est paru dans le livre La bataille du Québec, troisième épisode: 30 jours qui ébranlèrent le Canada, sous la direction de Denis Monière et de Jean-Herman Guay, aux éditions Fides, 1996.

Politique fédérale

15

LE DÉBUT
D'UNE NOUVELLE
ÈRE TRUDEAU

Avec la victoire du Parti libéral du Canada, qui se retrouve à la tête
d'un gouvernement majoritaire, nous assistons à une redéfinition de l'échiquier
politique canadien qui semble remettre les provinces de l'Atlantique,
le Québec et l'Ontario en position de force.

FRÉDÉRIC BOILY
Professeur titulaire en science politique,
Campus Saint-Jean, Université de l'Alberta

En 2013, deux observateurs de la politique canadienne avaient fait grand bruit avec la parution d'un ouvrage dans lequel ils soutenaient la thèse d'un « grand changement ». Dans *The Big Shift,* Darrell Bricker et John Ibbitson affirmaient de manière provocante que le Canada, à l'exception du Québec et des Maritimes, avait tourné au bleu Harper, voire que le pays était devenu une « nation du Pacifique[1] ». Bien que cette thèse fût exagérée, elle n'en contenait pas moins un fond de vérité sur le plan politique. Lors des élections fédérales de 2011, les conservateurs de Stephen Harper s'étaient en effet installés au pouvoir avec une forte majorité des sièges dans les provinces de l'Ouest et en Ontario. Le Parti conservateur du Canada (PCC) avait recueilli de solides appuis électoraux en Ontario (44 %), en Colombie-Britannique (45 %) et dans les Prairies (55 %), notamment en Alberta (67 %), le bastion du PCC[2]. À l'exception du Québec, où ils avaient fait piètre figure, les conservateurs pouvaient légitimement dire que la victoire était éclatante. Or, les résultats de l'élection générale d'octobre 2015 montrent un renversement de tendance qui affaiblit grandement la thèse d'un Canada viré à droite. Certes, Bricker et Ibbitson n'affirmaient pas que les conservateurs resteraient indéfiniment au gouvernement. En revanche, ils soutenaient que le prochain parti à former le gouvernement adopterait, à sa façon, l'approche de droite caractéristique des conservateurs. Au contraire, les libéraux ont présenté des politiques de centre-gauche qui vont à l'encontre de cette dynamique, à tel point qu'elles ont éclipsé celles des néo-démocrates.

RECOMPOSITION DU PAYSAGE

La recomposition du paysage politique à laquelle nous assistons a commencé bien avant le dernier scrutin. D'abord, la carte électorale était différente, avec l'ajout de 30 nouvelles circonscriptions reflétant les changements démographiques survenus depuis la précédente élection générale. À cela s'ajoutaient des acteurs politiques différents, notamment deux nouveaux chefs, au Nouveau Parti démocratique (NPD) et au Parti libéral du Canada (PLC), alors que les conservateurs avaient vu plusieurs de leurs figures de proue quitter le bateau avant même l'élection – Peter MacKay, John Baird ou encore James Moore. À l'inverse, les libéraux présentaient une équipe imposante de candidats venant de

comme l'avait fait le PLC au 20ᵉ siècle[3]. Mais, tirant des leçons des défaites passées, les libéraux ont entrepris de revoir leur programme, notamment en mettant l'accent sur la nécessité d'effectuer d'importants investissements dans des projets d'infrastructures, de même que sur des baisses d'impôts pour la classe moyenne[4]. De plus, la promesse d'enregistrer des

Tout heureux de s'être débarrassés de Stephen Harper, plusieurs politiciens et électeurs pourraient rapidement déchanter si l'équipe libérale ne parvenait pas à concrétiser l'ère de changement annoncée.

partout au pays. C'est dans ce contexte que les libéraux ont effectué un spectaculaire retour au pouvoir.

NOUVEL ÉCHIQUIER POLITIQUE

Personne n'entrevoyait ce retour de la chance pour les libéraux, qui, après avoir récolté un maigre total de 19 % des voix en 2011, en avaient été réduits à occuper 34 sièges à la Chambre des communes. À ce moment, il était possible de croire que le PCC était en train de remplacer le PLC comme parti « naturel » de gouvernement, c'est-à-dire de devenir le parti qui, comme le souhaitait Stephen Harper, remporterait la majorité des élections à venir,

déficits « modestes » pendant les trois premières années de leur mandat a aussi favorisé le renouveau libéral. Tout cela leur a permis de créer cette vague rouge qui a déferlé sur plusieurs provinces, même là où les libéraux avaient disparu, comme en Alberta.

Le retour en force du PLC dans les provinces de l'Atlantique n'est pas une surprise compte tenu de l'impopularité des réformes conservatrices en matière d'assurance emploi. Cependant, le mouvement annoncé en faveur des libéraux avant le début de la campagne électorale a été plus fort que prévu : le balayage libéral ne laisse rien aux partis d'opposition.

Au Québec, même si les libéraux ont effectué des gains importants, faisant élire 40 députés, le paysage politique reste assez fractionné. Si les appuis libéraux se trouvent principalement à Montréal, le PLC est aussi présent en région et même à Québec, avec deux victoires. Au-delà des circonscriptions gagnées par les conservateurs dans la région de Québec et la Rive-Sud (12 au total), le fait saillant de la dernière élection fédérale reste la déconfiture des néo-démocrates du Québec, dont le caucus a fondu de 59 à 16 députés. Cette déconvenue montre que l'effet Jack Layton avait gonflé artificiellement la ferveur pour le NPD en 2011.

D'une certaine façon, en tournant partiellement le dos aux néo-démocrates, l'électorat québécois a montré, comme ailleurs au pays, que le plus important était de trouver une solution de rechange à Stephen Harper. Les résultats de l'élection montrent également que les électeurs québécois s'inscrivent de plus en plus à l'intérieur du système politique canadien, c'est-à-dire qu'ils épousent les tendances à l'œuvre ailleurs au Canada. Dans ce contexte, l'avenir du Bloc québécois semble compromis, sa récolte électorale de 10 sièges étant trop maigre pour qu'on y voie un retour en force, surtout que son soutien électoral a glissé sous la barre des 20 %.

C'est surtout en Ontario que le retour du PLC a été spectaculaire, avec un gain de 70 circonscriptions, pour un total de 80. Cette province, qui avait aussi voté du côté du pouvoir aux élections de 2011, s'y retrouve encore mieux installée en 2015. Son rejet des conservateurs montre que l'électorat ontarien avait pu, en 2011, se réconcilier avec une droite modérée, mais la gouvernance de Stephen Harper semblait depuis avoir perdu cette modération. Le PLC est donc parvenu à reconquérir les circonscriptions qui avaient été perdues aux mains des conservateurs au fil des trois dernières élections générales dans la grande région de Toronto.

D'ailleurs, la victoire libérale montre l'influence déterminante des circonscriptions urbaines, là où réside la majorité de la population canadienne. À cet égard, le retour des libéraux s'est fait de Vancouver à Halifax, en passant par Winnipeg, Ottawa, Toronto et Montréal. Ce n'est d'ailleurs pas un hasard si plusieurs maires des grandes villes se sont prononcés lors de la campagne – pensons à Denis Coderre à Montréal ou à Naheed Nenshi à Calgary. Déjà, la victoire libérale au Québec est interprétée comme étant un retour de Montréal au pouvoir.

En fait, une ligne de fracture plus importante que dans le passé semble se créer entre les circonscriptions rurales et urbaines, surtout dans l'ouest du pays, où les libéraux souffrent d'une certaine faiblesse à l'extérieur des villes comme Vancouver et Winnipeg. C'est que les provinces des Prairies et, dans une moindre mesure, l'arrière-pays de la Colombie-Britannique sont restés fidèles aux conservateurs. Ainsi, l'alliance entre l'Alberta et l'Ontario a éclaté, laissant les conservateurs dans une situation similaire à celle prévalant en 2004, c'est-à-dire un parti cantonné dans son bastion traditionnel avec deux groupes réduits de députés en Ontario et dans la grande région de Québec.

LE RETOUR AU CANADA LIBÉRAL ?

Si la première décennie des années 2000 a été marquée par la montée des préoccupations économiques dans l'Ouest canadien, nous voyons maintenant qu'il était prématuré de parler d'un Canada devenu conservateur. Mais la victoire libérale signifie-t-elle que les électeurs seraient revenus à leurs racines libérales, notamment après sa victoire : « Je veux dire ceci aux amis de ce pays d'à travers le monde. Plusieurs d'entre vous vous êtes inquiétés que le Canada avait perdu sa voix compatissante et constructive sur la scène internationale au cours des 10 dernières années. Alors, j'ai un message très simple à vous livrer de la part de 35 millions de Canadiens : nous sommes de retour[6] ! »

Il faudra aussi voir si l'arrivée du PLC ouvrira une nouvelle ère de collaboration entre le gouvernement fédéral et les provinces, alors que Stephen Harper se montrait allergique aux rencontres avec ses

> Il faudra aussi voir si l'arrivée du PLC ouvrira une nouvelle ère de collaboration entre le gouvernement fédéral et les provinces.

ment en matière de politique étrangère, un domaine où les conservateurs ont profondément irrité de nombreux citoyens[5] ?

Chose certaine, beaucoup espèrent que le Canada revienne à l'image traditionnelle ou rêvée d'un pays se disant soucieux de l'environnement et, surtout, désireux de s'engager dans des opérations d'aide humanitaire ou de maintien de la paix, tout en délaissant la rhétorique sécuritaire et guerrière caractéristique de l'approche conservatrice. La vitesse à laquelle ce virage pourrait se faire reste à voir, mais c'est un changement d'orientation que Justin Trudeau a annoncé rapide-

partenaires provinciaux. On peut penser, par exemple, que Justin Trudeau acceptera de rencontrer ses homologues lors de rencontres fédérales-provinciales, voire au Conseil de la fédération, pour discuter d'environnement, de stratégie pancanadienne en matière de développement énergétique et de péréquation. Sans revenir aux grandes négociations constitutionnelles des années 1980, les libéraux pourraient retourner à un fédéralisme de collaboration, à l'image des deux premières années du mandat du conservateur Brian Mulroney, en 1984. Chose certaine, plusieurs premiers ministres provinciaux attendent de rencontrer Justin Trudeau pour discuter du financement de la santé, de construction de pipelines ou de réconciliation avec les peuples autochtones. Après une «décennie Harper», cette élection fédérale pourrait signifier le début de création d'emplois pour suppléer à la croissance anémique qui s'annonce dans l'Ouest à la suite de la chute du prix du pétrole, le gouvernement Trudeau pourrait avoir des difficultés à remplir ses nombreux engagements. D'ailleurs, deux jours

Le programme libéral sera plus facile à réaliser si l'économie collabore à partir de 2017.

d'un processus de rééquilibrage de l'architecture politique canadienne.

Enfin, tout heureux de s'être débarrassés de Stephen Harper, plusieurs politiciens et électeurs pourraient rapidement déchanter si l'équipe libérale ne parvenait pas à concrétiser l'ère de changement annoncée. En effet, laisser penser que les changements de cap peuvent se faire facilement, surtout si la situation économique continue de stagner, est le risque encouru par la nouvelle équipe libérale. Si l'Ontario et le Québec ne redeviennent pas un moteur de croissance économique et

après l'élection, la Banque du Canada révisait à la baisse ses prévisions de croissance de l'économie canadienne pour les deux prochaines années[7]. Dans ce contexte, les investissements promis par les libéraux pourraient être insuffisants pour relancer l'économie, obligeant le gouvernement à repousser à plus tard sa promesse d'équilibrer le budget d'ici trois ans afin d'intensifier l'effort de reprise. Chose certaine, le programme libéral sera plus facile à réaliser si l'économie collabore à partir de 2017. ◊

Notes et sources, p. 284

Vote-t-on pour un candidat parce que son physique nous plaît ?

Dre LESLEY FELLOWS
Neurologue et chercheuse à l'Institut et hôpital neurologiques de Montréal

CHENJIE XIA
Étudiante, Institut et hôpital neurologiques de Montréal

DIETLIND STOLLE
Directrice, Centre pour l'étude de la citoyenneté démocratique
de l'Université McGill

ELISABETH GIDENGIL
Chercheuse (fondatrice), Centre pour l'étude de la citoyenneté
démocratique de l'Université McGill

Une étude de l'Université McGill identifie une zone du cerveau qui influe sur les décisions électorales.

Une nouvelle étude interdisciplinaire en « neuropolitique » menée par des neuroscientifiques et des politologues de l'Université McGill, a identifié une partie du cerveau qui semble intervenir dans la façon dont les gens votent[1].

Cette étude, publiée dans le *Journal of Neuroscience* à l'été 2015, apporte des éclaircissements sur les mécanismes du cerveau sous-jacents aux décisions que prennent les électeurs. En effet, les chercheurs concluent qu'une partie du cerveau, le cortex orbitofrontal latéral (COFL), doit fonctionner adéquatement pour que le choix des électeurs combine différentes sources d'information au sujet des candidats. D'autres axes de recherche avaient démontré que le COFL joue aussi un rôle dans le comportement social et la prise de décisions économiques, relativement aux placements ou aux jeux de hasard, par exemple.

Les participants, hommes et femmes, se sont livrés à une activité simulée d'élection où on les invitait à voter pour des politiciens réels, mais inconnus d'eux, seulement en fonction de leurs photographies. Devant s'imaginer en période électorale, les participants avaient à coter l'attrait physique perçu et la compétence perçue des candidats.

Certains participants avaient des lésions cérébrales causées par un AVC ou une tumeur. D'autres avaient un cerveau sain.

Les participants sans lésion au COFL semblent avoir pris leurs décisions en fonction de l'attrait physique perçu et de la compétence perçue. De leur côté, bien que pouvant coter la compétence des candidats, les sujets ayant une lésion au COFL n'utilisaient pas cette information au moment de voter et se fondaient seulement sur le facteur de l'attrait physique.

Cette étude établit pour la première fois que le COFL est crucial pour l'intégration de différents types d'information permettant aux gens d'en arriver à une préférence.

De récentes études du comportement politique semblent indiquer que l'attribution sociale de «première impression» basée sur l'apparence physique peut influer sur les décisions en matière de vote.

La façon de combiner de multiples attributs dans le processus décisionnel et de construire des valeurs est un champ important qu'on commence à peine à explorer. Selon de récentes recherches, plusieurs zones du cerveau contiennent de l'information sur la valeur des options en matière de décision, mais la façon dont ces zones travaillent ensemble lorsque nous faisons un choix n'est pas encore claire. Le COFL semble être important dans le cas de décisions difficiles, en ce qu'il aide à choisir la meilleure des options de valeur similaire.

L'étude de l'Université McGill fournit un test solide de la fonction de cette partie du cerveau. Elle démontre qu'une lésion perturbe un aspect précis de la façon dont une décision est prise. Elle apporte une preuve que le COFL est nécessaire à cette fonction. C'est la première fois que la base cérébrale du comportement politique est étudiée avec ces méthodes.

Identifier les parties du cerveau servant à passer de l'information en revue, à l'analyser et à en tirer une conclusion aidera les chercheurs à mieux comprendre la nature du comportement politique humain. Ces connaissances peuvent favoriser l'étude plus large des processus de la prise de décisions reposant sur des valeurs. ¶

Notes et sources, p. 284

Premières Nations

16

PEUPLES AUTOCHTONES : LA RÉCONCILIATION PASSE D'ABORD PAR LA RECONNAISSANCE

La réconciliation avec les Autochtones et le devoir de mémoire qui s'impose par rapport au génocide culturel des pensionnats indiens posent les bases d'un nouveau dialogue social. Mais pour construire une société plus juste, il faut accepter qu'ils prennent eux-mêmes les décisions quant au présent et à l'avenir de leurs communautés.

CAROLE LÉVESQUE
Professeure titulaire, Institut national de la recherche scientifique

Au printemps 2015, le rapport de la Commission de vérité et réconciliation du Canada confirmait ce que les Autochtones savaient depuis longtemps : les pensionnats indiens ont constitué pendant plus d'un siècle une entreprise sans équivoque de génocide culturel qui a transformé durablement la trajectoire de dizaines de milliers de jeunes garçons et de jeunes filles provenant de centaines de communautés amérindiennes et inuite à travers le Canada.

Lors du dévoilement du rapport de la Commission, des milliers de Canadiens et de Québécois se sont demandé pourquoi ils n'avaient jamais entendu parler de cette catastrophe humaine. Comment se fait-il qu'on ne leur ait pas enseigné ce côté peu reluisant de notre histoire ? Si ces réactions traduisent un intérêt certain pour des peuples dont les cultures et les savoirs demeurent toujours méconnus, elles sont aussi à l'image d'une nouvelle sensibilité citoyenne à l'égard des Autochtones.

Au cours des dernières décennies, on a bien sûr pu observer diverses formes de soutien et de solidarité de la part de Québécois pour les revendications politiques, juridiques, linguistiques et territoriales des Premières Nations et des Inuits. Cependant, les préoccupations actuelles ouvrent la porte à l'émergence de nouvelles dynamiques relationnelles entre Autochtones et non-Autochtones. Que s'est-il donc passé pour que l'on assiste aujourd'hui à ce vent de changement, et quelles avenues s'offrent maintenant aux uns et aux autres ?

UNE SOCIÉTÉ CIVILE AUTOCHTONE

Ces dernières années, plusieurs villes québécoises – comme Montréal, Val-d'Or, Sept-Îles, La Tuque, Saguenay – ont été le théâtre d'une nouvelle proximité culturelle. En effet, une population autochtone engagée et de plus en plus présente en milieu urbain s'est fait remarquer par ses interventions soutenues sur diverses tribunes de la sphère publique. Jugée dérangeante et envahissante par plusieurs, cette cohabitation ouvre certes la porte à de nouvelles situations de racisme, à du rejet, à une mise à l'écart. Mais à l'inverse, elle interpelle différemment de nombreux citoyens, leaders et intervenants de divers milieux manifestant un réel désir de compréhension et de partage.

inédites entre instances de gouvernance autochtones et non autochtones. Par exemple, on constate la mise en œuvre de

> # On assiste à de multiples initiatives autochtones de réconciliation et de reconstruction sociale grâce à des collaborations inédites entre instances de gouvernance autochtones et non autochtones.

Parallèlement à ce phénomène, on assiste à de multiples initiatives autochtones de réconciliation et de reconstruction sociale grâce à des collaborations projets rassembleurs et particulièrement novateurs dans le domaine de la santé, en milieu scolaire et en économie sociale. Citons notamment la création en 2014 de la Clinique Acokan, installée au Centre d'amitié autochtone de La Tuque, qui vise à offrir un environnement culturellement sécuritaire aux patients autochtones de la région environnante. Ce projet est d'autant

---

COMMISSION DE VÉRITÉ ET RÉCONCILIATION DU CANADA

La Commission de vérité et réconciliation du Canada (CVR) a mené ses travaux de 2009 à 2014. Elle visait à faire la lumière sur les sévices et préjudices vécus par les enfants autochtones dans les pensionnats indiens. Pendant ces cinq années, la CVR a recueilli des milliers de témoignages auprès des survivants des pensionnats. Son rapport final, *Honorer la vérité, réconcilier pour l'avenir*, comprenant notamment 94 recommandations, a été rendu public en juin 2015. Le sommaire du rapport est disponible en ligne : www.trc.ca/websites/trcinstitution/File/French_Exec_Summary_web_revised.pdf.

plus pertinent que plusieurs Autochtones ne font pas confiance aux services de santé existants. Il en résulte d'ailleurs des diagnostics tardifs, des traitements plus complexes, un manque d'accompagnement et d'écoute, une absence de suivi et de mesures de prévention ciblées.

Soulignons également les nombreux projets éducatifs développés ces dernières chage importants dans la population autochtone et une relation plombée avec le milieu scolaire due notamment à l'épisode des pensionnats indiens, dont les séquelles sont encore vives –, ces initiatives favorisent de plus en plus le recours à des modes d'apprentissage collaboratifs inspirés des traditions intellectuelles autochtones et à leurs propres systèmes de savoirs.

L'État, qu'il s'agisse du fédéral ou du provincial, n'est désormais plus le seul interlocuteur des Autochtones.

années en milieu scolaire, notamment à l'instigation du Conseil en éducation des Premières Nations, qui créent des passerelles entre les écoles autochtones et les écoles ou les commissions scolaires du réseau québécois. Avec des taux de décro- Par ailleurs, dans une société marquée par le néolibéralisme, cette nouvelle proximité culturelle favorise la convergence de nombreux défis. Une parenté d'intérêts réunit un nombre croissant d'Autochtones et de non-Autochtones autour

LES PENSIONNATS INDIENS

Entre le milieu du 19e siècle et la fin du 20e, le Canada a envoyé de force plus de 150 000 enfants autochtones dans des dizaines d'établissements d'enseignement dirigés pour la plupart par des communautés religieuses. Dans ces établissements, une discipline de fer était de rigueur, et il était interdit de parler les langues autochtones et de pratiquer des coutumes autochtones, sous peine de punitions graves. Plus de 4000 enfants sont morts à cause de maladie ou de mauvais traitements. Plusieurs ont disparu sans laisser de trace.

Pour en savoir plus: Madeleine Dion Stout et Gregory Kipling, *Peuples autochtones, résilience et séquelles du régime des pensionnats*, Ottawa, Fondation autochtone de guérison, 2003.

d'enjeux partagés: des soins de santé améliorés et accessibles à toutes les populations, des écoles plus performantes, des ressources naturelles protégées, des entreprises solidaires et socialement ancrées.

L'État, qu'il s'agisse du fédéral ou du provincial, n'est désormais plus le seul interlocuteur des Autochtones. La société civile québécoise peut aussi jouer un rôle

vement des centres d'amitié autochtones, elle ajoute une dimension collective et transversale au projet autonomiste des Peuples autochtones. Sous son impulsion, les milieux urbains sont devenus un lieu de rencontre pour les diverses Premières Nations, un espace à la fois géographique et symbolique permettant de construire une appartenance

Une parenté d'intérêts réunit un nombre croissant d'Autochtones et de non-Autochtones autour d'enjeux partagés.

de premier plan dans les batailles que ceux-ci mènent pour l'amélioration de leurs conditions d'existence, le respect de leurs droits et la reconnaissance de leur modernité.

Quant à la société civile autochtone, mobilisée entre autres à travers le mou-

nouvelle qui déborde leurs frontières respectives et engendre une configuration géopolitique renouvelée entre les villes et les communautés autochtones sur réserve. Début 2013, on l'a clairement vu avec le déploiement du mouvement de protestation Idle No More, qui s'est d'abord étendu dans une majorité de villes québécoises pour ensuite rejoindre les communautés autochtones à la grandeur de la province.

RECONNAISSANCES NÉCESSAIRES

Pour que ce vent de changement s'incarne dans des actions concrètes de transformation et de développement, il faudra par contre dépasser le stade des bonnes intentions pour reconnaître, à la fois collectivement et sur un plan institutionnel, l'incontestable contribution des Autochtones à la prospérité sociale, économique et culturelle du Québec.

de la société québécoise ou canadienne, un peu comme si nos propres standards étaient devenus la référence absolue. Que ce soit en santé, en éducation ou en environnement, nous avons encore tendance à croire qu'il suffit d'adapter ou d'ajuster les mesures en vigueur au « cas des Autochtones » pour ainsi tenir compte de leurs réalités. C'est loin d'être acceptable, car les logiques et dynamiques sociétales ne sont pas nécessairement les mêmes dans le monde autochtone. Par exemple, la famille en contexte autochtone correspond à une unité sociologique dont les codes, les responsabilités et les valeurs sont

> Il importe que les deux sociétés civiles (québécoise et autochtone) puissent avancer côte à côte et non se fondre l'une dans l'autre.

Les Québécois devront franchir plusieurs étapes afin de contribuer véritablement à la réconciliation. Se sentir solidaires des Peuples autochtones et soutenir leurs actions afin de combattre les inégalités est une chose. Reconnaître leurs institutions, valeurs et principes éthiques, accepter qu'ils prennent eux-mêmes les décisions quant au présent et à l'avenir de leurs sociétés en est une autre.

Trop souvent, nos comportements quotidiens sont empreints, parfois même à notre insu, de cette idéologie du rattrapage qui confine les Autochtones à la remorque

propres à ces cultures. En d'autres mots, la reconnaissance doit s'accomplir à travers la prise en compte de la différence ; il ne faut pas la nier et encore moins la banaliser. C'est la raison pour laquelle il importe que les deux sociétés civiles (québécoise et autochtone) puissent avancer côte à côte et non se fondre l'une dans l'autre.

Un état de reconnaissance ne saurait donc se réduire à un ajustement arbitraire ou temporaire, ni se limiter aux exactions du passé, aussi tragiques soient-elles. Il doit s'accompagner d'une consolidation véritable des structures, valeurs, pratiques et institutions autochtones contemporaines, de même que d'un processus de transformation continue des mentalités, des actions et des choix au sein de la société québécoise. L'éducation est sans aucun doute une voie privilégiée à cet égard, autant à l'échelle du pays qu'au sein du monde autochtone. Il y en a d'autres, tout aussi fondamentales : participation équitable à l'économie, renouvellement des politiques destinées aux Peuples autochtones, valorisation de l'engagement communautaire, volonté ferme de mettre fin aux violences perpétrées contre les femmes et les enfants autochtones. Voilà quelques piliers de la décolonisation et de la rencontre citoyenne qui sont présentement à l'œuvre et sur lesquels repose le réel défi du vivre-ensemble.

Les autorités autochtones ont déjà fait le pari de la modernité en mettant de l'avant leurs propres initiatives en faveur de l'égalité et de l'équité, démontrant du même coup leur résilience et leur capacité d'innovation. De jeunes leaders, masculins comme féminins, prennent aujourd'hui le relais et n'hésitent pas à faire entendre leur voix afin de contribuer à créer les conditions d'une société où la justice ne sera plus un accident de parcours mais bien un projet de vie collectif. Apprendre du passé est évidemment nécessaire à la guérison, mais les Québécois doivent surtout mieux comprendre les impératifs de cette modernité autochtone. Il n'est plus possible désormais d'ignorer l'affirmation citoyenne autochtone. ◊

L'empreinte d'un film

PROPOS RECUEILLIS PAR **ANNICK POITRAS**,
journaliste indépendante et directrice de *L'état du Québec 2016*

Au printemps 2015, le documentaire *L'empreinte* sortait sur nos écrans, explorant l'hypothèse que la culture québécoise est le fruit d'un profond métissage entre la culture de nos ancêtres français et celles des peuples amérindiens avant la Conquête britannique. Dans cet entretien exclusif, les auteurs et coréalisateurs Yvan Dubuc et Carole Poliquin expliquent en quoi, selon eux, ce film lève le voile sur « notre grand secret de famille ».

POURQUOI FAIRE CE FILM, QUEL A ÉTÉ LE DÉCLIC ?

« C'est l'aboutissement d'une longue réflexion sur notre héritage, raconte Yvan Dubuc. Mais il y a eu un point de bascule: il y a quelques années, je revenais d'un long séjour en France en plein milieu des débats sur les accommodements raisonnables au Québec. J'avais alors été choqué de voir qu'on ne parlait même pas des Autochtones, qui font pourtant partie des fondements de la culture québécoise! À partir de là, j'ai voulu plonger dans notre inconscient collectif et explorer cette part occultée par l'histoire officielle, cette part manquante de la culture des Québécois, et qui fait de nous une société distincte au-delà du fait de parler français. »

« Pour moi, ça a été une révélation, ajoute Carole Poliquin. Quand Yvan m'a exposé sa réflexion sur l'influence du métissage culturel avec les Autochtones, c'est comme si tous les morceaux du casse-tête de notre incertitude identitaire s'étaient mis en place. J'ai ressenti un sentiment de complétude. J'ai pensé que les Québécois pourraient être tellement plus forts s'ils étaient conscients de leurs racines, de ce point d'ancrage de leur identité! J'ai insisté pendant deux ans pour qu'Yvan en fasse un film, et c'est quand je lui en ai proposé la production et la coréalisation qu'il a accepté. Le film est né cinq ans plus tard », dit-elle.

DE QUOI PARLE CE DOCUMENTAIRE ?

« Il explore les liens étroits qu'avaient les Français et les Autochtones en Nouvelle-France, des valeurs qui nous ont été transmises alors, poursuit Carole Poliquin. Des valeurs toujours vivantes de partage et d'égalité qui se traduisent dans nos comportements sociaux et nos institutions, par exemple notre fiscalité redistributive.

« Un autre héritage important est celui du "vivre et laisser vivre", poursuit-elle. On n'a qu'à penser à notre ouverture envers l'homosexualité — le Québec est un leader mondial sur le plan de la législation — ou l'avortement — dans les années 1970, des jurys québécois ont acquitté Morgentaler alors que des bombes explosaient dans sa clinique en Ontario. Il y a toujours aussi cette volonté de préserver une forme d'harmonie, de prendre des décisions en consensus, de régler les conflits par la médiation. Au Québec, on a traduit ça par : on n'aime pas la chicane ! Et c'est souvent présenté comme quelque chose de négatif. Or, c'est sensé. S'organiser pour que chacun y trouve son compte, c'est tellement riche comme manière de vivre en société ! »

« Cela nous vient de la culture autochtone, tout comme le fait que le Québec est une société profondément inclusive, ajoute Yvan Dubuc. Car l'adoption a fait partie de la stratégie de survie des Autochtones, qui ont adopté les Français, et ensuite les Français ont dû inclure les Anglais... Et aujourd'hui, dans le Québécois "de souche", il y a de tout : de l'Indien, du Français, de l'Écossais, de l'Irlandais, de l'Allemand, de l'Italien, et toutes les communautés qui viennent de partout. »

Un autre héritage important est celui du « vivre et laisser vivre ». On n'a qu'à penser à notre ouverture envers l'homosexualité ou l'avortement.

POURQUOI METTRE EN SCÈNE L'ACTEUR ROY DUPUIS COMME PERSONNAGE PARTANT À LA RECHERCHE DE SON IDENTITÉ QUÉBÉCOISE ?

« D'une part, il fallait un fil conducteur au film pour raconter l'histoire et, d'autre part, Radio-Canada souhaitait un visage familier, se rappelle Yvan Dubuc. Alors Roy, qui a incarné les personnages d'Ovila dans *Les filles de Caleb* et d'Alexis dans *Un homme et son péché*, deux personnages de nomades et de coureurs des bois qui ont marqué l'imaginaire collectif québécois, s'est vite imposé. Quand on lui a parlé de notre projet portant sur l'héritage des Autochtones dans notre culture, il a dit tout de suite : « OK, j'embarque, je signe où ? » Il a été tellement engagé et généreux... Il dit que faire *L'empreinte* a été un des plus beaux cadeaux de sa vie. »

COMMENT LE FILM A-T-IL ÉTÉ ACCUEILLI ?

«Jusqu'à maintenant, plus de 10 000 personnes l'ont vu en salle et environ 200 000 à Radio-Canada. Le film est très bien accueilli, tant chez les Québécois que chez les Autochtones, dit Carole Poliquin. On nous invite d'ailleurs dans les communautés autochtones pour des projections. On voit des larmes dans les yeux des Québécois et des Autochtones, car il y a un grand sentiment de fierté à reconnaître l'apport de ces peuples qui étaient des civilisations au plein sens du terme, modernes à plusieurs égards. Des Autochtones nous ont dit : "C'est un film qui réconcilie nos identités", "un film qui nous permet de renouer avec nos valeurs", "un film de dialogue respectueux et touchant", "un film important qui va nous faire de nouveaux alliés chez les Québécois" ! »

Ce ne sont pas les "Sauvages" qui se sont "civilisés", mais bien les Français qui se sont "ensauvagés" !

«Bien sûr, quelques personnes nous ont reproché de ne pas avoir parlé des réserves ou des conditions de vie pitoyables des Autochtones ou du colonialisme, souligne Yvan Dubuc. Mais ce n'était pas notre sujet. Ce n'était pas le film qu'on voulait faire. On a exploré une fenêtre historique unique, c'est-à-dire les 150 premières années de la rencontre franco-amérindienne, sous un Champlain visionnaire qui encourageait les alliances et le métissage, et durant laquelle ce ne sont pas les "Sauvages" qui se sont "civilisés", mais bien les Français qui se sont "ensauvagés" ! Après la Conquête, cet héritage, ce métissage culturel est devenu honteux et on l'a occulté. C'est d'ailleurs le plus grand tabou de notre société ! »

«Le pari qu'on a fait avec ce film, c'est de créer une ouverture du cœur et de l'esprit tant chez les Québécois que chez les Autochtones. À partir de la reconnaissance de nos liens fraternels historiques, ouvrir un nouveau dialogue. Et nous pensons avoir réussi », conclut Carole Poliquin. ¶

Inégalités sociales

LE SENTIMENT DE JUSTICE SOCIALE : ENTRE ÉQUITÉ ET ÉGALITÉ

Les Québécois ont-ils l'impression de vivre dans une société juste ?
Se sentent-ils personnellement traités de façon équitable ? Tout dépend
de qui répond à la question. Les jeunes, les femmes et les anglophones,
notamment, ont des perceptions particulières.

SIMON LANGLOIS
Professeur, Département de sociologie, Université Laval

Comment les Québécois évaluent-ils l'état de la justice sociale au Québec ? Pour répondre à cette question, nous avons sondé près de 3 000 Québécois sur le sentiment de justice, les inégalités et l'exclusion sociale[1]. Puis, nous avons distingué le jugement que portent les citoyens sur l'état de la justice sociale au sein de notre société – la macrojustice – et l'évaluation qu'ils font de leur situation personnelle vécue – la microjustice.

Il ressort de notre analyse des résultats que la représentation de la justice sociale n'est pas la même selon qu'on l'évalue à l'échelle de la société ou à l'aune de sa propre situation. Cette différence est attribuable au fait que les individus apprécient l'état de la justice sociale au moyen de deux principes différents mais complémentaires : le principe d'équité et le principe d'égalité.

SEPT QUÉBÉCOIS SUR DIX ESTIMENT VIVRE DANS UNE SOCIÉTÉ JUSTE

Le sentiment de macrojustice a été mesuré à partir de la question : « Diriez-vous que la société québécoise est plutôt juste ou plutôt injuste ? » Au total, 70 % des Québécois répondent « plutôt juste » et 30 %, « plutôt injuste ».

Si les Québécois considèrent en forte proportion que la société dans laquelle ils vivent est plutôt juste, les femmes sont moins nombreuses (65 %) que les hommes (75 %) à le croire, de même que les jeunes de 18 à 35 ans, qui se démarquent avec une proportion plus faible que la moyenne (61 %). Le fait que le mouvement étudiant du printemps 2012 était encore frais à leur mémoire au moment du sondage pourrait expliquer cet écart.

D'ailleurs, plus les personnes avancent en âge, plus elles estiment que la société québécoise est juste – 80 % chez les personnes âgées de 75 ans ou plus. Les personnes les moins scolarisées (qui ont terminé leurs études primaires ou secondaires) sont moins nombreuses à juger que la société québécoise est plutôt juste (63 %) ; ce pourcentage augmente avec le niveau d'études, grimpant à 77 % chez les diplômés universitaires.

Il existe aussi un clivage entre les classes sociales. Plus de 73 % des personnes exerçant une profession qui exige un diplôme collégial ou universitaire (emplois de techniciens, professions libérales, travail de gestion et d'administration) perçoivent le Québec comme une société juste, mais seulement 60 % des moins élevés de ce groupe linguistique. Soulignons que l'enquête a été réalisée en plein débat public sur le projet de loi 14 modifiant la Charte de la langue française (la loi 101), une question sensible pour les Anglo-Québécois.

Pour les fins de l'analyse, les immigrants allophones ont été classés dans

Si les Québécois considèrent en forte proportion que la société dans laquelle ils vivent est plutôt juste, les femmes sont moins nombreuses (65 %) que les hommes (75 %) à le croire, de même que les jeunes de 18 à 35 ans.

ouvriers, des employés de bureau et du personnel œuvrant dans les services et la vente sont du même avis. De leur côté, les travailleurs de la classe moyenne, c'est-à-dire ceux qui ont des revenus annuels bruts de 50 000 $ à 100 000 $, jugent à 77 % que notre société est juste.

L'enquête révèle un profond malaise chez les anglophones du Québec : une faible proportion d'entre eux (40 %) considèrent leur société comme étant plutôt juste, contrairement aux francophones (75 %). Le sentiment négatif de macrojustice – l'idée que la société est « plutôt injuste » – est plus prononcé chez les femmes, les personnes les moins scolarisées, les jeunes et les ménages à revenus

l'un ou l'autre des deux groupes linguistiques – francophones ou anglophones – en fonction de la langue dans laquelle ils ont répondu au questionnaire.

MOINS DE REVENUS, MOINS DE JUSTICE SOCIALE ?

Si les Québécois estiment en majorité vivre dans une société juste, ils se montrent beaucoup plus critiques en ce qui concerne leur propre situation (microjustice) : sur le plan de leurs revenus, ils sont plus nombreux à croire qu'ils sont traités de façon inéquitable[2].

Les différences entre classes sociales sont plus nettes dans l'évaluation de la microjustice. Moins leur revenu est élevé, moins les personnes sondées estiment que leur propre rémunération est équitable. Les employés de bureau, le personnel des services et les ouvriers sont aussi moins nombreux à juger leur rémunération équitable que les travailleurs des classes supérieures (cadres et professionnels). Le sentiment de ne pas recevoir sa juste part est fortement ressenti chez les travailleurs au bas de l'échelle socioéconomique, ce qui était moins le cas dans leur évaluation de la justice sociale à l'échelle de toute la société (macrojustice). Ainsi, l'évaluation de leur situation personnelle n'est pas nécessairement porteuse d'une critique de l'ensemble de la société.

Estimant vivre dans une société plutôt injuste, comme on l'a noté plus haut, les jeunes ne se distinguent pas des autres groupes d'âge dans l'évaluation de la micro-justice sociale. En effet, à part pour les plus âgés (65 ans et plus), qui considèrent plus fortement être traités de manière équitable, les jeunes Québécois jugent leur situation personnelle de la même façon que les autres groupes d'âge.

Contrairement aux jeunes, les femmes expriment une critique globale de la société et manifestent aussi plus d'insatisfaction vis-à-vis de leur situation personnelle. Elles sont plus critiques que les hommes dans leur évaluation de la justice aussi bien à l'échelle de la société qu'au niveau de leur situation personnelle : un écart de 10 % les sépare des hommes dans les deux cas.

De leur côté, les anglophones se comportent exactement comme les francophones lorsqu'il s'agit de poser un jugement sur leur situation personnelle. Les mêmes clivages (selon le sexe, l'âge, la classe, etc.) se retrouvent dans les deux groupes linguistiques pour ce qui est de la microjustice sociale. Ainsi, il y a un fort contraste entre le regard porté par les anglophones du Québec sur leur société et celui qu'ils posent sur leur propre situation.

Quand il est question d'insatisfaction à l'égard de son revenu et du sentiment d'injustice, les gens ne se comparent pas « aux membres du 1 % » qui se détachent du peloton des salariés, mais plus souvent à des personnes de leur entourage, de leur milieu social ou encore d'un groupe social qui est significatif à leurs yeux. Ce phéno-mène, bien connu des sociologues, a aussi été observé dans notre enquête.

Le sentiment d'injustice quant à sa propre situation est plus prononcé chez les personnes qui sont en mobilité sociale descendante (statut social moins élevé que celui du milieu familial d'origine) et chez celles qui ont connu des difficultés en car-rière ayant conduit à une perte de statut social. Il en va de même des personnes qui jugent que leur situation personnelle est moins bonne que celle de leurs proches parents, ou encore moins favorable que celle d'autres salariés jugés de niveau social équivalent. Ces résultats vont dans le même sens que ceux d'autres études sem-blables menées au Québec ou ailleurs.

L'INFLUENCE DES PRINCIPES D'ÉQUITÉ ET D'ÉGALITÉ

À la lumière de ces résultats, nous formu-lons l'hypothèse que les individus portent un jugement sur la justice sociale en se référant aux principes d'équité et d'égalité.

L'équité renvoie à la reconnaissance des mérites et de la contribution personnelle ; elle est compatible avec l'existence de différences et d'inégalités. On accepte que l'adjoint administratif gagne moins que son supérieur hiérarchique (femmes ou hommes dans les deux cas), mais si l'écart grandit au-delà des « limites du rai-

timent de justice diffère selon que l'on se réfère aux principes d'équité ou d'égalité.

Les anglophones en offrent une bonne illustration. Comme chez les francophones, les Anglo-Québécois les moins favorisés tendent à juger leur situation personnelle peu équitable, ce qui est moins le cas chez les personnes les plus favorisées. Les anglophones se réfèrent manifestement au principe d'équité pour

L'enquête révèle un profond malaise chez les anglophones du Québec : une faible proportion d'entre eux (40 %) considèrent leur société comme étant plutôt juste, contrairement aux francophones (75 %).

sonnable », la rémunération très élevée du cadre supérieur sera considérée comme excessive.

Le principe d'égalité renvoie quant à lui à diverses formes d'intervention collective (l'intervention étatique, l'intervention d'associations syndicales ou autres) visant à assurer un accès égal à divers biens collectifs et à procurer à chacun un minimum de bien-être. Ainsi, peu de personnes remettront en cause le principe de l'égalité des citoyens dans l'accès aux soins de santé et aux services publics.

Plusieurs observations dans notre enquête confortent l'hypothèse que le sen-

juger la microjustice. Par contre, le sentiment de macrojustice chez les anglophones est construit en référence au principe d'égalité, car ils estiment en très forte majorité que leur groupe linguistique est traité injustement au Québec et que l'État fait peu pour eux du point de vue de l'égalité.

De leur côté, les femmes sont critiques en ce qui concerne la justice sociale aux plans tant macro que micro. Celles qui ont un statut social moins élevé manifestent, par rapport à la microjustice, un sentiment d'insatisfaction plus fort que chez les femmes plus favorisées. Le même constat est observé chez les hommes. La situation personnelle est jugée selon le principe d'équité, ce qui amène les personnes au bas de l'échelle sociale à être plus critiques. En revanche, lorsqu'on leur demande d'évaluer la macrojustice, les femmes au sommet de l'échelle sociale se montrent plus critiques que les hommes et elles partagent le même sentiment que celles de condition sociale plus modeste. Les femmes se réfèrent au principe d'égalité pour juger l'état de la justice dans la société, car elles partagent l'idée que l'égalité entre les sexes n'est pas encore atteinte, ce qui les affecte toutes.

CONCLUSION

Les clivages dans la représentation que l'on se fait de la justice sociale au sein de la société québécoise sont liés aux raisons qu'ont les individus de se sentir exclus, de ressentir des injustices, d'être insatisfaits de l'ordre établi. Ces raisons sont évaluées selon les principes d'équité et d'égalité, qui expliqueraient les différences observées dans l'évaluation de la microjustice et de la macrojustice.

La référence au principe d'égalité rendrait compte du malaise ressenti par les anglophones québécois et par les femmes sur le plan de la macrojustice. Quant à la référence au principe d'équité, elle serait responsable du sentiment d'injustice observé parmi les classes populaires, indépendamment du sexe ou du groupe linguistique, par rapport à leur propre situation (microjustice). ◊

Notes et sources, p. 284

Des réformes menées à l'aveuglette ?

NICOLAS ZORN
Analyste de politiques, Institut du Nouveau Monde

Pour éviter que les politiques publiques n'aggravent les inégalités économiques et sociales, les gouvernements doivent pouvoir mesurer leurs effets. L'Institut du Nouveau Monde a développé à cette fin un outil éclairant: le *Bulletin du budget*.

En plus de nuire à la démocratie, des inégalités économiques et sociales élevées entravent la réussite scolaire et la mobilité sociale, tout en minant la santé de la population et la croissance économique. Somme toute, des inégalités élevées coûtent cher aux sociétés et n'apportent rien de bon. Ces constats sont partagés par un nombre étonnant de politiciens, de chercheurs et d'économistes d'ici et d'ailleurs, et par une majorité de grandes organisations internationales telles que l'OCDE, le FMI et l'ONU.

Plusieurs statistiques le démontrent: le Québec n'échappe pas à la hausse des inégalités depuis 30 ans. D'ailleurs, selon un sondage Léger/Institut du Nouveau Monde (INM) mené en 2014, 70 % des Québécois croient que la réduction des inégalités de revenus devrait être une priorité pour nos gouvernements.

De plus, 56 % des répondants jugent que les réformes gouvernementales devraient avoir comme critère de ne pas augmenter les inégalités de revenus, alors que seulement 25 % s'opposent à cette idée. Dans la même veine, 73 % des répondants considèrent que lorsque les gouvernements mettent en place, modifient ou abolissent des programmes sociaux ou des services publics, ils devraient publier des études quant à leurs effets possibles sur les inégalités de revenus.

Inquiet des nombreuses réformes actuellement en cours au Québec, un collectif de fondations philanthropiques québécoises a été formé au printemps 2015, rassemblant notamment la Fondation Lucie et André Chagnon et la Fondation des YMCA du Québec. Ce collectif a d'abord publié une lettre ouverte dans les journaux sur la question, avant de tenir une demi-journée de réflexion. L'objectif: explorer l'idée d'un dispositif d'évaluation des impacts des politiques publiques sur les inégalités sociales.

COMMENT MESURER
L'IMPACT DES POLITIQUES ?

Lorsque nos décideurs politiques proposent des réformes ou un budget comportant de nombreuses mesures, ils n'ont malheureusement pas d'outils pour évaluer si leurs actions augmenteront ou pas les inégalités. Comment éclairer leurs décisions ?

Il existe quelques précédents intéressants en la matière. Il est entre autres possible de mesurer les effets d'une initiative une fois qu'elle a été réalisée. Par exemple, l'Institut national de santé publique du Québec a

Ce type de mesure de la progression des inégalités a toutefois une limite : puisque les effets sur des variables comme la santé et l'espérance de vie mettent du temps à se faire sentir, les impacts de plusieurs politiques publiques ne peuvent être mesurés qu'au bout d'une longue période, et donc bien après que ces politiques ont été mises en place.

Une autre avenue intéressante pour mesurer les inégalités consiste à faire l'inverse, c'est-à-dire à estimer les effets d'une politique avant qu'elle ne soit mise en œuvre

> Chez les Québécois, 70 % croient que la réduction des inégalités de revenus devrait être une priorité pour nos gouvernements.

documenté les conséquences de la réouverture de la mine Malartic entre 2006 et 2013 sur l'accroissement des inégalités sociales dans cette municipalité de l'Abitibi.

En outre, en 2011, la Direction de santé publique de Montréal a mesuré l'espérance de vie dans tous les quartiers de l'île de Montréal. Conclusion : il existe des écarts d'espérance de vie de plus d'une décennie entre les citoyens, selon qu'ils habitent dans des quartiers riches ou pauvres. Malgré les nombreuses politiques visant à atténuer ces écarts, ceux-ci n'ont pas reculé depuis la fin des années 1990.

par un gouvernement. Par exemple, au cours des deux dernières années, le directeur parlementaire du budget a simulé les effets probables sur les inégalités de plusieurs mesures proposées par le gouvernement canadien. Ces analyses portent sur l'impact du fractionnement du revenu des familles sur les recettes fiscales du gouvernement fédéral, sur la hausse du maximum de cotisation au compte d'épargne libre d'impôt (CELI), et sur l'interaction entre le régime d'imposition fédéral et l'inégalité des revenus.

Effet global sur les inégalités des principales mesures du budget provincial 2015-2016

Mise en place d'un bouclier fiscal pour les travailleurs	
Élimination graduelle de la contribution santé (2017)	
Mesures favorisant la participation des immigrés au marché du travail	
Soutien à la Fondation du Dr Julien	
Étalement de la hausse de la rémunération des médecins	
Devancement des investissements publics en infrastructures	
Aide aux aînés pour compenser une hausse des taxes municipales	
Modulation des tarifs de garderie en fonction du revenu	
Crédits d'impôt préretraite	
Réduction du budget du Secrétariat à la condition féminine	
Baisse effective du crédit d'impôt pour solidarité	
Pacte fiscal municipal (réduction des transferts)	
Fonction publique: plafonnement des effectifs et conventions collectives	
Accès restreint à l'aide sociale	
Croissance nulle du budget de la santé	
Croissance négative du budget de l'éducation	

Source: Nicolas Zorn, *Bulletin du budget 2015*, Institut du Nouveau Monde, 2015.

Pour consulter le *Bulletin du budget provincial 2015*:
http://inm.qc.ca/wp-content/uploads/2015/04/Bulletin_budget_2015.pdf.

Pour consulter le *Bulletin du budget fédéral 2015*:
http://inm.qc.ca/Bulletin_budget_fédéral_2015.pdf.

LES BULLETINS DU BUDGET DE L'INM

Toutefois, cette approche de simulation est pertinente surtout pour les politiques de transferts et d'impôts, qui impliquent des montants facilement calculables. Il est plus difficile d'estimer l'impact d'une future intervention en santé publique ou d'un programme pour décrocheurs scolaires, par exemple.

Pour ces situations moins quantifiables, il est possible de consulter un certain nombre d'experts, puis d'agréger et de pondérer leurs réponses. Cette approche permet d'obtenir une estimation approximative des effets d'une politique sur les inégalités sociales.

L'INM s'est prêté à l'exercice. Au printemps dernier, nous avons sollicité l'avis d'une vingtaine d'économistes et d'experts canadiens sur les répercussions qu'auront, à leur avis, les mesures contenues dans les budgets provincial et fédéral de 2015-2016, comme l'élimination graduelle de la contribution santé ou la hausse du plafond de cotisation pour un CELI.

Les *Bulletins du budget* de l'INM étaient nés[1]. Tout comme un étudiant est évalué dans un bulletin scolaire, nos gouvernements ont reçu des notes en fonction de l'impact estimé de leurs mesures sur les inégalités. La note A+ indique que l'ensemble des mesures réduirait de beaucoup les inégalités; la note E indique que l'ensemble des mesures augmenterait de beaucoup les inégalités. Ces notes extrêmes sont toutefois quasi impossibles à obtenir, puisqu'il est rare que les effets d'un ensemble disparate de mesures socioéconomiques fassent consensus parmi une pluralité de spécialistes d'horizons différents.

Voici donc les faits saillants du *Bulletin du budget provincial* de cette année.

BUDGET QUÉBÉCOIS 2015-2016 : UN BUDGET INÉGALITAIRE

Avec une note globale de C, soit tout juste la note de passage, le budget 2015-2016 augmentera les inégalités au Québec. Selon le panel de spécialistes consulté, les mesures qu'il contient auront des effets négatifs, surtout la réduction de la croissance des budgets de l'éducation et de la santé. La modification des critères d'admissibilité qui restreignent l'accès à l'aide sociale, le gel global des effectifs dans la fonction publique et les offres du gouvernement pour le renouvellement des conventions collectives des employés de l'État ont également été jugés susceptibles d'accroître les inégalités au Québec.

Mais sur le lot des mesures annoncées, certaines réduiront aussi les inégalités, notamment la mise en place d'un «bouclier fiscal» pour les travailleurs – une mesure les incitant à travailler davantage tout en limitant leurs pertes de prestations fiscales –, les initiatives qui favorisent la participation des immigrés au marché du travail, l'abolition de la contribution santé et le soutien financier à la Fondation du Dr Julien, qui œuvre auprès d'enfants de milieux défavorisés.

Au total, le nombre de mesures réduisant les inégalités est supérieur au nombre de mesures qui les aggravent, soit neuf contre sept (voir le graphique). Cependant, l'effet cumulatif est négatif: l'ensemble des mesures aura donc pour effet d'augmenter les inégalités au Québec.

L'EXEMPLE COMPLEXE
DES GARDERIES

L'un des avantages du *Bulletin du budget* est qu'il permet aux panélistes d'expliquer en quoi l'effet d'une mesure sera positif ou négatif, et à quel degré. Par exemple, nous constatons que la modulation de la tarification des services de garde en fonction du revenu des parents est

De l'autre côté, cette réforme pourrait augmenter les inégalités puisque les familles aisées utilisent davantage ce programme que les familles moins nanties. De plus, la hausse des tarifs sera accompagnée d'un désinvestissement du gouvernement dans le financement des centres de la petite enfance (CPE), comme l'ont souligné certains panélistes. L'un d'entre eux a soutenu qu'«on remplace un système construit sur la solidarité par un système où les CPE dans les quartiers mieux nantis auront des revenus plus importants. Une nouvelle inégalité, celle du service de prestation, sera créée».

Il pourrait s'avérer plus rentable pour une famille de garder elle-même ses enfants plutôt que de subir une hausse d'impôt proportionnelle au salaire du couple.

la politique la moins consensuelle parmi les panélistes. Cette absence de consensus n'est pas surprenante puisque les effets de cette réforme sont jugés contradictoires.

D'un côté, puisque le tarif est désormais progressif, c'est-à-dire modulé en fonction du revenu des ménages, cette réforme pourrait réduire les inégalités. Plus un ménage est en moyens, plus il paiera pour les services de garde. Et les moins nantis ne sont pas touchés par la hausse tarifaire.

En outre, selon les spécialistes, un des effets de cette réforme sur les inégalités demeure incertain: la possible réduction de la présence des femmes sur le marché du travail. En effet, ils ignorent qui, des femmes issues de ménages mieux nantis ou de leurs consœurs moins nanties, risque davantage de quitter le marché du travail pour garder les enfants à la maison. Il pourrait s'avérer plus rentable pour une famille de garder elle-même ses enfants plutôt que de subir une hausse d'impôt proportionnelle au salaire du couple. Par exemple, dans un ménage riche où un des deux parents travaille à temps partiel, ce dernier pourrait préférer rester au foyer afin d'éviter une augmentation d'impôt pouvant représenter jusqu'à 6 500 $ pour deux enfants.

La comparaison et la confrontation de ces arguments mis de l'avant par les spécialistes permet également d'identifier des éléments à prendre en compte si une mesure est étudiée de façon plus approfondie. C'est le genre d'action concrète qu'un gouvernement pourrait mener s'il prenait au sérieux la menace que représentent les inégalités.

LES LIMITES
DES *BULLETINS DU BUDGET*

Un tel exercice est évidemment influencé par la composition du panel. De plus, certaines mesures sont complexes et peuvent avoir des effets ambigus ou contradictoires, comme c'est le cas pour la modulation des tarifs de garderie au Québec, selon le panel. Ces nuances rappellent les limites d'un tel exercice.

Par ailleurs, il faut tenir compte du fait qu'il existe plusieurs types d'inégalités: entre riches et pauvres, entre moins nantis et classe moyenne, et entre riches et classe moyenne. Mais il en existe aussi entre hommes et femmes, jeunes et vieux, Québécois de longue date et nouveaux arrivants, et ainsi de suite.

Il n'y a pas que les ressources matérielles et financières qui sont inégalement distribuées: les ressources symboliques (un titre honorifique, un diplôme, un nom de famille, un accent) de même que les ressources sociales et politiques (réseaux de contacts, accès aux décideurs) ont un impact déterminant sur les inégalités de revenus et de richesse.

Toutes ces ressources doivent être prises en compte pour évaluer correctement l'impact des réformes sur les inégalités. Des études de cas et des évaluations plus poussées permettraient d'approfondir notre connaissance à cet égard, répondant ainsi à un besoin bien exprimé par la population.

Faire de la réduction des inégalités un critère pour juger des politiques publiques en préparation devrait devenir un réflexe. Car les mesures contenues dans les derniers budgets provincial et fédéral risquent d'accroître non seulement les inégalités, mais aussi le coût de ces inégalités pour la société[2]. La rigueur budgétaire appliquée par ces deux gouvernements risque donc, au final, d'être contre-productive. Des études d'impact sur les inégalités permettraient de leur éviter de naviguer à l'aveuglette. ¶

Notes et sources, p. 284

Médias

LA CRISE DE TOUS LES DANGERS

**L'industrie des médias de masse n'a pas encore trouvé le modèle
d'affaires qui lui permettra de prospérer à l'ère du numérique.
Les mutations radicales de l'économie des médias masquent un grand défi :
assurer la survie et la prospérité du journalisme d'intérêt public,
qui permet au citoyen de prendre part au débat démocratique.**

BRIAN MYLES
Professeur à l'École des médias, Université du Québec à Montréal

L e journalisme est en crise... encore une fois! Dans l'histoire contemporaine de cette forme unique de communication, qui s'exerce à l'intersection d'intérêts commerciaux et de l'intérêt public, il n'y a probablement jamais eu plus de cinq minutes d'accalmie entre deux crises. Au tournant du 20ᵉ siècle, la presse écrite a d'abord souffert de l'invention de la radio, et ensuite de celle de la télévision. Elle ne devait jamais se remettre de ces transformations, dont on oublie le caractère radical pour l'époque : une culture de l'écrit s'est alors effacée au profit d'une culture de la parole, et bientôt d'une culture de l'image, pour ne pas dire une dictature de l'image qui est encore bien vivante.

Les « vieux » journaux ont tenu bon jusqu'à la fin du 20ᵉ siècle, grâce à la stabilité de leur modèle d'affaires, c'est-à-dire un « mariage de raison » entre les médias de masse et les annonceurs. Les médias de masse disposaient d'un réservoir de lecteurs, d'auditeurs ou de téléspectateurs « citoyens » intéressés par des contenus de qualité et de valeur inégales. Les seconds étaient prêts à payer le prix fort pour atteindre ces « consommateurs » et leur vendre des produits de qualité et de valeur tout aussi inégales.

Dans la deuxième moitié du 20ᵉ siècle, la professionnalisation du métier de journaliste, l'augmentation des recettes publicitaires et la stabilité économique résultant de la concentration de la presse – et c'est peut-être là le seul effet bénéfique de cette concentration – ont permis aux journaux d'assumer une mission sociale de grande importance : arbitrer le débat d'idées dans une société démocratique et permettre aux citoyens de porter un jugement éclairé sur la conduite des titulaires de charges publiques. Les journalistes ne sont jamais plus grands et plus pertinents que lorsqu'ils revêtent le costume du « chien de garde de la démocratie ». Ce « quatrième pouvoir » (après l'exécutif, le législatif et le judiciaire) est à l'origine de la révélation au grand public de plus d'un scandale de corruption, de collusion et de dilapidation des fonds publics.

Certes, l'information-spectacle et la trivialité l'emportent régulièrement sur le contenu à valeur ajoutée. Avant l'émergence d'Internet et des médias sociaux, les « menaces » qui pesaient sur les médias de masse provenaient avant tout de leur propre univers. Écrits ou électroniques, des médias variés, tous redevables du même modèle d'affaires, se disputaient l'attention des mêmes lecteurs-auditeurs-téléspectateurs, afin de maintenir ou d'ac-

polémistes engagés davantage dans la provocation pure à des fins d'autopromotion que dans le débat d'idées.

Mais il y a un péril encore plus grand. La révolution numérique entraîne la liquidation précipitée du modèle d'affaires traditionnel des médias de masse : exode de la clientèle, érosion des revenus publicitaires, extinction des profits. Mis à part la radio, qui bénéficie pour l'instant d'une double stabilité de ses revenus publici-

La diffusion et le filtrage de l'information dans les médias sociaux entraînent une reconfiguration des procédés par lesquels nous construisons notre connaissance du monde.

croître leur attractivité auprès des annonceurs et de dégager en bout de ligne des bénéfices.

LA FIN D'UN MONOPOLE
À l'inverse, la révolution du numérique est une menace exogène. Elle n'a d'égal, dans l'histoire de la communication, que l'invention de la typographie par Gutenberg, en 1438. Elle bouleverse à la fois nos façons d'apprendre, de communiquer et d'interagir. Les médias de masse et les journalistes, qui possédaient jusqu'à récemment le quasi-monopole de la communication de masse, subissent la concurrence exacerbée de blogueurs, de journalistes citoyens et de

taires et de son auditoire, en raison de la popularité de la radio parlée, la plupart des médias traditionnels appréhendent l'avenir comme un plongeon dans l'abîme.

Les journaux sont les plus durement touchés par ces mutations. Aux États-Unis, les dépenses publicitaires dans les journaux sont passées de 49,4 milliards de dollars US en 2005 à 19,9 milliards en 2014, une chute abyssale de 61 %[1]. Au Canada, les achats des annonceurs dans les journaux quotidiens sont passés de 3,7 milliards de dollars en 2005 à 2,6 milliards en 2014, une baisse de 30 %, selon les données de l'Association canadienne des journaux. Le Centre d'études sur les médias a brossé le portrait le plus rigoureux de la situation au Québec. Grosso modo, les ventes publicitaires des quotidiens sont passées de 507 millions à 445 millions de dollars entre 2003 et 2012, une baisse de 12 %.

Parallèlement, les investissements publicitaires globaux connaissent une croissance exponentielle. Les journaux traditionnels ont multiplié les plateformes (site Internet, téléphone intelligent, tablette) dans l'espoir de capter ces nouveaux flux économiques. Mais depuis 10 ans, les résultats sont mitigés, la progression des revenus publicitaires numériques des journaux étant insuffisante pour compenser la perte des revenus de l'imprimé. Le président de CNN, Jeff Zucker, résumait il y a quelques années par une métaphore percutante les contraintes qui pèsent sur les médias traditionnels dans ce nouvel environnement : ils échangent des dollars analogiques contre des cents numériques.

Au Québec, au Canada et aux États-Unis, le même constat s'impose : les médias de masse ne sont plus à l'avant-garde technologique de leur industrie. Ce sont de piètres capteurs des nouvelles richesses publicitaires créées dans les médias sociaux.

À cet égard, *La Presse* fait figure d'exception. À compter du 1er janvier 2016, le quotidien *La Presse +* sera livré exclusivement sur la tablette en semaine (seule l'édition du samedi sera toujours imprimée). L'avenir de l'entreprise passera par cette version numérique que l'éditeur, Guy Crevier, dit « plus performante » 30 mois après son lancement que *La Presse* papier après 131 années d'existence. Dubitatif, le syndicat des travailleurs de l'information de *La Presse* réclame un accès aux données financières de l'entreprise. Le projet est-il simplement viable à court terme ou rentable à long terme ? La question reste en suspens.

Quoi qu'il en soit, les journaux cherchent tous à émuler *La Presse +*, à la hauteur de leurs moyens. Après *Le Devoir*, les sept journaux du Groupe Capitales Médias (*Le Soleil*, *Le Droit*, *Le Nouvelliste*, *La Tribune*, *Progrès-Dimanche*, *Le Quotidien* et *La Voix de l'Est*) ont lancé leur application pour tablettes en 2015. Mais encore aucun journal, à part *La Presse*, n'ose tourner le dos au papier.

LA TÉLÉVISION EN SURSIS

Pour le moment, la télévision est épargnée par l'hémorragie financière, bien que la concurrence des diffuseurs en ligne qui ne sont pas soumis à la réglementation du Conseil de la radiodiffusion et des télécommunications canadiennes (CRTC), tels Netflix et YouTube, fasse peser une réelle menace sur son avenir à moyen terme.

Au Canada, la télévision traditionnelle privée est particulièrement touchée par la baisse des revenus attribuable à l'augmentation de la popularité de la diffusion en ligne et à la concurrence des chaînes spécialisées. Les revenus publicitaires des chaînes traditionnelles privées se chiffrent à 1,7 milliard de dollars, en baisse de 5 % (303 millions) depuis 2011[2]. Pour la première fois, en 2014, la part de marché des ventes publicitaires de la télévision traditionnelle privée est passée sous la barre des 50 %.

Au Québec, la télévision traditionnelle privée a connu son premier bénéfice avant intérêts et impôts négatif depuis 1991. La perte totale des réseaux privés est de 12,3 millions de dollars en 2014. On aurait tort de prendre ces problèmes à la légère. Les chaînes privées, tout comme les journaux, sont des producteurs d'information originale et inédite. Elles sont contraintes d'investir dans ce créneau, coûteux à produire et peu attrayant pour des annonceurs, dans un contexte de baisse généralisée des revenus.

LE NOMADE DE L'INFORMATION

Les investissements publicitaires numériques sont considérables : en 2014, ils étaient de 50,7 milliards de dollars US aux États-Unis, en hausse de 18 % en un an, selon le Pew Research Center. Au Canada, ils s'élevaient à 3,8 milliards de dollars, en hausse de 11 %. Dans les deux pays, les investissements numériques représentent près du tiers de l'assiette publicitaire globale. Au Québec, les investissements publicitaires numériques se chiffraient à 707,8 millions de dollars en 2014 (en hausse de 10 % en un an)[3], soit le quart de l'assiette publicitaire globale. Le Centre d'études sur les médias, plus prudent dans son analyse, évaluait ce marché à 504 millions de dollars en 2012.

Aux États-Unis, cinq sociétés cotées en Bourse (Google, Facebook, Microsoft, Yahoo et AOL) accaparent à elles seules près des deux tiers de l'assiette publicitaire numérique (30,9 milliards de dollars en 2014). Sans surprise, elles dominent le Web, cette vaste étendue sans frontières territoriales. Au Québec, les trois sites les plus populaires en 2014 étaient Google (5,97 millions de visiteurs uniques par mois), suivi de Facebook (5,43 millions) et de Microsoft (5,36 millions), selon *Infopresse*.

Nous assistons donc à la naissance du nomade de l'information, individu qui consomme de plus en plus ses nouvelles là où il se trouve, sur son téléphone intelligent. Aux États-Unis, 39 des 50 sites de nouvelles les plus importants obtiennent le plus de visites à partir d'appareils mobiles.

Les Québécois suivent cette tendance, à leur rythme. L'ordinateur demeurait leur moyen favori de naviguer sur Internet en 2014. Le taux de pénétration d'Internet dans les foyers était de 83 % pour les ordinateurs, de 53 % pour les téléphones intelligents et de 45 % pour les tablettes, selon les données d'*Infopresse*. Le taux de pénétration pour le téléphone intelligent est cependant passé du simple au double en quatre ans. Les investissements publicitaires suivront cette migration.

Les jeunes, une clientèle courtisée par les publicitaires, se sont désintéressés du journal papier. Ils reçoivent leur information de Facebook et de leurs réseaux de contacts dans les médias sociaux. Payer pour de l'information ? Très peu pour eux. Les milléniaux – la cohorte née entre 1982 et 2004 – sont prêts à payer pour du contenu, mais pas n'importe lequel[4]. Dans la dernière année, 77 % ont payé pour visionner des films ou des émissions de télévision, 69 % pour le câble, 59 % pour de la musique, 30 % pour des magazines ou

des journaux imprimés – et moins de 20 %
pour les versions numériques de ceux-ci.

LES RISQUES
D'UNE INFORMATION « FILTRÉE »

Dans les médias de masse traditionnels, la
tâche de trier et de hiérarchiser le fait social
est accompli par des chefs de pupitre en
chair et en os, qui prennent leurs décisions
en se basant sur une politique d'information. Ils nous font part de leur vision du
monde... Un monde humain malgré toutes
ses imperfections et ses contradictions. Ce
système, qui semble désormais archaïque,
insiste nettement plus sur la participation
citoyenne au débat public que ne le font
des algorithmes sans âme et sans visage.

Aujourd'hui, ces puissants algorithmes
qui ont fait la fortune des jeunes génies de
Silicon Valley déterminent en large partie
le contenu des fils de nouvelles dans les
médias sociaux.

Le militant américain Eli Pariser, qui
revendique une plus grande transparence
dans Internet, dénonce ces « bulles de
filtres[5] ». Dans ces bulles, le contenu des
médias sociaux est personnalisé à l'extrême et à l'insu des utilisateurs. Ceux-ci
sont enfermés dans des sous-groupes isolés les uns des autres, taillés sur mesure
à partir de leurs champs d'intérêt et de
leurs réseaux d'amis. Comment parvien-
dront-ils à obtenir un régime d'information équilibré ? s'interroge-t-il.

En effet, la diffusion et le filtrage de
l'information dans les médias sociaux
entraînent une reconfiguration des procé-
dés par lesquels nous construisons notre
connaissance du monde. Cette connaissance est un peu moins générale, un peu
plus particulière. Les bulles de filtres nous
confortent dans ce que nous savons. Elles
ne nous encouragent pas à sortir de notre
zone de confort. De plus, si l'effritement
des valeurs collectives et la montée de
l'individualisme n'est pas un phénomène
nouveau dans les démocraties occiden-
tales, la rapidité des mutations technologiques accentue ce phénomène.

Dans ce contexte, l'univers des médias
se complexifie. Rongé par le doute sur sa
survie, et tenté de plier devant les intérêts
commerciaux toujours plus créatifs dans
la production de publicités déguisées en
contenu, le journalisme en crise finit par
perdre de vue l'essentiel de sa mission :
permettre à des citoyens d'avoir accès à
une information rigoureuse, indépendante et vérifiée, afin qu'ils puissent jouer
activement leur rôle dans une société
démocratique. C'est aussi lui qui force les
pouvoirs publics à rendre des comptes et à
gouverner dans la transparence. Ce besoin
d'être informé ne disparaîtra pas. Pour
peu que les journalistes et les médias s'y
raccrochent, ils trouveront un moyen de
survivre, même si les prochaines années
feront peser bien des incertitudes sur des
emplois et sur les façons de faire dans les
salles de rédaction.

Reste que le métier est condamné à
l'excellence. C'est la seule façon de maintenir le « contrat social » avec le citoyen et
d'éviter l'obsolescence. ◊

Notes et sources, p. 284

Territoires

LE DÉSENGAGEMENT DE L'ÉTAT ENVERS LA RURALITÉ : UN VIRAGE INATTENDU

Avec la dissolution presque complète de la Politique nationale de la ruralité par le gouvernement Couillard, les MRC héritent de nouveaux pouvoirs qui pourraient changer radicalement le visage du développement régional.

BRUNO JEAN
Professeur, Université du Québec à Rimouski

Attendue depuis les États généraux du monde rural conviés en 1991 par Jacques Proulx, alors président de l'Union des producteurs agricoles du Québec (UPA), la Politique nationale de la ruralité (PNR) a été adoptée en grande pompe à l'Assemblée nationale du Québec le 6 décembre 2001.

Cette reconnaissance politique survenait 10 ans après que les ruraux, se sentant traités de façon inéquitable, eurent exigé un plus grand engagement de l'État dans le développement et la gestion de la ruralité québécoise.

La PNR reposait sur l'implication des élus locaux d'un millier de communautés regroupées au sein d'environ 90 municipalités régionales de comté (MRC), dont 56 MRC rurales, soit des territoires où aucune communauté n'atteint plus de 10 000 habitants.

Rarement une politique publique a fait autant l'unanimité que la PNR. Celle-ci a d'ailleurs rapidement attiré l'attention des observateurs de l'étranger. En 2009, l'OCDE publiait une évaluation approfondie de cette politique qui mettait en lumière ses particularités (politique décentralisée et visant la mobilisation des ruraux). La même année, l'OCDE organisait même à Québec sa grande conférence annuelle sur les politiques rurales, en reconnaissance de la contribution du Québec à l'avancement des politiques rurales.

Dans ce contexte, rien d'étonnant à ce que le gouvernement libéral de Jean Charest ait renouvelé cette politique pour sept ans en 2007 et que le gouvernement péquiste de Pauline Marois ait fait de même en 2014, cette fois pour 10 ans.

DÉCENTRALISATION

Depuis, le gouvernement libéral de Philippe Couillard, élu en 2014, a aboli l'essentiel de la PNR dans le cadre de sa politique d'austérité. En signant le pacte fiscal provisoire en octobre 2014, qui prive les municipalités de 300 millions de dollars en 2015, les élus locaux (notamment ceux des MRC) ont accepté la dissolution de la PNR. Ce sont dorénavant les MRC qui rempliront la mission de soutenir le développement local sur leur territoire, mais avec un budget réduit de moitié.

Ce changement de cap accélère subitement une décentralisation à laquelle les gouvernements québécois ont longtemps résisté. En effet, les « pactes ruraux », pièce majeure de la PNR par laquelle le gouvernement provincial confiait des ressources financières aux MRC, balisaient les inter-

2014, du mouvement Touche pas à ma région témoigne de l'inquiétude ambiante quant au développement régional.

Alors que Solidarité rurale du Québec tente de survivre comme groupe de pression, on peut se demander qui peut parler dorénavant au nom des ruraux tout en étant un interlocuteur crédible ou légitime. En effet, la PNR faisait des préfets des MRC (et des autres élus locaux) les acteurs de premier plan de sa mise en

Comment une politique rurale aussi appréciée dans l'arène locale comme sur la scène internationale a-t-elle pu être démantelée aussi rapidement ?

ventions de celles-ci et les soumettaient à une lourde reddition de comptes. Ce n'est plus le cas. Si les MRC décident de conserver certains éléments de la PNR largement dissoute, c'est en échange de sommes réduites, mais pour lesquelles pratiquement aucune reddition de comptes n'est exigée. Les MRC pourront notamment faire le choix de garder ou non leurs agents ruraux au sein d'un centre local de développement (CLD).

Par ailleurs, la fin du financement d'un organisme de la société civile comme Solidarité rurale du Québec, qui agissait auparavant comme instance conseil du gouvernement, soulève des questionnements, tout comme les compressions affectant les CLD et les conférences régionales des élus (CRÉ). La naissance, à l'automne

œuvre. Ils devenaient ainsi des interlocuteurs de l'État pour les questions rurales. Mais une ambiguïté subsiste : selon les termes mêmes de la PNR, l'État reconnaît à la ruralité des partenaires, mais pas d'acteur précis parlant en son nom.

UNE POLITIQUE
QUI ÉTAIT VULNÉRABLE

Une question se pose : comment une politique rurale aussi appréciée dans l'arène locale comme sur la scène internationale a-t-elle pu être démantelée aussi rapidement ? La réponse tient peut être dans les caractéristiques mêmes de la PNR.

Les politiques rurales visent généralement des facteurs tangibles de développement, comme la mise en place d'infrastructures : routes, écoles, aéroports, etc. De telles politiques laissent des traces visibles qui sont appréciées par les politiciens, car elles témoignent de leurs actions et de leur efficacité.

Or, l'originalité de la PNR était de miser sur des facteurs de développement plus immatériels ou intangibles, mais tout de même reconnus dans la littérature scientifique sur le développement territorial (local, rural ou régional) comme des moteurs du développement des collectivités rurales. En effet, de nouvelles théories du développement ont montré que celui-ci passe souvent par un processus de construction ou de renforcement des « capacités de développement » des communautés rurales elles-mêmes.

Esquissée avec le cadre de référence rendu public lors du forum de l'Université rurale québécoise tenu en octobre 1999 dans le Bas-Saint-Laurent (voir l'encadré), la PNR de première génération visait trois objectifs qui s'inscrivaient dans ce modèle de développement rural : stimuler et soutenir le développement

L'UNIVERSITÉ RURALE QUÉBÉCOISE (URQ) : UNE VITRINE DE L'INNOVATION RURALE

Depuis 1997, tous les deux ans, les agents de développement et les élus des milieux ruraux sont invités à un grand forum de formation pour connaître les bons coups d'une région donnée en matière de développement de communautés rurales. La formule pédagogique est celle du « croisement des savoirs » : pour toute initiative, on met en perspective les points de vue des promoteurs, des agents de développement et des chercheurs universitaires qui s'intéressent à ces questions. L'URQ est ainsi devenue une vitrine de l'innovation rurale au Québec.

L'URQ est une organisation virtuelle, sans murs, sans budget récurrent, sans personnel permanent, qui fonctionne avec l'appui de l'Université du Québec et de ses professeurs en région, en partenariat avec des organismes comme Solidarité rurale du Québec, le Réseau des sociétés d'aide au développement des collectivités et des centres d'aide aux entreprises (SADC-CAE) et la défunte Association des CLD. L'Université rurale s'inspire du sens premier de l'université, qui se veut un rassemblement libre de personnes en quête de connaissances. L'URQ a d'ailleurs été reconnue dans la dernière version de la Politique nationale de la ruralité (2014) comme un dispositif de formation continue des agents ruraux.

En 2015, la 10e édition de l'URQ n'a pas eu lieu à cause des coupes budgétaires du gouvernement affectant ses partenaires. Elle a dû prendre une pause forcée, mais elle entend reprendre ses activités, car sa mission est plus que jamais pertinente.

Pour en savoir plus : www.uqar.ca/urq/.

durable et la prospérité des collectivités rurales ; assurer la qualité de vie des collectivités rurales et renforcer leur pouvoir d'attraction ; soutenir l'engagement des citoyens dans le développement de leur communauté et assurer la pérennité du monde rural.

La seconde version de la PNR (2007) se donnait pour sa part quatre objectifs : promouvoir le renouvellement et l'intégration des populations ; favoriser la mise en valeur des ressources humaines, culturelles et physiques du territoire ; assurer la pérennité des communautés rurales ; maintenir un équilibre entre qualité de vie, cadre de vie, environnement naturel et activités économiques.

La troisième version (2014) de cette politique rurale réitérait les mêmes objectifs dans un langage légèrement remanié.

À considérer ces objectifs, on comprend que la PNR visait des facteurs intangibles de développement. Cela rend l'évaluation de ses effets difficile, une évaluation qui est requise par le Conseil du Trésor lorsqu'il décide de renouveler ou non des politiques. Par ailleurs, dans un contexte de restrictions budgétaires, il est plus facile de sabrer dans de telles politiques que dans d'autres plus tangibles où les coupes se traduisent par des réductions de services directs à la population.

Une politique qui vise des facteurs intangibles de développement ne coûte pas cher par comparaison avec une politique visant le développement d'infrastructures, par exemple. Pour plusieurs municipalités rurales, la PNR signifiait souvent quelques milliers de dollars par an, judicieusement investis dans des petits projets locaux ayant un grand impact sur la qualité de vie des résidents et sur la fierté locale.

Mais une des mesures les plus importantes de la PNR était le déploiement à la grandeur du Québec d'un réseau de plus de 150 agents de développement rural qui assuraient l'accompagnement des démarches de mobilisation des forces vives des milieux ruraux pour soutenir le développement rural.

À l'automne 2014, le gouvernement Couillard annonçait un sursis d'un an pour le soutien gouvernemental aux agents de développement, mesure centrale de la PNR. Il laisse le choix aux MRC de conserver ou non ces agents en payant une plus grande part de la note à même une enveloppe budgétaire coupée de moitié.

UNE POLITIQUE EN DÉVITALISATION, UNE RURALITÉ EN REVITALISATION ?

Les légendes urbaines mettant en scène une ruralité en déclin, dévitalisée, ont la vie dure. Car la réalité est tout autre[1] : depuis 30 ans, au Québec, les ruraux ont vu leur sort s'améliorer tant au point de vue des revenus et du taux de chômage que des paiements de transfert ou de la participation au marché du travail. Jamais on n'a vu une si forte réduction de l'écart entre le niveau de vie des ruraux et celui des urbains.

Même sur le plan démographique, on observe un ralentissement significatif de l'exode rural et une croissance de la population, y compris, pour une première fois depuis longtemps, dans les régions rurales éloignées ou périphériques, selon le recensement de 2011. Il ne faut pas oublier non plus que les indices de développement rural ont toujours permis de constater que ce n'est qu'une municipalité rurale sur cinq qui peut être considérée comme en déclin ou en dévitalisation, pour laquelle une politique rurale était certainement nécessaire.

Comme la PNR a été mise en place il y a une quinzaine d'années, certains observateurs seraient tentés de voir dans la revitalisation rurale une conséquence positive de cette politique. Mais l'évolution de la ruralité dépend d'une multitude de facteurs. Au premier chef, elle dépend des tendances lourdes de l'économie mondialisée et de l'impact territorial de certaines politiques sectorielles. Au Québec, la crise dans le secteur forestier a ainsi nui grandement aux milieux ruraux, car un tiers des collectivités rurales dépendent de la forêt. Mais d'un autre côté, on observe un mouvement de retour des retraités vers les zones rurales. Cette « économie résidentielle » ou « présentielle » contribue à la revitalisation sociale et économique de plusieurs communautés.

Par ailleurs, le nouveau rôle des MRC, avec le pacte fiscal provisoire (renégocié et devenu permanent à l'automne 2015), présente un intérêt certain. Au lieu de tenter d'adapter des mesures pensées à l'échelle nationale, les MRC pourront se donner une sorte de politique rurale à leur échelle, au moyen de mesures mieux conçues pour elles, mais sans financement dédié au développement rural et à la ruralité.

Comme le souligne l'OCDE, nous devons concevoir les aides publiques au développement rural non comme des dépenses à titre de mesures d'assistance à des territoires en danger, mais comme des investissements qui se traduiront par un enrichissement collectif. Les gouvernements québécois avant celui de Philippe Couillard avaient compris ce changement de paradigme de l'action publique.

Au moment où la ruralité québécoise montre des signes évidents de santé et où l'État québécois se désengage, certaines MRC pourraient innover avec des initiatives pertinentes plus appropriées aux réalités locales. L'avenir dira si elles seront à la hauteur d'un tel défi. ◊

Notes et sources, p. 284

2011:
LE PLAN NORD DE JEAN CHAREST...

2015:
LE PLAN NORD DE PHILIPPE COUILLARD...

GARNOTTE
2015-04-09

Patrimoine

ÉTAT DES LIEUX AU PAYS DU JE ME SOUVIENS

Souvent perçu comme un témoin inerte de l'histoire ou comme un simple fond de scène, le patrimoine du Québec distingue notre société au même titre que son territoire. Il est urgent de le reconnaître comme tel et d'en dresser l'état.

DINU BUMBARU
Directeur des politiques, Héritage Montréal

P atrimoine, histoire, mémoire, territoire, monuments : les termes sont nombreux pour décrire ce sujet qui est présent dans l'espace public québécois depuis plus d'un siècle et demi. La devise *Je me souviens* – que l'on doit à l'architecte et sous-ministre des Terres de la Couronne Eugène-Étienne Taché, qui l'a fait graver sur la façade de l'hôtel du Parlement en 1883 – participe de cette dimension publique et collective de la question du patrimoine.

Or, patrimoine et histoire ne sont pas identiques et ne posent pas à une société comme la nôtre les mêmes défis, ne serait-ce qu'en fait de sauvegarde et de responsabilités partagées par les acteurs publics, privés, scolaires et associatifs. On sait de mieux en mieux parler d'histoire, mais comment assurer la protection du patrimoine bâti, paysager et archéologique de façon pérenne ?

LE PATRIMOINE, SUJET DE LOI

Porteur de valeurs collectives, le patrimoine au Québec est souvent de propriété privée, par exemple les bâtiments historiques, les sites archéologiques et les archives ; même certains savoir-faire relèvent presque de la notion contemporaine de propriété intellectuelle.

Ainsi, situés au croisement du collectif et du personnel, le patrimoine et sa protection vont sans surprise chercher l'appui des lois. Ce fut d'abord le cas en Europe, où les révolutions politiques et économiques du 19e siècle ont forcé la reconnaissance par l'État d'une valeur nouvelle de « monument historique », distincte de l'usage et de la tradition qui avaient jusqu'alors assuré la durée des bâtiments, des sites et des ensembles porteurs de mémoire.

Première des provinces canadiennes à avoir exercé ses pouvoirs en la matière et à se doter d'une loi sur le patrimoine – la Loi relative à la conservation des monuments et des objets d'art ayant un intérêt historique ou artistique (1922) –, le Québec fait figure de pionnier, voire de société distincte en matière d'action sur le patrimoine culturel.

Inspiré du modèle français à ses débuts, ce cadre législatif a beaucoup évolué jusqu'à l'adoption, en 2011, d'une nouvelle Loi sur le patrimoine culturel. Celle-ci intègre les définitions et les concepts de l'UNESCO pour embrasser l'entièreté du spectre des formes patrimoniales, des traditions aux paysages en passant par les bâtiments et les sites archéologiques.

Le patrimoine est aussi présent dans d'autres lois du Québec, dont celles sur responsables du projet d'Agenda 21 de la culture du Québec – un cadre de référence qui a pour objectif d'inscrire la culture dans toutes les actions des différents ministères – l'ont un temps ignoré, tout comme le commissaire au développement durable. C'est peut-être là le signe d'une innovation trop grande pour nos institutions aux concepts et aux habitudes bien cloisonnés.

Le patrimoine se distingue des autres champs culturels par sa très forte composante de mobilisation citoyenne et d'engagement bénévole.

l'aménagement et l'urbanisme, sur les municipalités et sur les fabriques paroissiales. En 2006, le principe de la protection du patrimoine culturel a par ailleurs été inclus dans la Loi sur le développement durable. Ce geste a contribué à démarquer encore davantage le Québec à l'échelle internationale, les États ayant généralement l'habitude de traiter le patrimoine au chapitre des évaluations d'impacts environnementaux ou sociaux, et non comme partie intégrante d'un modèle de développement.

Ces initiatives exceptionnelles expliquent-elles le fait que le patrimoine soit aujourd'hui traité avec tant de discrétion par les responsables gouvernementaux ? Curieusement, même les

UN ACTE DE CITOYENNETÉ

Placé sous la responsabilité du ministre de la Culture, le patrimoine se distingue des autres champs culturels par sa très forte composante de mobilisation citoyenne et d'engagement bénévole. D'ailleurs, dans son rapport *Le patrimoine au Québec, une réalité enfin révélée*, l'Observatoire de la culture et des communications soulignait en 2006 que plus de 90 % des organismes du secteur opéraient avec du personnel bénévole. Ce taux atteignait 96,6 % dans le cas des organismes en histoire, en généalogie et en archéologie.

Par exemple, bien qu'elle relève officiellement des ministres responsables des loisirs, la Fédération Histoire Québec compte plus de 260 sociétés réunissant quelque 42 000 membres. À ce titre, elle constitue un ensemble vivant remarquable qui illustre l'engagement citoyen dans des sphères comme l'histoire, la généalogie et le patrimoine sur l'ensemble du territoire québécois. Pour sa part, Héritage Montréal compte sur plus d'une centaine de bénévoles, auxquels s'ajoutent désormais les acteurs engagés sur les réseaux sociaux.

Au cours des dernières décennies, ce réseau associatif a pris davantage conscience de sa capacité à participer à un modèle québécois en matière de connaissance, de reconnaissance et de mise en valeur du patrimoine culturel. Malgré le peu de succès des tentatives successives d'encadrement dans une structure nationale – à

l'instar de disciplines artistiques telles que la musique ou le théâtre –, le milieu des organismes en patrimoine s'est donné des occasions de mener des réflexions collectives et d'exprimer des concepts et des propositions communes.

Par exemple, en 1998, la publication du rapport *Vers une démarche commune en patrimoine* a souligné les défis d'un secteur mal compris des élus, puisqu'il ne constitue pas une industrie culturelle. Et en 2000, une démarche menée dans l'esprit du *Concordia Salus* montréalais a abouti à la *Déclaration québécoise du patrimoine*. Celle-ci propose un langage commun aux individus et aux organismes des différents pans du secteur : patrimoine bâti ou industriel, histoire, paysage, archéologie, musées, archives, traditions et savoir-faire, éducation, etc. Outre une définition du patrimoine comme porteur de mémoire et un appel à la responsabilité des institutions publiques et de ses détenteurs, la déclaration invite à prendre plaisir à le découvrir, à le faire découvrir et à le faire vivre.

LE CAS MONTRÉALAIS

Après Ottawa, Montréal présente la plus grande concentration de désignations fédérales de lieux historiques au Canada. D'ailleurs, dans un rapport publié en 2000[1], le Groupe-conseil sur la Politique du patrimoine culturel du Québec soulignait la nature particulièrement variée et cosmopolite du patrimoine de la métropole et de sa région. Il notait aussi le peu de reconnaissance spécifique dont il jouissait de la part du gouvernement. La réalité montréalaise – celle d'une métropole économique entre deux capitales politiques concurrentes – a amené ses acteurs à se donner des moyens particuliers pour aborder les enjeux de conservation et de revitalisation d'un patrimoine marqué par sa diversité, sa densité et sa complexité.

Ce modèle montréalais, républicain à sa manière, trouve ses racines dans le 19e siècle et l'action collective qui a permis la sauvegarde du mont Royal, monu-

sagiste américain Frederick Law Olmsted, le parc inauguré en 1876.

Tant la sauvegarde du château Ramezay – voué à la démolition en 1895 – que celle du Vieux-Montréal – menacé par un projet d'autoroute surélevée en 1960 – sont le fruit d'actions citoyennes bénévoles dont on attend encore qu'elles reçoivent toute la reconnaissance qui leur est due. Où est le monument en bronze dédié à Sandy van Ginkel et à son épouse Blanche Lemco, ces urbanistes et architectes qui ont sauvé le

Le Québec vit une crise de son domaine public avec la reconversion d'un vaste inventaire d'églises, d'écoles, de couvents, d'hôpitaux, de bâtiments municipaux, de bureaux de poste ou encore de casernes.

ment naturel et emblème fondateur de la ville, auquel celle-ci doit son nom. Alors que c'est la détermination du gouverneur général Lord Dufferin qui a sauvé de la démolition les murailles de Québec, aujourd'hui reconnues par l'UNESCO, ce sont les pétitions de citoyens – tant francophones qu'anglophones, tant catholiques que protestants – qui ont convaincu la Ville de Montréal d'acquérir, hors de ses limites, une partie du mont Royal pour protéger ce paysage emblématique en réalisant, selon le dessin de l'architecte pay-

Vieux-Montréal, combattu pour préserver la montagne et planifié Expo 67 ? Il ne s'agit pas ici de revendiquer un hommage uniquement pour les combattants montréalais du patrimoine, mais bien de rappeler que, partout au Québec ou au Canada, les honneurs de l'histoire et des monuments ou toponymes commémoratifs semblent réservés aux personnalités politiques, sportives ou artistiques, bien plus qu'aux citoyens qui s'engagent dans la sauvegarde du patrimoine au service de la société.

En septembre 1973, faute d'une protection que le ministre des Affaires culturelles du Québec, alors en séjour en France, lui avait refusée, la maison Van Horne était démolie. S'ensuivit la création de Sauvons Montréal puis, en 1975, sous la présidence de Phyllis Lambert, celle d'Héritage Montréal. Invention propre à cette république montréalaise et métropolitaine qu'il œuvre à refléter, à éveiller et à engager dans la protection, la mise en valeur et l'enrichissement du patrimoine et du paysage urbain, l'organisme s'est signalé par une action diversifiée touchant tant à l'information des citoyens et à la formation des propriétaires par des cours de rénovation qu'à l'amélioration du cadre d'urbanisme et des pratiques de consultation publique.

bureaux de poste ou encore de casernes. Riche d'identité, de mémoire et d'intérêt architectural, ce domaine public patrimonial porte d'anciens concepts juridiques comme ceux de *res publica* et de *res communis* contenus dans notre Code civil, mais aussi celui, plus actuel en Amérique du Nord, de *civic commons*. Face à l'absence

À l'heure des grands défis planétaires quant à la relation entre société, environnement et développement, une interprétation de la devise officielle du Québec, *Je me souviens*, qui ne passerait que par le seul « devoir de mémoire » ne suffit plus.

blique montréalaise et métropolitaine qu'il œuvre à refléter, à éveiller et à engager dans la protection, la mise en valeur et l'enrichissement du patrimoine et du paysage urbain, l'organisme s'est signalé par une action diversifiée touchant tant à l'information des citoyens et à la formation des propriétaires par des cours de rénovation qu'à l'amélioration du cadre d'urbanisme et des pratiques de consultation publique.

Le Québec, et plus particulièrement sa métropole, vit une crise de son domaine public avec la reconversion d'un vaste inventaire d'églises, d'écoles, de couvents, d'hôpitaux, de bâtiments municipaux, de

de planification et de sens des valeurs qui accompagne une certaine réingénierie de l'État, le patrimoine et l'espace publics s'érodent une fermeture à la fois...

C'est dans ce sens que des organismes comme Héritage Montréal ont recommandé au gouvernement québécois, aux instances métropolitaines et aux réseaux d'affaires de ne pas traiter à la légère la désaffectation des grands hôpitaux comme l'Hôtel-Dieu et le Royal Victoria. En effet, le marché immobilier ne peut servir de panacée, et l'inaction politique risque d'hypothéquer Montréal davantage que de la développer. En 40 ans, Héritage Montréal est ainsi passé d'une action pour freiner la démolition massive de la ville à la recherche de façons d'assurer la vitalité de ses emblèmes et de son territoire vivants.

NÉCESSAIRES ÉTATS DU PATRIMOINE

Dresser un état du patrimoine, au Québec, au Canada, à Montréal ou ailleurs, est une entreprise majeure aux volets multiples. Il y a l'état des biens patrimoniaux eux-mêmes, mais aussi celui des pratiques et des outils de protection et de mise en valeur, l'état de nos connaissances et des compétences et capacités des acteurs publics, privés, scolaires et associatifs de participer intelligemment à cette protection, cette mise en valeur et cet enrichisse-

et du site paléontologique de Miguasha, en Gaspésie. Cette convention invite d'ailleurs les États à «adopter une politique générale visant à assigner une fonction au patrimoine culturel et naturel dans la vie collective».

Bien qu'il s'agisse d'initiatives sectorielles qui ne visent pas à décrire l'ensemble de l'état et des enjeux du paysage de notre patrimoine, plusieurs événements y contribuent. Citons notamment la consultation menée en 2005 dans tout le Québec par la Commission de l'Assemblée nationale sur la culture au sujet du patrimoine religieux, dont la conservation bénéficie d'une démarche originale fondée sur la concertation et remarquée

Il faut aussi veiller à la conservation du patrimoine bâti, paysager ou archéologique, qu'on ne peut plus balayer sous le tapis du progrès.

ment de notre patrimoine. Il y a aussi l'état de la prise en compte du patrimoine et de sa valeur dans les décisions.

Ces états sont nécessaires et il faudra les faire, ne serait-ce que pour se conformer aux conventions de l'UNESCO, dont le Québec s'enorgueillit à juste titre de participer à la mise en œuvre ; par exemple, la Convention du patrimoine mondial a permis la reconnaissance de la valeur universelle exceptionnelle du Vieux-Québec

à l'échelle internationale. Pensons aussi aux rapports du vérificateur général du Canada sur la conservation du patrimoine bâti, à l'étude du Conseil du patrimoine culturel du Québec sur les impacts patrimoniaux ou aux colloques annuels du Conseil du patrimoine de Montréal.

À l'heure des grands défis planétaires quant à la relation entre société, environnement et développement, une interprétation de la devise officielle du Québec, *Je me souviens,* qui ne passerait que par le seul «devoir de mémoire» ne suffit plus. On l'a vu avec la décision récente de détruire les vestiges de l'ancien village des tanneries, dans le quartier montréalais de Saint-Henri, plutôt que d'adapter le projet de reconstruction de l'échangeur Turcot à cette découverte remarquable. Il faut aussi veiller à la conservation du patrimoine bâti, paysager ou archéologique, qu'on ne peut plus balayer sous le tapis du progrès, et se reconnaître un devoir envers les lieux et les bâtiments bien réels qui portent cette mémoire, qu'elle soit grande ou modeste, associée à des héros ou à des anonymes.

Longtemps perçu comme un dérivé de l'histoire, le patrimoine, au même titre que le paysage et l'architecture, nous apparaît maintenant davantage au confluent fertile de la géographie, de l'humanité et du temps. C'est ainsi qu'il faudra apprendre à s'occuper moins de sites isolés que de l'ensemble de ce territoire complexe et riche, de ce paysage culturel parcouru, nommé et habité depuis des millénaires et non seulement quelques siècles. Se donner un moyen crédible, cohérent et civique de reconnaître cette géographie culturelle pour en dresser et en suivre l'état sera un excellent défi pour que notre société passe du *Je me souviens* au *Nous y verrons.* ◊

Notes et sources, p. 284

CLÉ 01 — RICHESSE

Les Québécois et l'argent : refaire les comptes

1. Un sondage Web a été réalisé par Léger du 31 août au 2 septembre 2015 auprès d'un échantillon de 1023 Québécois âgés de 18 ans et plus et pouvant s'exprimer en français ou en anglais. À l'aide des données de Statistique Canada, les résultats ont été pondérés selon le sexe, l'âge, la langue parlée à la maison, la scolarité et la présence d'enfants dans le ménage, afin de rendre l'échantillon représentatif de l'ensemble de la population à l'étude. Aux fins de comparaison, un échantillon probabiliste de 1023 répondants aurait une marge d'erreur de ± 3 %, et ce, dans 19 cas sur 20.

Complément. La fortune des Québécois est au cœur des actions collectives

1. Pierre Harvey, *Histoire de l'École des hautes études commerciales de Montréal*, Montréal, Québec Amérique et Presses HEC, 1994.

2. Nathalie Petrowski, « D'un sans talent à l'autre », *La Presse*, 11 mai 2011 ; « Donalda et le néo-Séraphin », *La Presse*, 16 juin 2015.

3. Dam Scwabel, « Steve Case : Why Entrepreneurs Will Rebuild the Economy », *Forbes*, 24 décembre 2013.

CLÉ 02 — DIVERSITÉ CULTURELLE

Radicalisations : le « vivre ensemble » fragilisé

1. F. J. Elgar, T. Pförtner, I. Moor, B. De Clercq, G. Stevens et C. Currie, « Socioeconomic Inequalities in Adolescent Health 2002-2010 : A Time-Series Analysis of 34 Countries Participating in the Health Behaviour in School-Aged Children Study », *The Lancet*, publié en ligne : www.thelancet.com/journals/lancet/article/PIIS0140-6736%2814%2961460-4/abstract, 3 février 2015.

2. C. Rousseau, G. Hassan, N. Moreau et B. Thombs, « Perceived Discrimination and Its Association with Psychological Distress in Newly Arrived Immigrants Before and After 9/11 », *American Journal of Public Health*, vol. 101, n° 5, 2011, p. 909-915.

3. Alex P. Schmid, « Radicalisation, De-Radicalisation, Counter-Radicalisation : A Conceptual Discussion and Literature Review », La Haye, International Center for Counter-Terrorism, ICCT Research Paper, mars 2013.

4. START, Influencing Violent Extremist (I-VEO) Knowledge Matrix, http://start.foxtrotdev.com/.

De la visibilité des lieux de culte à l'invisibilité des jeunes issus de la diversité religieuse

1. Pour fins de comparaison avec des tendances antérieures : Frédéric Castel, « Progrès du catholicisme, influence de l'immigration. Les grandes tendances de l'affiliation religieuse depuis la Seconde Guerre mondiale », dans Michel Venne (dir.), *L'annuaire du Québec 2004*, Montréal, Fides, 2004 ; et « Des luthériens vieillissants aux jeunes musulmans. Progression et déclin des religions en regard de l'âge et du sexe », dans Michel Venne (dir.), *L'annuaire du Québec 2005*, Montréal, Fides, 2005.

2. Depuis des décennies, devant la pléthore de nouvelles dénominations chrétiennes (très majoritairement protestantes), Statistique Canada éprouve des difficultés à départager les Églises de la branche protestante des Églises indépendantes pouvant relever d'autres branches, bien que les spécialistes sachent que la plupart de ces dernières appartiennent au monde protestant ou en dérivent. En 2011, Statistique Canada a fondu les catégories « Églises protestantes » et « Autres Églises » en gardant cette dernière appellation.

3. Frédéric Castel et Frédéric Dejean, « L'espace urbain montréalais et la fluidité accrue des configurations territoriales émergentes dans un contexte de diversité ethnoculturelle et religieuse croissante», dans *Le plan de développement de Montréal et les relations interculturelles. Pour une gestion de la diversité ethnoculturelle et religieuse*, Montréal, Conseil interculturel de Montréal, 2014.

4. Annick Germain et Frédéric Dejean, «La diversité religieuse comme expérience urbaine: controverses et dynamiques d'échange dans la métropole montréalaise», *Alterstice*, vol. 3, n° 1, 2013.

5. On peut comparer les situations des musulmans, des bouddhistes et des hindous dans nos chapitres du collectif dirigé par Louis Rousseau, *Le Québec après Bouchard-Taylor. Les identités religieuses de l'immigration*, Québec, Presses de l'Université du Québec, 2012.

6. Selon le recensement canadien de 2001 et l'ENM de 2011 de Statistique Canada, le taux de chômage des musulmans est passé chez les hommes de 22,7% à 16,2% et chez les femmes de 23,7% à 19,2%.

CLÉ 03 — CULTURE

Complément. Les séries télé: le huitième art?

1. Theodor Adorno (1903-1969) est un philosophe, sociologue et musicologue allemand. Représentant majeur de la célèbre école de Francfort (qui développa une position très critique du capitalisme), on lui doit notamment, avec Max Horkheimer, la notion d'industrie culturelle.

2. Georges Duhamel (1884-1966) est un écrivain et médecin français, membre de l'Académie française (1935), connu surtout pour sa *Chronique des Pasquier*, sorte de roman-fleuve familial parfois comparé aux *Rougon-Macquart* d'Émile Zola.

CLÉ 04 — FÉMINISME

Un pas en avant, un pas en arrière?

1. Marc-André Gauthier, «Regard sur deux décennies d'évolution du niveau de scolarité de la population québécoise à partir de l'*Enquête sur la population active*», *Coup d'œil sociodémographique*, Institut de la statistique du Québec, février 2014.

2. Données du ministère de l'Éducation, de l'Enseignement supérieur et de la Recherche.

3. *Statistiques de l'enseignement supérieur*, édition 2014, ministère de l'Éducation, de l'Enseignement supérieur et de la Recherche.

4. Données du ministère de l'Éducation, de l'Enseignement supérieur et de la Recherche, citées dans *Portrait des Québécoises en 8 temps*, édition 2015, Conseil du statut de la femme.

5. *Ibid.*

6. Données tirées de l'*Enquête sur la population active de 2014*, préparée par l'Institut de la statistique du Québec.

7. Statistique Canada, *Population active, emploi et chômage, et taux d'activité et de chômage, par province*, 2014.

8. Institut de la statistique du Québec, *Indicateurs du marché du travail pour les personnes immigrantes, 2006-2014*.

9. Institut sur la gouvernance d'organisations privées et publiques, *Pratiques et tendances des conseils d'administration au Québec*, 2015.

10. Conseil de gestion de l'assurance parentale, *Rapport annuel 2014*.

11. Donnée de Statistique Canada, citée dans l'avis *Pour un partage équitable du congé parental*, Conseil du statut de la femme.

12. Ankita Patnaik, «Reserving Time for Daddy: The Short and Long-Run Consequences of Fathers' Quotas», *Social Science Research Network*, janvier 2015.

13. Donnée du Conseil de gestion de l'assurance parentale, citée dans l'avis *Pour un partage équitable du congé parental*, Conseil du statut de la femme.

14. Institut de la statistique du Québec, *Rémunération horaire moyenne des employés, 2014*.

15. Site de l'Assemblée nationale du Québec, rubrique «La présence féminine».

16. Données du ministère de la Santé et des Services sociaux.

CLÉ 05 — SANTÉ

La réforme Barrette à contre-courant

Dominique Côté et Marie-France Raynault, *Le bon sens à la scandinave*, Montréal, Presses de l'Université de Montréal, 2013.

Stéphane Paquin, «Les réformes de la santé dans les pays scandinaves: quelles leçons pour le Québec?», *Le point en administration de la santé et des services sociaux*, vol. 17, n° 1, printemps 2011.

Stéphane Paquin, avec Alain Desjourdy, « La réforme de la santé et le vieillissement de la population dans les pays scandinaves », dans Patrick Marier (dir.), *Le vieillissement de la population et les politiques publiques. Enjeux d'ici et d'ailleurs*, Sainte-Foy, Presses de l'Université Laval, 2012, p. 235-265.

Complément. Assurance médicaments : une pilule amère

1. Marc-André Gagnon, avec la collaboration de Guillaume Hébert, *Argumentaire économique pour un régime universel d'assurance médicaments. Coûts et bénéfices d'une couverture unique pour tous*, Ottawa et Montréal, Centre canadien de politiques alternatives et Institut de recherche et d'informations socio-économiques, 2010, disponible en ligne : www.cssante.com/sites/www.cssante.com/files/mag_argumentaire_assurance_medicaments.pdf

2. Steve Morgan, Gillian Hanley, Meghan Mcmahon et Morris Barer, « Influencing Drug Prices through Formulary-Based Policies : Lessons from New Zealand », *Healthcare Policy / Politiques de santé*, vol. 3, nº 1, août 2007.

3. Commissaire à la santé et au bien-être, *Les médicaments d'ordonnance. Agir sur les coûts et l'usage au bénéfice du patient et de la pérennité du système*, Québec, 2015.

CLÉ 07 — CLIMAT
Changements climatiques : le Québec doit s'adapter

1. National Oceanographic and Atmospheric Administration, « State of the Climate Reports, Global Summary Information – August 2015 », en ligne : www.ncdc.noaa.gov/sotc/summary-info/global/201508.

2. Intergovernmental Panel on Climate Change, Working Group II, « Summary for Policymakers », dans *Climate Change 2014 : Impacts, Adaptation and Vulnerability*, Cambridge, Cambridge University Press, 2014, en ligne : https://ipcc-wg2.gov/AR5/images/uploads/WG2AR5_SPM_FINAL.pdf.

3. Le point minimal du débit des cours d'eau, observé en été.

4. Sol gelé en permanence, dans la zone arctique.

5. Ouranos compte maintenant 19 membres (réguliers et associés) issus des milieux universitaire, académique et privé, et s'appuie sur un réseau d'environ 450 scientifiques et professionnels dans tous les domaines concernés. Voir www.ouranos.ca.

6. *Le Québec en action. Vert 2020. Stratégie gouvernementale d'adaptation aux changements climatiques 2013-2020* et *Plan d'action 2013-2020 sur les changements climatiques. Phase 1*, Gouvernement du Québec, 2012, en ligne : www.mddelcc.gouv.qc.ca/changements/plan_action/.

CLÉ 08 — ÉCONOMIE
Politique industrielle : l'heure est à la transition écologique de l'économie

1. Voir Gabriel Ste-Marie, *Une devise québécoise nous servirait mieux*, *L'aut' journal*, nº 333, octobre 2014.

2. Institut de la statistique du Québec, « Principaux indicateurs économiques désaisonnalisés », 1er septembre 2015.

3. Dani Rodrik, « Industrial Policy for the Twenty-First Century », communication, John F. Kennedy School of Government, Harvard University, 2004.

4. Voir Carl Grenier, « Politiques industrielles et politiques commerciales : le choc », présentation du colloque « Restructuration industrielle et reconversion écologique : une politique industrielle du 21e siècle », HEC Montréal, 31 mai 2013, en ligne : www.irec.net/index.jsp?p=103.

5. Gilles L. Bourque, *Le modèle québécois de développement. De l'émergence au renouvellement*, Québec, Presses de l'Université du Québec, 2000.

6. Gilles Bourque et coll., « La politique économique du gouvernement Marois : un point de départ », *Note de recherche de l'IRÉC*, décembre 2013, en ligne : www.irec.net/upload/File/noterecherchepolitecongouvmarois.pdf.

7. Le programme initial mandatait les bureaux régionaux du ministère des Finances et de l'Économie et d'Investissement Québec ainsi que le réseau des centres locaux de développement (CLD) autour d'un projet de soutien à 300 entreprises innovantes à fort potentiel de croissance (les gazelles) sur une période de trois ans. Après la disparition des CLD et l'adoption de l'approche du laisser-faire par le gouvernement Couillard, ce sont les acteurs du milieu qui ont repris cette initiative et reçu l'appui du gouvernement avec la création du programme PerforME.

8. Gilles L. Bourque et Michel Beaulé, « Financer la transition énergétique dans les transports », rapport de l'IRÉC, octobre 2015.

9. Gilles L. Bourque, Gabriel Ste-Marie et Pierre Gouin, « Habitation durable et rénovation écoénergétique : agir sans s'endetter », rapport de recherche de l'IRÉC, février 2014, en ligne : www. irec.net/upload/File/habitationdurablefevrier2014. pdf.

10. Voir Gilles L. Bourque et Michel Beaulé, « CDPQ Infra : la moitié d'une bonne nouvelle ? », *Note d'intervention de l'IRÉC*, n° 41, avril 2015, en ligne : www.irec.net/upload/File/noteinterventionno41avril2015vd.pdf .

11. Gilles L. Bourque, Gabriel Ste-Marie et Pierre Gouin, « Habitation durable et rénovation écoénergétique », *op. cit.*

12. Gilles L. Bourque et Michel Beaulé, « Financer la transition énergétique dans les transports », *op. cit.*

13. « Éléments de réflexion pour une réforme de la fiscalité au Québec », *Mémoire de l'IRÉC*, octobre 2014, en ligne : www.irec.net/upload/File/mei_moirereformefiscalitei_octobre_2014vd(1).pdf.

L'équilibre budgétaire n'a pas à être reporté

1. Mia Homsy et Sonny Scarfone, *Croissance économique et austérité : l'heure juste sur la situation du Québec*, Ottawa, Le Conference Board du Canada, 2015, en ligne : www.conferenceboard. ca/Libraries/PUBLIC_PDFS/7175_IdQ_Croisssance Economique-RPT.sflb.

2. Pour obtenir ce résultat, il faut faire abstraction des variations cycliques, entièrement dues aux fluctuations économiques et aux paiements des intérêts sur la dette. Ces variations dépendent de la conjoncture économique internationale et des emprunts antérieurs. En ne tenant pas compte de ces variations, on isole celles attribuables aux choix des gouvernements en place.

3. Analyse du budget 2015-2016 réalisée conjointement par l'IdQ et le Conference Board ;

ainsi que Daniel Fields, Mia Homsy, Sonny Scarfone et Matthew Stewart, *Vers la fin des budgets écrits à l'encre rouge ? Défis et choix du Québec*, Montréal, Institut du Québec, 2015, en ligne : www. conferenceboard.ca/Libraries/PUBLIC_PDFS/6948_VersLaFinDesBudgets_IDQ_RPT-FR.sflb

Complément. L'inflation verbale du discours contre l'austérité

1. Jonathan Trudel, « Le Québec, un champion mondial de l'austérité », *L'actualité*, 11 février 2015.

2. Pierre Rosanvallon, *La crise de l'État-providence*, Paris, Seuil, 1981.

CLÉ 09 — ENTREPRENEURIAT

Entrepreneuriat et société : une nouvelle alliance ?

Susan Harmeling, « Contingency as sn Entrepreneurial Resource : How Private Obsession Fulfills Public Need », *Journal of Business Venturing*, vol. 26, 2011, p. 293-305.

Daniel Hjorth, « Public Entrepreneurship : Desiring Social Change, Creating Sociality », *Entrepreneurship & Regional Development*, vol. 25, n°s 1-2, 2013, p. 34-51.

Scott Shane, *The Illusions of Entrepreneurship*, New Haven (Connecticut), Yale University Press, 2008.

Scott Shane, « Why Encouraging More People to Become Entrepreneurs Is Bad Public Policy », *Small Business Economics*, vol. 33, 2009, p. 141-149.

CLÉ 10 — FISCALITÉ

Plaidoyer pour la prochaine réforme de la fiscalité québécoise

1. Merci à la Chaire de recherche en fiscalité et en finances publiques pour l'appui financier qui a rendu possible la réalisation de ce texte. Celui-ci reprend les principaux éléments exposés lors d'une présentation faite au 40e Congrès de l'Association de planification fiscale et financière, en octobre 2015.

2. *Se tourner vers l'avenir du Québec. Rapport final de la Commission d'examen sur la fiscalité québécoise*, Québec, 2015, disponible en ligne : www.examenfiscalite.gouv.qc.ca/accueil/

3. Les taxes à la consommation sont définies ici comme étant les prélèvements généraux sur

les biens et services et les taxes spécifiques, notamment les taxes sur l'alcool, les produits pétroliers et le tabac.
4. Organisation de coopération et de développement économiques (OCDE), « Chapitre 5. Fiscalité et croissance économique », *Réformes économiques 2009/1* (n° 5), p. 146-168.
5. Bernard Fortin et Henri-Paul Rousseau, avec la collaboration de Pierre Fortin, *Évaluation économique des options du Livre blanc sur la fiscalité des particuliers : une approche d'équilibre général*, rapport remis au ministère des Finances du Québec, décembre 1984.

CLÉ 12 — RECHERCHE SCIENTIFIQUE
Nourrir la culture scientifique
1. Étudiants canadiens et résidents permanents dans les universités du Québec.
2. *L'intérêt pour les sciences et la technologie à l'école. Résultats d'une enquête auprès d'élèves du primaire et du secondaire au Québec*, s.l., Chaire de recherche sur l'intérêt des jeunes à l'égard des sciences et de la technologie, 2015. En ligne : www.crijest.org/sites/crijest.org/files/Hasni-Potvin-Rapport-CRIJEST-2005-VF.pdf.
3. *Statistiques de l'enseignement supérieur. Édition 2014*, Québec, ministère de l'Éducation, de l'Enseignement supérieur et de la Recherche, 2015. En ligne : www.education.gouv.qc.ca/references/statistiques/statistiques-de-lenseignement-superieur/statistiques-de-lenseignement-superieur/.

CLÉ 13 — POLITIQUE PROVINCIALE
Le gouvernement Couillard tient davantage ses promesses que ses prédécesseurs
1. Parti libéral du Québec, *Engagements. Parti libéral du Québec. Élections 2014*, www.poltext.org/sites/poltext.org/files/plateformes/plq2014.pdf.
2. François Pétry, Lisa Birch, Èvelyne Brie et Aldan Hasanbegovic, « Le gouvernement de Philippe Couillard tient-il ses promesses ? », dans Annick Poitras (dir.), *L'état du Québec 2015. 20 clés pour comprendre les enjeux actuels*, Montréal, Del Busso/ Institut du Nouveau Monde, 2015, p. 119-129.

3. Polimètre Couillard, www.poltext.org/fr/polimetre-couillard. Pour être classée comme « réalisée », une promesse doit être suivie d'une action gouvernementale officiellement sanctionnée (loi, règlement, traité diplomatique, etc.). Une promesse est classée « en voie de réalisation » si une action pour la réaliser a été officiellement entreprise (livre blanc ou dépôt d'un projet de loi, par exemple). Une mesure gouvernementale qui est un compromis par rapport à une promesse du programme est également classée dans la catégorie « en voie de réalisation ou partiellement réalisée ». Une promesse est classée comme « rompue » si le gouvernement renonce explicitement à la réaliser pour l'instant. Les promesses n'ayant donné lieu à aucune action officielle en vue de leur réalisation sans pour autant avoir été reniées sont classées « en suspens ».
4. Le PLQ a présenté plus de promesses en 2014 que dans les élections précédentes. La différence est donc à nuancer quelque peu si on calcule en pourcentage du total des promesses.
5. François Pétry, « Un an plus tard, le gouvernement Marois a-t-il tenu ses promesses ? », dans Miriam Fahmy (dir.), *L'état du Québec 2013-2014. Le pouvoir citoyen*, Montréal, Boréal/Institut du Nouveau Monde, 2013, p. 163-172. En ligne : www.poltext.org/sites/poltext.org/files/un_an_plus_tard_francois_petry.pdf.
6. François Pétry et Louis Massicotte, « Quelles leçons tirer ? Il est possible de gouverner le Québec en l'absence de majorité », *La Presse*, 20 mars 2008.
7. François Pétry et Dominic Duval, « To What Extent Do Political Parties Implement Campaign Promises ? », *Journal of Parliamentary and Political Law / Revue de droit parlementaire et politique*, hors série, 2015, p. 303-318.
8. Robert Thomson et coll., « The Fulfillment of Election Pledges : A Comparative Study on the Impact of Power Sharing », communication présentée au congrès annuel de l'American Political Science Association, Chicago, 1er septembre 2014.
9. Paul Ferley et coll., *Perspectives provinciales*, Banque royale du Canada, mars 2015, http://static.lpcdn.ca/fichiers/articles/4851561/royale-prov-fmarch2015.pdf.

10. Parti libéral du Québec, *Un gouvernement au service du Québec. Ensemble, réinventons le Québec*, plan d'action adopté lors du conseil général de 2012. En ligne : www.poltext.org/fr/volet1.

11. François Pétry, Éric Bélanger et Louis Imbeau (dir.), *Le Parti libéral. Enquête sur les réalisations du gouvernement Charest*, Québec, Presses de l'Université Laval, 2006.

12. Voir en particulier les résultats des sondages Léger du 12 décembre 2014 (http://leger360.com/admin/upload/publi_pdf/sofr20141213.pdf) et CROP du 23 avril 2015 (www.lapresse.ca/actualites/politique/politique-quebecoise/201504/23/01-4863601-compressions-les-quebecois-auraient-prefere-attendre-un-an.php).

Le conservatisme budgétaire : une tendance à la hausse chez nos premiers ministres

1. Aaron Wildavsky, *The Politics of the Budgetary Process*, Toronto, Little, Brown and Co., 1964 ; et *The New Politics of the Budgetary Process*, New York, Harper Collins, 1988.

2. Louis M. Imbeau, François Pétry et Moktar Lamari, « Left-Right Party Ideology and Public Policy : A Meta-Analysis », *European Journal of Political Research*, vol. 40, nᵒ 1, 2001, p. 1-29.

3. Ian Budge, David Robertson et Derek Hearl (dir.), *Ideology, Strategy and Party Change : Spatial Analyses of Post-War Election Programmes in 19 Democracies*, Cambridge, Cambridge University Press, 1987.

4. Louis M. Imbeau et Kina Chenard, « Déficits et surplus budgétaires dans les États fédérés », dans Louis M. Imbeau (dir.), *Politiques publiques comparées dans les États fédérés*, Saint-Nicolas (Québec), Presses de l'Université Laval, 2005, p. 211-242.

5. Voir à cet égard Louis M. Imbeau, « Discours et action dans la politique budgétaire au Québec et en Ontario », dans Jean-François Savard, Alexandre Brassard et Louis Côté (dir.), *Les relations Québec-Ontario. Un destin partagé ?*, Québec, Presses de l'Université du Québec, 2011, p. 183-204.

Complément. Les promesses électorales : souvent de fausses perceptions

1. Pour un compte rendu détaillé, voir François Pétry et Dominic Duval, « How Accurate Are Voters'

Evaluations of Pledge Fulfillment ? A Comparative Analysis of Quebec », présentation au congrès annuel de l'American Political Science Association, San Francisco, 2-5 septembre 2015.

2. Les verdicts du Polimètre Marois sont archivés par le projet Poltext : www.poltext.org/fr/polimetre/marois. Une liste des promesses remplies par le gouvernement de Pauline Marois, sensiblement différente de celle du Polimètre est accessible sur le site du Parti québécois : http://pq.org/nos_realisations/.

3. Voir François Pétry, « Les citoyens surveillants de l'État démocratique ? », dans Jean Crête (dir.), *Les surveillants de l'État démocratique*, Québec, Presses de l'Université Laval, 2014.

4. Prendre un raccourci d'information consiste à utiliser de l'information facilement accessible (ou même ses émotions) pour pallier le manque d'information afin de parvenir à un jugement politique. Les citoyens utilisent par exemple leur niveau de confiance envers un parti politique comme raccourci d'information pour évaluer la capacité de celui-ci à tenir ses promesses : un parti dans lequel on a confiance est perçu comme tenant mieux ses promesses qu'un parti dans lequel on n'a pas confiance.

CLÉ 14 — SOUVERAINETÉ

La souveraineté en miettes

1. « À la suite d'une victoire du Oui [...] 58 % croyaient que le Québec continuerait d'utiliser le dollar canadien, 54 % croyaient que les Québécois continueraient de pouvoir travailler au Canada, 49 % croyaient que les Québécois pourraient conserver leur citoyenneté et leur passeport canadien, et 23 % croyaient que les Québécois continueraient d'envoyer des députés à Ottawa. » Sondage cité par Mollie Dunsmuir et Brian O'Neal, *Analyse du contexte dans lequel a eu lieu le dépôt du projet de loi C-20, Loi sur la clarté*, Ottawa, Bibliothèque du Parlement, Direction de la recherche parlementaire, 2000, en ligne : http://publications.gc.ca/Collection-R/LoPBdP/BP/prb9942-f.htm.

2. Patrick White, « Élections 2014 : "Je n'en veux pas de référendum", dit Pauline Marois »,

Le Huffington Post, 25 mars 2014, en ligne : http://quebec.huffingtonpost.ca/2014/03/25/elections-2014-je-nen-veux-pas-de-referendum-dit-pauline-marois-entrevue-photos_n_5031420.html.

3. Voir le billet de Jean-François Lisée sur son blogue, « Comprendre le choc d'avril 2014 : transferts et motivations des électeurs », 13 avril 2014, en ligne : http://jflisee.org/comprendre-le-choc-davril-2014-suite/.

4. Gilles Gagné et Simon Langlois, *Les raisons fortes. Nature et signification de l'appui à la souveraineté du Québec*, Montréal, Presses de l'Université de Montréal, 2002.

5. Denis Lessard, « Sondage CROP-La Presse : Péladeau battrait Couillard », *La Presse*, 19 février 2015. Les résultats étaient légèrement plus bas en 2010. Alec Castonguay, « Sondage Léger Marketing-Le Devoir. Référendum : les Québécois ne sont pas pressés. 38 % des péquistes ne souhaitent pas que le prochain gouvernement du PQ tienne une consultation », *Le Devoir*, 15 novembre 2010.

6. Patrick Lagacé, « Sortie fracassante de Lucien Bouchard contre le PQ », *La Presse*, 16 février 2010.

La mutation tranquille du Parti québécois

1. *Le Devoir*, 12 mai 2015.

2. *La Presse*, 12 juin 2015.

3. *Le Soleil*, 31 juillet 2015.

4. Louis Balthazar, *Nouveau bilan du nationalisme au Québec*, Montréal, VLB éditeur, 2013.

CLÉ 15 — POLITIQUE FÉDÉRALE

Le début d'une nouvelle ère Trudeau

1. Darrell Bricker et John Ibbitson. *The Big Shift. The Seismic Change in Canadian Politics, Business, and Culture and What It Means for Our Future*, Toronto, HarperCollins, 2013.

2. Frédéric Boily, *La droite en Alberta. D'Ernest Manning à Stephen Harper*, Québec, Presses de l'Université Laval, 2013.

3. Alec Castonguay, « La grande ambition de Stephen Harper. La feuille d'érable bleue », *Le Devoir*, 20 octobre 2007.

4. Frédéric Boily, *De Pierre à Justin Trudeau. Portrait de famille du Parti libéral du Canada (1968-2013)*, Québec, Presses de l'Université Laval, 2014.

5. David Morin et Stéphane Roussel, « "Un monde finit, un autre commence" ? Autopsie de la politique étrangère canadienne de Stephen Harper (2006-2013) », *Canadian Foreign Policy Journal*, vol. 20, n° 1, 2014, p. 1-8.

6. Hélène Buzzetti, « "Nous sommes de retour" », *Le Devoir*, 21 octobre 2015.

7. Gérard Bérubé, « Il était temps », *Le Devoir*, 23 octobre 2015.

Complément. Vote-t-on pour un candidat parce que son physique nous plaît ?

1. Chenjie Xia, Dietlind Stolle, Elisabeth Gidengil et Lesley K. Fellows, « Lateral Orbitofrontal Cortex Links Social Impressions to Political Choices », *The Journal of Neuroscience*, vol. 35, n° 22, 3 juin 2015, p. 8507-8514.

CLÉ 17 — INÉGALITÉS SOCIALES

Le sentiment de justice sociale : entre équité et égalité

1. Enquête réalisée en mai 2013 par la firme Léger auprès d'un échantillon représentatif de la population québécoise, soit 2727 personnes choisies au hasard dans son panel Web. L'auteur remercie le Fonds du Québec, de recherche Société et culture pour l'aide apportée à la réalisation de cette recherche, ainsi que Catherine Bonneau, Hubert Doyon et David Gaudreault, assistants de recherche au Département de sociologie de l'Université Laval.

2. Pour mesurer le sentiment de microjustice sociale, nous avons retenu comme indicateur l'évaluation que les personnes en emploi font de l'équité de leurs revenus. Soulignons cependant que des résultats semblables ont été obtenus avec d'autres indicateurs, comme la reconnaissance de leurs compétences.

Complément. Des réformes menées à l'aveuglette ?

1. La méthodologie de l'INM est basée sur des études similaires effectuées par l'OCDE (au sujet du protectionnisme) et le Forum économique mondial (au sujet des risques pour l'économie mondiale). La méthodologie a aussi été enrichie de suggestions d'une dizaine de spécialistes et d'économistes.

2. Pour une brève présentation du *Bulletin du budget fédéral*, voir Nicolas Zorn, « Budget fédéral :

des mesures qui aggraveront les inégalités », blogue de l'INM, 11 mai 2015, en ligne : inm.qc.ca/blog/budget-federal-des-mesures-qui-aggraveront-les-inegalites/.

CLÉ 18 — MÉDIAS
La crise de tous les dangers
1. Pew Research Center, *State of the News Media* 2015, www.journalism.org/2015/04/29/state-of-the-news-media-2015/.
2. Statistique Canada, *Télédiffusion*, 2014. En ligne : www.statcan.gc.ca/daily-quotidien/150825/dq150825a-fra.htm.
3. « Médias : tout ce qui change », d'*Infopresse*, « Guide média 2016 », septembre 2015.
4. American Press Institute, *Breaking Down the Millennial Generation : A Typology of Young News Consumers*, 2015.
5. Eli Pariser, *The Filter Bubble : What the Internet is Hiding from You*, New York, Penguin Press, 2011.

CLÉ 19 — TERRITOIRES
Le désengagement de l'État envers la ruralité : un virage inattendu
1. Voir notre ouvrage disponible gratuitement en ligne : Bruno Jean, avec la collaboration de Lawrence Desrosiers et de Stève Dionne, *Comprendre le Québec rural*, 2ᵉ édition, Rimouski, Université du Québec à Rimouski / Chaire de recherche du Canada en développement rural / GRIDEQ / CRDT, 2014, en ligne : www.uqar.ca/developpement-rural/.

CLÉ 20 — PATRIMOINE
État des lieux au pays du *Je me souviens*
1. Groupe-conseil sur la Politique du patrimoine culturel du Québec, *Notre patrimoine, un présent du passé*, novembre 2000, www.mcc.gouv.qc.ca/fileadmin/documents/publications/rapport-Arpin-complet.pdf.

Liens et références :

Rapport de l'Observatoire de la culture sur le patrimoine (2006) : www.stat.gouv.qc.ca/statistiques/culture/patrimoine-musees-archives/cahier-02-etatdeslieux.pdf

Rapport du Vérificateur général du Canada (2007) : www.oag-bvg.gc.ca/internet/Francais/parl_oag_200702_02_f_17468.html

L'étude d'impact patrimonial :www.cpcq.gouv.qc.ca/fileadmin/user_upload/docs/etude_impact_patrimonial,_guide_pratique.pdf

Le cas du patrimoine religieux : www.patrimoine-religieux.qc.ca/

www.assnat.qc.ca/fr/travaux-parlementaires/commissions/CC/mandats/Mandat-3163/memoires-deposes.html

Montréal et son combat du patrimoine : www.heritagemontreal.org et sa plateforme d'engagement citoyen sur le patrimoine

Martin Drouin, *Le combat du patrimoine à Montréal, 1973-2003*, Sainte-Foy, Presses de l'Université du Québec, 2005, 386 p.

La question du civic commons en Amérique du Nord : www.mas.org/building-a-sustainable-civic-commons/

ALIMENTER LES I ÉES

**POUR LE TEXTE
ET LE CONTEXTE** | **LE DEVOIR**

L'actualité

Branché sur le Québec, ouvert sur le monde.

Version **imprimée** ou **numérique**

lactualite.com/**abonnement**